EL MOD
NUEVA CREACIÓN

MICHAEL J. VLACH

EL MODELO DE LA NUEVA CREACIÓN

UN PARADIGMA PARA DESCUBRIR LOS PROPÓSITOS DE RESTAURACIÓN DE DIOS DESDE LA CREACIÓN HASTA LA NUEVA CREACIÓN

MICHAEL J. VLACH

El modelo de la nueva creación: un paradigma para descubrir los propósitos de restauración de Dios desde la creación hasta la nueva creación

Publicado originalmente en inglés bajo el título: *The New Creation Model: A paradigm for Discovering God's Purposes from Creation to New Creation*, por Theological Studies Press

Traducción: Janin Díaz y Saúl Sarabia

Edición y diseño de Portada: Publicaciones Kerigma

Salem Oregón, Estados Unidos
http://www.publicacioneskerigma.org

Pedidos: 971 304-1735

www.publicacioneskerigma.org

ISBN: 978-1-956778-96-0

Impreso en los Estados Unidos
Printed in the United States

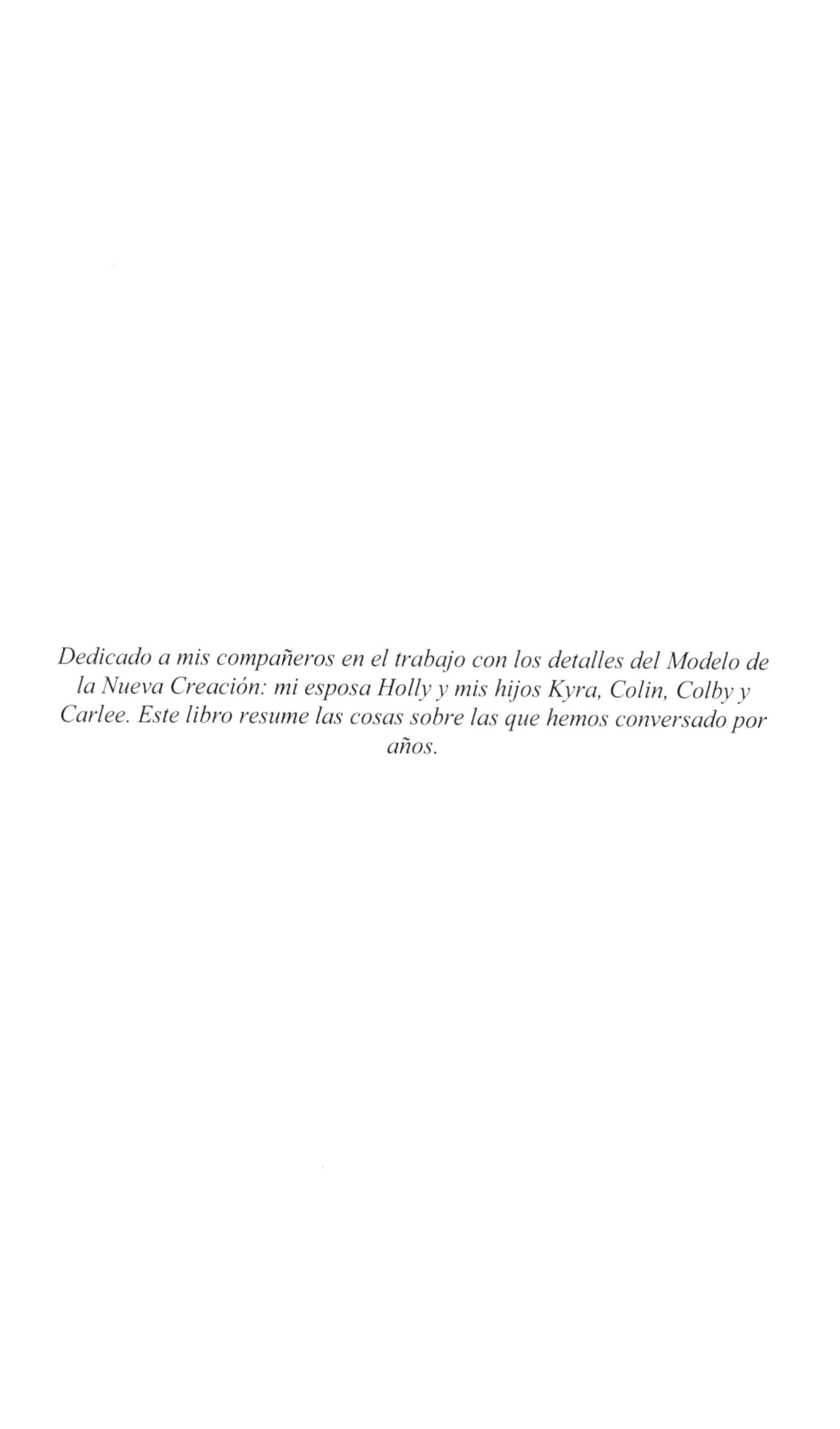

Dedicado a mis compañeros en el trabajo con los detalles del Modelo de la Nueva Creación: mi esposa Holly y mis hijos Kyra, Colin, Colby y Carlee. Este libro resume las cosas sobre las que hemos conversado por años.

CONTENIDO

TERCERA PARTE

LOS MODELOS EN LA HISTORIA

QUINTA PARTE

LOS SISTEMAS TEOLÓGICOS Y LOS MODELOS

Índice de tablas

PREFACIO

¿Nuestra comprensión de lo que Dios está realizando a través de Jesús es lo suficientemente amplia?

Daniel Block señala que «los cristianos suelen ver el mundo y las Escrituras desde una perspectiva antropocéntrica [centrada en el hombre], como si los seres humanos fueran el centro del universo y todo existiera para ellos». Pero en realidad, «Dios se ha comprometido en un proyecto que es mucho mayor que la población humana».[1]

Block parece dar en el clavo. Los cristianos suelen centrarse en la redención personal del pecado y en los principios para vivir una vida piadosa, que sin duda son importantes y necesarios. Pero, ¿y si los propósitos salvadores y restauradores de Dios son mayores de lo que pensamos? ¿Y si los planes de Dios son más que individuales y espirituales? ¿Y si implican la restauración de la tierra, los animales, las naciones, la sociedad, la cultura, las amistades, los hogares, las granjas, la agricultura y muchas otras áreas? ¿Y si la próxima «restauración de todas las cosas» en Jesús (He. 3:21) se extiende realmente a todo?[2] ¿Cómo cambiaría esto su perspectiva sobre la vida y el futuro si fuera cierto?

Para responder a estas preguntas, este libro se centra en los propósitos de Dios a través de la lente de dos modelos desde los que han operado los creyentes en la historia —el modelo de la nueva creación y el modelo de la visión espiritual. Estos dos modelos representan paradigmas opuestos sobre la naturaleza de la realidad y la vida eterna. Abordan la obra de Dios en la historia desde Génesis 1 hasta Apocalipsis 22. Las ideas que subyacen a cada modelo han influido en la forma en que los cristianos han entendido el argumento bíblico y la naturaleza de la vida eterna. El modelo de la visión espiritual hace hincapié en

---

[1] Daniel I. Block, *Covenant: The Framework of God's Grand Plan of Redemption* (Grand Rapids: Baker Academic, 2021), 13. Aquí se refiere específicamente a Génesis 1.

[2] Por «todo» nos referimos a todos los aspectos de la creación, no a la salvación de cada individuo.

cuestiones individuales y espirituales, y en una existencia espiritual en el cielo aparte de la tierra y de todo lo relacionado con nuestras experiencias actuales.

Pero el modelo de la nueva creación afirma que, además de lo individual y lo espiritual, Dios está trabajando para restaurar todos los ámbitos de la creación. Y la vida eterna es la existencia encarnada en una tierra restaurada donde el pueblo de Dios vive y prospera en su presencia y experimenta vibrantes interacciones sociales y culturales entre sí. Esa vida no es un divorcio de todo lo que experimentamos ahora en la tierra. Es una vida en la que nuestras relaciones y experiencias están libres de todas las manchas del pecado y la maldición. Esta es la vida abundante que Dios creó para nosotros, no un transporte a un reino de existencia puramente espiritual. El destino del pueblo de Dios está relacionado con la forma en que Dios lo estructuró y el reino en el que fue colocado en el momento de la creación.

Durante más de quince años he abordado estos dos modelos y sus implicaciones en el contexto de un aula de seminario. Pero ahora los explico por escrito para un público más amplio. También ofrezco un sólido argumento a favor del modelo de la nueva creación como la perspectiva adecuada para contemplar los propósitos multidimensionales de Dios. El modelo de la nueva creación implora a los cristianos que consideren todos los propósitos de la creación, el reino y el pacto de Dios, incluida la relevancia de la tierra, el territorio, las naciones, la cultura, la economía, la agricultura, los recursos naturales, el reino animal, la creación inanimada (árboles, campos), las realidades sociopolíticas, la tecnología y todo lo que tenga que ver con nuestro entorno.

Estos modelos no son sólo cuestiones académicas. Son prácticos. No sólo abordan lo que Dios está haciendo en la historia, sino que nos ayudan a comprender nuestro lugar en la historia de Dios. Y se relacionan con nuestra esperanza en Jesús.

Comprender las verdades del modelo de la nueva creación a partir de las Escrituras es provechoso y emocionante. Lo que Dios ha planeado para nosotros y para toda la creación hace que todas nuestras penas actuales palidezcan en comparación. Pablo afirmó: «considero que en nada se comparan los sufrimientos actuales con la gloria que habrá de revelarse en nosotros» (Rom. 8:18 NVI). Mucho de lo que esta «gloria» es, nos ha sido revelado en las páginas de las Escrituras, más allá de lo que a menudo se ha considerado.

Este libro pretende ser informativo sobre cómo los cristianos han visto la creación de Dios y los propósitos de la nueva creación. También es un reto para examinar nuestras suposiciones sobre los planes de Dios para asegurarnos de que son coherentes con las Escrituras y están libres de filosofías no bíblicas. También debemos abrazar y sentirnos alentados por todo lo que Dios está realizando en Jesús y compartir esta esperanza con los demás. Pero sobre todo, debemos glorificar a Dios por las grandes cosas que está haciendo con su creación. Como dice Apocalipsis 4:11,

> «Digno eres, Señor y Dios nuestro,
>   de recibir la gloria, la honra y el poder,
> porque tú creaste todas las cosas;
>   por tu voluntad existen
>   y fueron creadas» (NVI).

-Michael J. Vlach
Día de San Patricio,
17 de marzo de 2023

INTRODUCCIÓN

«En las dos últimas décadas, muchos teólogos han llegado a abrazar lo que yo llamo escatología de la nueva creación. La escatología de la nueva creación cree que el estado eterno no es una realidad celestial, atemporal y no material, sino cielos nuevos y una tierra nueva, como en Isaías 65, 2 Pedro 3:13 y Apocalipsis 21 y 22. La morada de los redimidos en esa nueva creación no está en el cielo sino en la tierra nueva».

-Craig A. Blaising[1]

¿Cuáles son los propósitos de la creación de Dios y cuál es la naturaleza de la vida eterna? Este libro aborda estas importantes cuestiones a través de la lente de dos modelos teológicos: el modelo de la nueva creación (MNC) y el modelo de la visión espiritual (MVE). La formulación de estos modelos fue acuñada por Craig Blaising en el libro *Three Views on the Millennium and Beyond*.[2] Pero los conceptos que los sustentan están bien asentados en la historia. Hablaremos de estos modelos en detalle, pero primero quiero compartir una historia personal sobre cómo me han afectado.

Nací en Omaha, Nebraska, a finales de la década de 1960 y fui un niño de los años setenta. Era la menor de seis hermanos. Papá emigró a EE.UU. desde Checoslovaquia y vivió en Indiana. Después de servir en las fuerzas aéreas montó su propio negocio de fotografía. Mamá

---

[1] Craig A. Blaising, «A Critique of Gentry and Wellum's, Kingdom Through Covenant: A Hermeneutical-Theological Response», *Master's Seminary Journal* 26.1 (Primavera de 2015): 122.
[2] Craig A. Blaising, «Premilenialism», en *Three Views on the Millennium and Beyond: Three Views*, ed. Darrell L. Bock (Grand Rapids: Zondervan, 1999), 155-226.

procedía de una gran familia irlandesa de Chicago. Mamá y papá se casaron y se establecieron en Omaha, donde crecimos los seis hijos. Éramos una familia de clase media que vivía en el Medio Oeste durante lo que parecían tiempos más sencillos. Mis primeros años estuvieron llenos de diversión. Había pequeñas ligas de béisbol en verano, veía partidos de fútbol de Nebraska en otoño y exploraba el vecindario con mis amigos. Fueron años de maravilla infantil para mí. La enfermedad y muerte de mi padre cuando yo tenía 14-15 años puso fin a esta época, pero recuerdo con cariño ese tiempo anterior.

En cuanto a mi educación religiosa, tanto mamá como papá provenían de generaciones de católicos romanos. Asistí a una escuela primaria católica romana donde fui monaguillo, y luego fui a un instituto católico. De acuerdo con la teología católica, mi visión religiosa de la eternidad era muy espiritual. Pensaba que el propósito de la vida era ser una buena persona, seguir lo que enseñaba la Iglesia y, algún día, vivir en el Cielo para siempre, que sería una existencia espiritual en otro reino.

Alrededor de los 11 años, estaba en la cocina y le pregunté a mamá cómo creía que sería el Cielo. Ella dijo: «El Cielo es donde viviremos en la luz de Dios para siempre y tendremos una gran alegría que es indescriptible». Lo que capté de niño entonces fue que el Cielo sería una experiencia espiritual. Allí no habría nada de la tierra ni nada tangible. Actividades como comer, jugar y trabajar desaparecerían. Sólo pensaríamos en cosas espirituales. El tiempo no existiría. El cielo sería una experiencia fuera de este mundo muy alejada de todo lo que encontramos ahora. No era algo que anhelara, pero supuse que estaría bien cuando llegara ese día. Y ciertamente era mejor que estar en el infierno.[3]

Mis ideas no eran únicas. La mayoría de la gente que conocía pensaba como yo. Y la cultura circundante afirmaba estas percepciones del cielo. Los programas de televisión, los anuncios, las películas y los dibujos animados presentaban el cielo como una experiencia espiritual difusa en el cielo. Películas como *Heaven Can Wait* presentaban el más allá como gente paseando por las nubes. En los dibujos animados de los

---

[3] Howard A. Snyder admite un pensamiento similar: «Incluso cuando era un joven cristiano, me sentía vagamente insatisfecho con la promesa de una vida después de la muerte que celebrábamos en la iglesia. La salvación consistía en ir al cielo. El cielo era lo verdaderamente definitivo. Sin embargo, las descripciones del "cielo" parecían estáticas, sosas y sin color en comparación con el hermoso mundo que me rodeaba». Howard A. Snyder con Joel Scandrett, *Means Creation Healed: The Ecology of Sin and Grace: Overcoming the Divorce Between Earth and Heaven* (Eugene, OR: Cascade, 2011), ix. También hemos escuchado a muchos otros con testimonios similares.

periódicos, San Pedro estaba de pie ante las «puertas perladas» del cielo con nubes de fondo que indicaban a la gente si podían entrar. Con los dibujos animados de los sábados por la mañana en la televisión, los personajes que morían eran representados como figuras fantasmales sobre una nube con alas y un halo. Así que no es de extrañar que mi concepto del cielo fuera sólo espiritual. Formaba parte de la cultura y de mi educación religiosa. Aunque aún no era consciente del concepto, un «modelo de visión espiritual» impregnaba profundamente mis pensamientos. Puede que no fuera consciente de este modelo, pero dominaba mi imaginario.

Así que incluso antes de estudiar la Biblia poseía una fuerte presuposición de que los propósitos de Dios eran espirituales y no materiales. Todas las cosas relacionadas con la tierra o los asuntos físicos eran menores y desaparecerían. Más tarde, supe que tales suposiciones estaban relacionadas con ideas del filósofo Platón y de teólogos como Tomás de Aquino. De hecho, lo que mi madre describió sobre que el cielo era un reino de luz alejado de la tierra se parecía mucho a la idea del cielo empíreo (lleno de luz) que enseñaba Aquino y que se presenta en la famoso obra *Paradiso* de Dante (del que hablaremos más adelante).

Durante la enfermedad de mi padre y poco antes de su muerte, confié en Jesús como mi Salvador (al igual que papá, mamá y mis hermanos). Asistí a una iglesia evangélica y estudié seriamente la Biblia. Aprendí mucho sobre Dios, Jesús, el pecado, la salvación y la vida cristiana. Fueron días apasionantes y aprendí mucho. Sin embargo, mis suposiciones del modelo de la visión espiritual sobre los grandes propósitos de Dios y la eternidad seguían siendo en gran medida las mismas. Seguía considerando los planes de Dios como principalmente individuales y espirituales. La salvación consistía en vivir en el cielo para siempre una vez terminada esta vida. Oí hablar mucho de ser colocado en el estante de trofeos celestiales de Dios. También recuerdo que el director del coro de una iglesia afirmó que algún día nos uniríamos al coro celestial en el cielo. Me imaginaba con una larga túnica de coro cantando en un servicio interminable de la iglesia en el cielo.

Una de mis canciones favoritas por aquel entonces (y aún lo es) era *The Old Rugged Cross*. Una línea dice: «Entonces él me llamará algún día a mi hogar, donde compartiré su gloria por siempre». Canciones como ésta reafirmaban que nuestro futuro hogar estaba «lejos» para siempre. En los funerales oía que nos reuniríamos para siempre con nuestros seres queridos difuntos en el Cielo. Y los que morían llegaban a su destino final. Una vez en el cielo, ninguna persona querría volver a la tierra.

En resumen, adopté una visión evangélica de la salvación, lo cual era importante, pero mis ideas sobre los grandes propósitos de Dios y la eternidad seguían siendo las mismas. Las conversaciones sobre el futuro eran vagas. Me enseñaron que la tierra debía ser aniquilada. El pueblo de Dios en la eternidad sería una humanidad genérica sin distinciones. Ni siquiera se consideraba la idea de que existieran animales en el Cielo. No pensé mucho en los planes de Dios para la tierra, los animales, la cultura, la sociedad o la naturaleza. No consideré cómo se movía Dios en la historia con las naciones, Israel y los grupos étnicos. No tenía ni idea de lo que era el día del Señor. Pensaba que el reino de Dios sólo tenía que ver con la salvación, o con el reinado de Dios en mi corazón, o con la iglesia.

En mis veintes estudié más la Biblia y la teología. Aprendí que los planes de Dios incluían la tierra, Israel y las naciones. La segunda venida de Jesús significaba un regreso a la tierra donde Jesús reinaría sobre las naciones. Leí *Things to Come*, de J. Dwight Pentecost. Este libro me introdujo en la discusión específica de los pactos bíblicos: el Noético, el Abrahámico, el Mosaico, el Davídico y el Nuevo. Descubrí que estos pactos abordaban la salvación del pecado, pero también hablaban de la tierra, Israel, las naciones geopolíticas y otras áreas.

También fue significativo el libro de Alva J. McClain, *The Greatness of the Kingdom*. McClain sostenía que el reinado del Mesías sobre toda la creación es el tema principal de las Escrituras. La salvación en Jesús implica la redención de los individuos y la restauración del orden creado. Jesús transformará la cultura, la sociedad y el ámbito político. Y cumplirá el mandato de Dios de que el hombre gobierne y someta la tierra (véase Gén. 1:26-28). Además, McClain señaló que la influencia de Platón a menudo alejaba a los cristianos de una comprensión holística de los propósitos de Dios. McClain abordó cómo la influencia de Platón en la iglesia sofocaba a menudo la esperanza multidimensional del reino venidero de Jesús que se presenta en las Escrituras.

Asistí al seminario en el sur de California a mediados de la década de 1990. En aquella época, leí el libro de Robert Saucy, *The Case for Progressive Dispensationalism*. Saucy promovía una visión holística del reino y de los pactos bíblicos, señalando sus elementos espirituales y materiales. También abordó el tema de las naciones y el papel de Israel ante ellas. También aprendí sobre los propósitos multidimensionales de Dios en mis clases de estudio de la Biblia y teología. Los puntos teológicos se iban uniendo en mi mente.

El capítulo de Craig Blaising sobre «Premilenialismo» en el libro de 1999, *Three View son the Millennium and Beyond* fue especialmente útil. Blaising explicó explícitamente los modelos de la nueva creación y la visión espiritual y cómo estos modelos influyeron en la historia de la Iglesia. Gran parte de lo que escribo intenta basarse en los dos modelos que Blaising expuso.[4]

Otras obras también resultaron útiles. La obra de Anthony Hoekema, *Created in God's Image*, abordó aspectos específicos de cómo podrían ser la sociedad y la cultura en la nueva tierra venidera. El libro de Randy Alcorn, *Heaven* (2004), describió cómo el destino de los creyentes implica una tierra restaurada tangible con naciones, compañerismo y cultura. Aunque no utilizó las denominaciones «modelo de la nueva creación» y «modelo de la visión espiritual», Alcorn discutió los conceptos de estos modelos.[5] Su enfoque es coherente con una visión de la eternidad basada en el modelo de la nueva creación. Y criticó el «cristoplatonismo», una forma del modelo de la visión espiritual, que es la fusión del cristianismo con las ideas altamente espirituales de Platón.

Mi viaje desde una perspectiva del modelo de la visión espiritual al modelo de la nueva creación llevó su tiempo. Fue un cambio gradual de paradigma. Sin embargo, me alejé mucho de mi comprensión anterior de los propósitos de Dios. Lo que Dios estaba realizando a través de Jesús era mucho más grande de lo que yo pensaba en un principio. Pasé de ver los propósitos de Dios como únicamente espirituales e individuales a darme cuenta de que son holísticos y multidimensionales. Durante años enseñé estas ideas en el seminario y ahora las pongo por escrito.

El lector debe tener en cuenta que no estoy ofreciendo un nuevo sistema teológico. Tampoco digo que cada persona deba identificarse explícita y únicamente como «neocreacionista». Pero sí creo que estudiar estos modelos puede ayudar a agudizar nuestra visión de los propósitos de Dios, independientemente del sistema con el que uno se identifique. Lo que importa es lo que es verdadero y bíblico. Si una comprensión del modelo de la nueva creación sobre los propósitos de Dios es exacta, debe surgir naturalmente de las Escrituras. La Biblia

---

[4] No estoy afirmando que Blaising o cualquiera de los que citamos esté de acuerdo con todo lo que se dice en este libro.

[5] No estamos asegurando que Alcorn utilice los títulos exactos de estos modelos o que esté de acuerdo con todo lo que se afirma en nuestro libro.

presenta una visión global y completa de los propósitos de la creación, el reino y el pacto de Dios. Cuanto mejor los comprendamos, mejor podremos entender lo que Dios está haciendo y nuestro lugar en su historia.

Este libro consta de cinco partes. Las tres primeras constituyen el núcleo del libro. La parte 1 es una introducción a los dos modelos y por qué son importantes. La parte 2 explica en detalle los modelos de la nueva creación y de la visión espiritual. La parte 3 analiza los dos modelos en la historia de la Iglesia. Las partes 4 y 5 son más académicas, ya que analizan cómo se relacionan las diversas visiones milenarias y los sistemas teológicos con los modelos. La conclusión analiza lo que el modelo de la nueva creación debería significar para los cristianos en el futuro.

PRIMERA PARTE

INTRODUCCIÓN A LOS MODELOS

1

LENGUAJE DE LA NUEVA CREACIÓN EN LA ESCRITURA

«¡Voy a hacer algo nuevo!»
-Isaías 43:19 NVI

Muy pronto discutiremos detalles específicos sobre el modelo de la nueva creación, pero primero observaremos el lenguaje específico de la «nueva creación» en la Biblia. Esta será la base de las ideas asociadas con el modelo de la nueva creación.

Toda la creación ha sufrido enormemente desde la caída de Génesis 3. La muerte, la maldición, la enfermedad, el mal moral, las catástrofes naturales y otras realidades catastróficas forman parte habitual de nuestra existencia. La devastación y el dolor de un mundo caído son omnipresentes e inmensos. A menudo se produce desesperación y uno se pregunta si esta situación cambiará alguna vez.

Pero la esperanza abunda. Incluso con el gran fracaso del hombre en el jardín, Génesis 3:15 predijo la llegada de una simiente de la mujer que vencería al mal e invertiría la maldición. En Génesis 5:28-29, Lamec esperaba un descendiente que eliminaría la maldición sobre la tierra. Génesis 49:8-12 declaró que una figura mesiánica venidera («Silo») gobernaría el mundo y traería prosperidad a la tierra. En Isaías 43:19 el Señor declaró: «¡Voy a hacer algo nuevo!». Este «algo nuevo» transformará la actual situación caída en todos los sentidos. Y está en el corazón del modelo de la nueva creación.

La expresión «modelo de la nueva creación» procede del lenguaje y los términos de la nueva creación que aparecen en la Biblia. En ocasiones vemos la denominación específica «nueva creación» en las Escrituras, y otras veces vemos palabras que expresan ideas de nueva creación. El lenguaje de la «nueva creación» está vinculado a tres áreas relacionadas en las que se produce una transformación:

1. la nueva situación para una *persona* en Jesús
2. la nueva situación para la *comunidad* en Jesús
3. la nueva situación para *el orden creado* a causa de Jesús

Con el tiempo, Jesús aporta una nueva situación a los tres ámbitos. Los dos primeros tienen especial relevancia para el presente como resultado de la primera venida de Jesús. El cumplimiento del tercero —el orden creado— aguarda la segunda venida y el reino de Jesús, aunque la preocupación y el cuidado por la creación también deben producirse ahora.

Una nueva persona en Cristo

La formulación de nueva creación se aplica a la persona individual en unión con Cristo. En Segunda de Corintios 5:17 se afirma: «Por lo tanto, si alguno está en Cristo, es una nueva creación. ¡Lo viejo ha pasado, ha llegado ya lo nuevo!» (NVI). Los términos aquí son *kainos* (nuevo) y *ktisis* (creación). *Kainos* hace hincapié en una situación nueva que sustituye a la antigua. Para la persona en unión con Cristo ha llegado una «nueva creación». La «vieja» pertenece al pasado; la «nueva» ha llegado.

Colosenses 3:9-10 (NVI) expresa esta idea. Pablo dice: «se han quitado el ropaje de la vieja naturaleza [lit. "viejo hombre"] con sus vicios, y se han puesto el de la nueva naturaleza, [lit. "hombre nuevo"]». El «nuevo yo» u «hombre nuevo» que mencionó Pablo, implica una nueva creación. Así, para el seguidor de Jesús, el «viejo hombre» ha dado paso al «hombre nuevo». El «hombre viejo» representa todo lo que una persona era en Adán, y el «hombre nuevo» se refiere a todo lo que una persona es ahora en Cristo. Romanos 5:12-21 revela que Adán trajo el pecado, la muerte y la condenación para todas las personas. Pero Jesús trae la vida y la justificación a los que están en Él.

El resultado de esta transición del viejo hombre al nuevo yo y a la nueva creación se encuentra en Efesios 4:22-24 donde Pablo declara:

> Con respecto a la vida que antes llevaban, se les enseñó que debían quitarse el ropaje de la vieja naturaleza, la cual está corrompida por los deseos engañosos; ser renovados en la actitud de su mente; y ponerse el ropaje de la *nueva naturaleza*, creada a imagen de Dios, en verdadera justicia y santidad.[1]

Las palabras de Pablo para «nuevo yo [hombre]» en 4:24 son *kainos* [nuevo] *anthropos* [hombre]. De nuevo, el término «nuevo» se aplica al cristiano. A la persona que ahora es una nueva creación o un hombre nuevo en Cristo, se le ordena vivir a la luz de esta realidad. Por tanto, ¡actúe como si lo fuera! En resumen, la idea de «nueva creación» se aplica al individuo en Jesús.

Una nueva comunidad en Cristo

El lenguaje de la nueva creación también se extiende a las entidades corporativas y comunitarias. La llegada de Jesús y el ministerio del nuevo pacto del Espíritu Santo indican que la salvación mesiánica se extiende ahora por igual tanto a los judíos creyentes como a los gentiles creyentes. Efesios 2:11-3:6 lo explica. No queda ninguna barrera entre judíos y gentiles en lo que respecta a la salvación. Los gentiles que antes estaban «lejos» han sido «acercados» gracias a Jesús (Ef. 2:13). Efesios 2:14-15 explica esta nueva situación:

> Porque Cristo es nuestra paz: de los dos pueblos ha hecho uno solo, derribando mediante su sacrificio el muro de enemistad que nos separaba, pues anuló la ley con sus mandamientos y requisitos. Esto lo hizo para crear en sí mismo de los dos pueblos una nueva humanidad al hacer la paz (NVI).[2]

Los términos griegos para referirse a «un hombre nuevo» son *heis* [uno] *kainos* [nuevo] *anthropos* [hombre]. Así pues, el lenguaje de la nueva creación se utiliza explícitamente de la nueva comunidad en Jesús.

En Gálatas 6:15 también se utiliza el lenguaje de la «nueva creación» para la nueva comunidad de judíos y gentiles: «Para nada cuenta estar o no estar circuncidados; lo que importa es ser parte de una

---

[1] Énfasis añadido.
[2] Énfasis añadido.

nueva creación».[3] De nuevo, lo que Pablo quiere decir aquí es que la entrada en la comunidad de Jesús no se basa en la circuncisión. La salvación en Jesús se aplica tanto a los judíos creyentes (los circuncidados) como a los gentiles creyentes (los incircuncisos). También Colosenses 3:10-11 utiliza el lenguaje de la nueva creación para referirse a la nueva comunidad en Jesús, independientemente de la etnia o la condición social:

> ...y se han puesto el de la *nueva naturaleza*, que se va renovando en conocimiento a imagen de su creador. En esta nueva naturaleza no hay griego ni judío, circunciso ni incircunciso, culto ni inculto, esclavo ni libre, sino que Cristo es todo y está en todos.[4]

Los pasajes anteriores revelan que Jesús trajo la salvación mesiánica y la unidad a los gentiles y judíos creyentes. Así pues, el concepto de «nueva creación» no sólo se aplica a los individuos que confían en Cristo, sino que implica a la nueva comunidad de judíos y gentiles creyentes. Esto también revela un aspecto presente y ya presente de la idea de la nueva creación.

Pasajes como Isaías 19:16-25 y Zacarías 14 también predicen que las naciones geopolíticas se convertirán en el pueblo de Dios junto a Israel. Egipto, por ejemplo, será llamado pueblo de Dios (Isa. 19:25). Así que la nueva comunidad en Jesús tiene implicaciones hoy con la iglesia y en el futuro con las naciones en el reino de Dios. Los «pueblos» y «naciones» de Apocalipsis 21-22 residirán en una «tierra nueva» en conexión con una «nueva Jerusalén» debido a lo que Jesús ha hecho (Ap. 21:1-3; 24, 26).

Pero como se demostrará, el concepto de «nueva creación» no se limita a la salvación individual y corporativa. Tiene implicaciones cósmicas. Como señala Snyder:

> En todos estos pasajes, Pablo comienza con el hecho de la salvación personal individual y corporativa por medio de Cristo. Pero sitúa la salvación personal dentro de un cuadro de transformación cósmica. La redención de las personas es, pues, el *centro* del plan de Dios, pero no la *circunferencia* de ese plan.[5]

---

[3] Énfasis añadido.
[4] Énfasis añadido.
[5] Snyder, *Salvation Means Creation Healed*, 99.

Una transformación de la naturaleza/creación

El lenguaje de la nueva creación también se aplica a la transformación venidera de la naturaleza y la creación. Cuando el Señor declaró: «¡Voy a hacer algo nuevo!» (Isa. 43:19), este «algo nuevo» incluye un camino en el desierto (43:19d); ríos en el desierto (19e); la restauración de los animales (20a); y ayuda a Israel (20b). Estas maravillosas bendiciones venideras traen consigo una restauración de la creación.

Isaías 65:17-25 también es un pasaje importante de la nueva creación. El versículo 17 afirma: «Presten atención, que estoy por crear un cielo nuevo y una tierra nueva». Este versículo menciona los «cielos» y la «tierra», a los que se hace referencia por primera vez en Génesis 1:1. Aquí los «cielos nuevos y tierra nueva» se refieren a un universo nuevo, restaurado. ¿Qué aporta esta nueva situación? Significa alegría para Jerusalén (18-19); la erradicación de la muerte de bebés y niños (20a, 23); una larga vida (20b); la construcción de casas y el consumo de viñedos (21-22); y la armonía en el reino animal (25). Esta nueva condición invierte las consecuencias humanas y cósmicas de la caída. Otros pasajes del Antiguo Testamento describen el aspecto de nueva creación de la restauración de la naturaleza, como Jeremías 30-33 y Ezequiel 36-37.

Además, el lenguaje del los cielos nuevos y tierra nueva de Isaías 65:17 también se encuentra en el Nuevo Testamento. 2 Pedro 3:13 afirma: «Pero, según su promesa, esperamos un *cielo nuevo* y una *tierra nueva*, en los que habite la justicia». Apocalipsis 21:1 dice: «Después vi un *cielo nuevo* y una *tierra nueva*, porque el primer cielo y la primera tierra habían dejado de existir, lo mismo que el mar». Apocalipsis 21:5 dice: «Y el que estaba sentado en el trono dijo: He aquí, yo hago *nuevas todas las cosas*. Y me dijo: Escribe; porque estas palabras son fieles y verdaderas». Esta situación de la nueva tierra implica a naciones y reyes que viajan para llevar sus aportaciones culturales a la nueva Jerusalén (véase Ap. 21:24, 26).

En Mateo 19:28-30 Jesús utiliza el término «regeneración» para describir el panorama de la nueva creación que trae la restauración de las tribus de Israel y las recompensas relativas a las relaciones, las casas y las granjas:

> —Les aseguro —respondió Jesús— que en la *renovación* de todas las cosas, cuando el Hijo del hombre se siente en su trono glorioso, ustedes que me han seguido se sentarán también en doce tronos para

> gobernar a las doce tribus de Israel. Y todo el que por mi causa haya dejado casas, hermanos, hermanas, padre, madre, hijos o terrenos recibirá cien veces más y heredará la vida eterna. Pero muchos de los primeros serán últimos, y muchos de los últimos serán primeros.

La palabra griega para «renovación» es *paliggenesia* que literalmente significa «génesis de nuevo» y se refiere a regeneración y restauración. Hechos 3:21 habla de la «renovación de todas las cosas». Romanos 8:19-23 también presenta una situación de nueva creación relativa a la naturaleza/creación que será transformada cuando el pueblo de Dios reciba cuerpos glorificados:

> La creación aguarda con ansiedad la revelación de los hijos de Dios, porque fue sometida a la frustración. Esto no sucedió por su propia voluntad, sino por la del que así lo dispuso. Pero queda la firme esperanza de que la creación misma ha de ser liberada de la corrupción que la esclaviza, para así alcanzar la gloriosa libertad de los hijos de Dios. Sabemos que toda la creación todavía gime a una, como si tuviera dolores de parto. Y no solo ella, sino también nosotros mismos, que tenemos las primicias del Espíritu, gemimos interiormente, mientras aguardamos nuestra adopción como hijos, es decir, la redención de nuestro cuerpo.

Moo señala que la creación que sufrió el pecado humano «también disfrutará de los frutos de la liberación humana»:

> Si la creación ha sufrido las consecuencias del pecado humano, también disfrutará de los frutos de la liberación humana. Cuando los creyentes sean glorificados, la «esclavitud a la decadencia» de la creación habrá terminado, y participará en la «libertad que pertenece a la gloria» a la que están destinados los cristianos. La naturaleza, afirma Pablo, tiene un futuro dentro del plan de Dios. No está destinada simplemente a la destrucción, sino a la transformación.[6]

Colosenses 1:20 vincula la muerte de Jesús con la reconciliación del universo: «y, por medio de él, reconciliar consigo todas las cosas, tanto las que están en la tierra como las que están en el cielo, haciendo la paz mediante la sangre que derramó en la cruz». Dado que el pecado afectó a

[6] Douglas J. Moo, «Nature in the New Creation: New Testament Eschatology and the Environment», *Journal of the Evangelical Theological Society* 49.3 (Septiembre de 2006): 462.

toda la creación, Snyder señala que «la salvación debe ser tan profunda y amplia, tan alta y ancha, como la creación misma».[7]

En resumen, el lenguaje de la nueva creación se utiliza en la Biblia para (1) las personas individuales en Cristo; (2) la nueva comunidad en Cristo; y (3) la naturaleza/creación a causa de Cristo. Las dos primeras han sido inauguradas con la primera venida de Jesús y la tercera tendrá lugar con el segundo advenimiento de Jesús. Moo señala acertadamente: «la frase de Pablo "nueva creación" parece ser, por tanto, su forma de resumir el nuevo estado de cosas que se ha inaugurado con la primera venida de Cristo y que se consumará con la segunda».[8]

Este lenguaje de nueva creación es la base del modelo de la nueva creación que vamos a analizar.

[7] Snyder, 146. En Colosenses esta reconciliación cósmica se vincula con la reconciliación de las personas con Dios y la erradicación del mal.
[8] Moo, 476.

2

PRESENTACIÓN DE LOS MODELOS

Un modelo resume las creencias de una visión o perspectiva compleja con el fin de comprenderla mejor. Los modelos pueden aplicarse a diversos ámbitos. Existen modelos económicos y políticos. Los modelos también pueden aplicarse a la doctrina o la teología. Como señala Craig Blaising, «un modelo interpretativo es un dispositivo heurístico para comprender puntos de vista complejos. Los modelos se utilizan para categorizar los puntos de vista teológicos sobre una serie de cuestiones doctrinales».[1]

Los modelos que estamos estudiando representan dos paradigmas relativos a los propósitos de Dios y la vida eterna. Pasamos ahora a las definiciones introductorias de los modelos de la nueva creación y de la visión espiritual. En capítulos posteriores profundizaremos aún más en ellos, pero ahora sólo ofrecemos una introducción.

El modelo de la nueva creación en pocas palabras

El modelo de la nueva creación es un paradigma o marco que intenta dar cuenta y resumir: (1) todas las dimensiones de los propósitos de la creación de Dios y (2) la naturaleza de la vida eterna. Aborda las realidades de la creación de Génesis 1-2 y las realidades de la nueva creación de Apocalipsis 20-22.

En primer lugar, el modelo de la nueva creación trata de detectar los propósitos multidimensionales de la creación de Dios, en particular tal y

[1] Blaising, «Premilenialism», en *Three Views on the Millennium and Beyond*, 160, n. 2.

como se encuentran en Génesis 1-2. Esto incluye sus planes para el universo, el planeta y todas las criaturas vivientes. También incluye sus planes para la creación inanimada, como la tierra, los árboles, los mares, las rocas, las colinas, etc. El modelo de la nueva creación intenta presentar el papel central del hombre, incluido el mandato del hombre de gobernar y someter la tierra y sus criaturas para gloria de Dios (véase Gén. 1:26-28 y Sal. 8). Este modelo también incluye la importancia de las relaciones humanas y de instituciones como el matrimonio y la familia. Da cuenta de las sociedades, la cultura, los hogares, las granjas, la agricultura, la arquitectura, la comida, la música, la educación, el trabajo, el arte, la tecnología, la ciencia y el gobierno. El modelo de la nueva creación también detecta los propósitos de Dios para las naciones, los grupos étnicos y las tierras en las que viven estas naciones y pueblos. En resumen, el modelo de la nueva creación aborda todos los aspectos de la creación, el reino y los propósitos pactuales de Dios: espirituales o materiales, individuales o corporativos. Como dice Snyder:

> Esta visión... considera que *todos* los elementos de la cultura —alimentación, arte, tecnología, música, lengua, literatura, economía, estructuras políticas, vestimenta, suelo, minerales, arquitectura, agricultura, energía, clima, comunicaciones, símbolos, educación, costumbres, sexualidad, entretenimiento, ciencia, vida vegetal y animal, ética y valores morales— están *inextricablemente* interrelacionados.[2]

Moore también señala:

> Por tanto, la imagen no es la de una huida escatológica de la creación, sino la de la restauración y redención de la creación con todo lo que ello conlleva: la comunión en la mesa, la comunidad, la cultura, la economía, la agricultura y la ganadería, el arte, la arquitectura, el culto... en resumen, la *vida* en abundancia.[3]

En segundo lugar, el modelo de la nueva creación aborda la naturaleza de la vida eterna y los propósitos de la nueva creación de Dios. Afirma que la vida eterna y el reino venidero de Dios traen

---

[2] Snyder, *Salvation Means Creation Healed*, 140. Énfasis en el original. Snyder se refería específicamente al concepto de que la salvación significa que toda la creación está sanada. No estamos diciendo que Snyder utilice explícitamente el título «modelo de la nueva creación».

[3] Russell D. Moore, «Personal and Cosmic Eschatology», en *A Theology for the Church*, ed. Daniel L. Akin (Nashville: B&H, 2007), 859. Énfasis en el original.

consigo la restauración de toda la creación en todas sus dimensiones de los efectos negativos de la caída. Esto incluye tanto la resurrección de la humanidad salvada como la restauración de toda la creación (véase He. 3:21). La vida eterna está asociada a la vida encarnada en una tierra restaurada con la naturaleza y el reino animal funcionando en armonía. Esto también implica un reino funcional del hombre en el reino mesiánico/milenario de Jesús (véase Ap. 20:4) y la nueva tierra después del milenio (véase Ap. 22:5) con naciones y actividades culturales y sociales reales (véase Ap. 21:24, 26). Todo esto ocurre gracias a Jesús, el último Adán y Mesías, que restaura y reconcilia todas las cosas (He. 3:21; Col. 1:20) y cumple el mandato de gobernar y someter de Génesis 1:26-28.

Este modelo también cree que la vida eterna en una tierra nueva tendrá *continuidad con nuestras experiencias de vida actuales en la tierra presente, menos los efectos del pecado, la muerte y la maldición.* La vida eterna no es una experiencia mística y difusa en un reino espiritual ajeno. La experiencia del pueblo de Dios y de la creación será mayor que la situación original anterior a la caída de Génesis 1-2, pero estará conectada con ella. El cielo nuevo y la tierra nueva de Apocalipsis 21-22 serán una restauración del cielo y la tierra originales de Génesis 1-2. Cómo ocurrirá todo eso con la intensa purga ardiente de la que se habla en 2 Pedro 3 es difícil de saber, pero al final habrá una tierra tangible en la eternidad donde existirán personas reales con cuerpos reales y harán cosas reales.

La «visión de Dios» (o visión beatífica) que los creyentes experimentarán en la eternidad es social, cultural y real. Ocurre en la tierra. No se trata de una existencia sin cuerpo en un estado puramente espiritual en el que sólo tiene lugar la contemplación mental. Los redimidos funcionarán según la estructura y el diseño que Dios hizo para ellos. Existirán en la presencia de Dios en una tierra nueva en el contexto de las relaciones con Dios y con otras personas junto con actividades sociales reales y búsquedas culturales. El hombre fue creado para gobernar y someter el planeta y todo lo que contiene (véase Gén. 1:26-28). Y el destino final del hombre implica vivir y reinar en la tierra (véase Ap. 22:5). Este modelo también trata de captar todas las dimensiones de los propósitos de la nueva creación de Dios, tal y como se explican en pasajes como Isaías 11, 65, Romanos 8 y Apocalipsis 20-22, que describen una restauración de la creación previamente caída.

El modelo de la nueva creación también afirma la gran importancia de las realidades espirituales y de la salvación humana individual. No se equivoque, las realidades espirituales son vitales para el modelo de la nueva creación. También lo es la salvación individual. Dios es Espíritu (véase Jn. 4:24). La relación con Dios es espiritual. Pero tanto las realidades espirituales, como las materiales, forman parte de los propósitos de Dios. Y ambas deben tomarse en serio. El modelo de la nueva creación también se opone a la espiritualización de las entidades tangibles, materiales y nacionales. Rechaza espiritualizar cosas que Dios no pretendía que fueran espiritualizadas.

Además, afirmar la importancia del modelo de la nueva creación no significa que podamos saberlo todo sobre la eternidad. Estudiar los pasajes sobre el reino venidero del Mesías y el estado eterno es como mirar por el ojo de una cerradura. Lo que vemos es información real que puede darnos una buena idea y un marco de lo que hay. Pero no tenemos pleno conocimiento ni todas las respuestas a este lado del reino. Todavía hay mucho que desconocemos. Sin embargo, durante gran parte de su historia, la iglesia y los cristianos se han equivocado mucho del otro lado. La fuerte tendencia ha sido decir que no podemos saber nada en absoluto o hacemos que la eternidad sea tan «otra cosa» y espiritual que nos cuesta entender lo que podemos entender. O la hacemos tan extraña y contraria a cómo Dios nos hizo, que nos cuesta en absoluto mirar hacia el futuro. Y luego nos sentimos culpables cuando no lo hacemos. Durante mucho tiempo se nos ha dicho algo así como: «El cielo será mucho más grande de lo que podemos pensar, así que no tiene sentido ni siquiera intentar pensar en ello». Aunque mostrar humildad sobre lo que podemos saber de la eternidad es importante, debemos esforzarnos por comprender lo que dice la Biblia sobre el futuro. Cuando lo hagamos, creo que veremos que hay mucho que podemos captar y comprender, mucho más de lo que a menudo se ha pensado.

Otros títulos y denominaciones para el modelo de la nueva creación incluyen: neocreacionismo, escatología de la nueva creación, redención holística, escatología holística, etc. La formulación exacta no es importante. Lo que importa son los conceptos detrás de este modelo. Muchos han promovido las ideas del modelo de la nueva creación sin utilizar este título. Se dirá mucho más sobre el modelo de la nueva creación a medida que avancemos. Pero a continuación resumiremos el modelo de la visión espiritual.

El modelo de la visión espiritual en pocas palabras

El modelo de la visión espiritual también aborda la naturaleza de la realidad y de la vida eterna. En cuanto a la naturaleza de la realidad, este modelo reconoce realidades materiales y espirituales en el universo. Pero existe un dualismo cósmico en el que las cosas espirituales se ven como buenas o mejores mientras que las cosas físicas se perciben como malas o menores. También hay un énfasis en las cosas espirituales sobre las realidades materiales. Lo terrenal y lo tangible se consideran distracciones u obstáculos para las cosas espirituales más importantes. En las religiones orientales como el hinduismo y el budismo, el reino material y las percepciones sobre el mundo físico se ven de forma muy negativa. Éstas deben superarse para que se produzca la verdadera iluminación. El propósito de la meditación, el yoga y otras disciplinas es apartar la mente de lo material para que el alma pueda unificarse o fundirse en un absoluto impersonal. La interacción con el reino material es un problema de las religiones orientales. Escapar de él es la solución. El filósofo griego Platón también sostenía una distinción muy fuerte entre espíritu y materia, siendo el primero mucho mayor.

Las versiones cristianas del modelo de la visión espiritual son menos severas y menos dualistas que las de las religiones orientales. Incluso los cristianos con fuertes tendencias del modelo de la visión espiritual afirman que el reino material tiene un propósito en el plan de Dios. También se cree en la resurrección del cuerpo. Pero sigue existiendo una fuerte distinción entre el valor de los reinos espiritual y material. En un contexto «cristiano», el enfoque del modelo de la visión espiritual se centra exclusivamente en la salvación espiritual individual y en las bendiciones espirituales. Se dedica poco o ningún énfasis a la tierra y sus criaturas. Éstas son meramente el telón de fondo o el trasfondo temporal para la realización de los propósitos espirituales mayores de Dios. Y éstas serán destruidas o dejarán de existir algún día. Entidades como el Israel nacional, la tierra de Israel y las bendiciones físicas son vistas como cosas inferiores superadas por entidades espirituales del Nuevo Testamento. Las realidades tangibles del Antiguo Testamento a menudo se perciben como tipos y sombras inferiores que pierden significado con la llegada de realidades espirituales mayores en el Nuevo Testamento.

A continuación, la perspectiva del modelo de la visión espiritual también influye en cómo se ve la vida eterna. La naturaleza de la vida eterna es principalmente una existencia espiritual en un reino espiritual.

Para el hinduismo y el budismo esto significa una fusión impersonal en un absoluto impersonal en el que se pierde toda personalidad y conciencia. La imagen de una gota de agua en un océano se ha utilizado para describir esta experiencia del *nirvana*. El tiempo también deja de existir para quienes alcanzan el estado final.

La visión del modelo espiritual cristiano de la vida eterna no es tan extrema como la de las religiones orientales o el platonismo, pero sigue siendo muy espiritual y antimaterial. La experiencia última consiste en abandonar la tierra para ir al cielo para siempre. El espacio y el tiempo ya no existen. En este estado no habrá interacciones sociales ni culturales, ya que éstas restarían concentración y adoración a Dios. O si hay interacción social es sobre todo para reunirse para cantar a y adorar a Dios.[4] El creyente puede tener un cuerpo, pero este cuerpo no es significativo ya que la persona está ahora en la presencia de Dios separada de la tierra y ocupada en la contemplación mental y la adoración a Dios. El estado eterno del creyente es la existencia en un reino espiritual. El énfasis está en la experiencia del alma en el cielo separada de cualquier cosa física o social.

Con este modelo, el reino de Dios ya no es el reino terrenal que predijeron los profetas del Antiguo Testamento. Es la salvación o el cielo. Es el reinado de los santos difuntos ahora en el cielo o es el reinado de Dios en el corazón de los creyentes y/o de la Iglesia. Gary Burge promovió una visión espiritual cuando afirmó que la tierra no es nuestra patria: «Pero Hebreos dice que nuestra "patria" ha cambiado. No está en la tierra».[5] Leon Morris negó que la nueva Jerusalén de Apocalipsis 21 sea una realidad material: «Cuando Juan habla de calles pavimentadas con oro de una ciudad cuyas puertas están hechas de perlas y cosas por el estilo, no debemos interpretar que la ciudad celestial será material de la misma forma que las actuales ciudades terrenales».[6] A continuación dijo: «Él [Juan] se ocupa de estados espirituales, no de realidades físicas».[7] David Engelsma insiste en que el reino de Dios es espiritual:

[4] Creemos que cantar y adorar a Dios serán acontecimientos maravillosos en la eternidad. También creemos que otras actividades formarán parte de la experiencia eterna.

[5] Gary M. Burge, *Jesus and the Land: The New Testament Challenge to «Holy Land»Theology* (Grand Rapids: Baker, 2010), 101.

[6] Leon Morris, Apocalipsis en *Tyndale New Testament Commentaries* (Downers Grove, IL: InterVarsity Press, 1987), 231.

[7] Ibid.

> Hay una verdad sobre el reino de Dios que es básica para la confesión de que el reino de Dios es la iglesia. Se trata de la verdad de que el reino de Dios es espiritual. La espiritualidad es una cualidad esencial del reino de Dios. El conocimiento de la naturaleza espiritual del reino es esencial para la interpretación correcta sobre el reino.[8]

Luego reprende la idea de que el reino pueda ser terrenal, político y físico: «Los grandes errores sobre el reino que están en marcha hoy en día tienen esto en común, que ven el reino como terrenal, como político, como carnal».[9] Y para Engelsma, el reino de Dios es «antiterrenal» y está fuera del reino de los sentidos físicos: «De acuerdo con su naturaleza no terrenal, el reino de Dios no puede ser conocido por los sentidos físicos del hombre».[10] Estas afirmaciones coinciden con el modelo de la visión espiritual.

En resumen, el modelo de la visión espiritual presenta un dualismo cósmico y una distinción de valores entre lo espiritual y lo material. Y la eternidad transcurre en un ámbito totalmente espiritual. Mientras que el modelo de la nueva creación es holístico y tiene en cuenta todos los ámbitos de la realidad, el modelo de la visión espiritual hace hincapié en lo espiritual sobre lo material y en lo individual sobre lo corporativo. Las ideas del modelo de la visión espiritual proceden de filosofías no cristianas como el platonismo y el neoplatonismo, y de religiones orientales como el hinduismo y el budismo. Las religiones y filosofías no cristianas ofrecen las formas más fuertes del modelo de la visión espiritual, pero también existen formas «cristianas» de este modelo. Más adelante se hablará más sobre el modelo de la visión espiritual.

Un espectro

¿Son estos dos modelos mutuamente excluyentes? ¿O se pueden afirmar elementos de ambos? La respuesta es compleja, pero, en resumen, podemos afirmar elementos de ambos modelos. Los modelos de la visión espiritual y de la nueva creación no son totalmente excluyentes entre sí. Como señala Steven James, «aunque las dos concepciones tienen sus respectivos énfasis, no hay que pensar que las dos

---

[8] David J. Engelsma, *The Kingdom of God* (Grandville, MI: Evangelism Committee of Southwest Protestant Reformed Church, 2002; reimpresión de 2012), 14-15.
[9] Ibid., 15.
[10] Ibid., 16. Utiliza Juan 3:3 y Lucas 17:20 para apoyar esto.

concepciones son necesariamente excluyentes».[11] Mientras que el modelo de la visión espiritual hace hincapié en las cuestiones espirituales con exclusión de las realidades materiales, el modelo de la nueva creación no sólo hace hincapié en las cuestiones materiales. Tiene en cuenta y afirma la importancia tanto de las cosas materiales *como* de las espirituales. Sin embargo, el modelo de la nueva creación se opone a la espiritualización de las realidades materiales.

Además, la mayoría de los cristianos sostienen elementos de ambos modelos. Por ejemplo, muchos cristianos han afirmado la resurrección del cuerpo, pero luego creen que la eternidad ocurre en un reino espiritual lejos de la tierra. Esto combina una realidad de la nueva creación (la resurrección del cuerpo) con una idea del modelo de la visión espiritual (la eternidad en un cielo no terrenal). Asimismo, muchos espiritualizan el reino milenario de Jesús, pero luego creen que el reino eterno tiene lugar en una tierra nueva. Algunos hacen lo contrario, creyendo que el milenio es tangible y terrenal, mientras que hacen del reino eterno sólo una existencia espiritual en un reino espiritual.

Así pues, cuando se trata de evaluar a teólogos y sistemas teológicos con los dos modelos, lo mejor es pensar en términos de un espectro. Cuando se consideran todas las creencias de una persona o sistema, la mayoría se sitúa en un espectro entre un modelo de la visión espiritual completo y un modelo de nueva creación completo. Incluso se podría utilizar una escala del 1 al 10 siendo «1» un modelo de visión espiritual completo y «10» un modelo de nueva creación completo. El platonismo, el neoplatonismo, el gnosticismo y las religiones orientales como el hinduismo y el budismo estarían en el rango 1-2 del espectro. Teólogos como Agustín y Tomás de Aquino son probablemente un 4 y un 3, respectivamente. La mayoría de los pensadores y sistemas cristianos actuales se situarían entre un 5 y un 8. Incluso las personas y los sistemas vinculados a las ideas del modelo de la visión espiritual adoptarán en ocasiones el pensamiento de la nueva creación. De hecho, ningún cristiano verdadero podría afirmar un modelo de la visión espiritual completo, ya que esto significaría negar la bondad de la creación original de Dios, la humanidad de Jesús y la resurrección del cuerpo. El teólogo del siglo III, Orígenes (aD 185-254), estuvo a punto

[11] Steven L. James, «Recent New Creation Conceptions and the Christian Mission», *Canadian Theological Review* 4.1 (2015): 25.

de mal interpretar el elemento de la resurrección del cuerpo.[12] Afortunadamente, los cristianos a lo largo de la historia han afirmado la resurrección, aunque a veces hayan adoptado elementos del modelo de la visión espiritual. La mayoría de los cristianos y de los sistemas teológicos se situarán en un espectro entre los modelos de la visión espiritual y de la nueva creación.

Modelos similares

¿Alguien más ha discutido los modelos presentados en este libro? A medida que se desarrolle, veremos a otros que han utilizado el lenguaje de los modelos de la nueva creación y de la visión espiritual.

Además, otros han abordado estos modelos llamándolos de otra manera. En su libro, *Heaven: A History,* Colleen McDannell y Bernhard Lang presentan dos modelos relativos a cómo los cristianos han entendido la vida eterna. En primer lugar, hablan de un «modelo teocéntrico del cielo», que coincide con el modelo de la visión espiritual. El título, «Teocéntrico», enfatiza que el cielo está centrado en Dios sin interacciones sociales entre las personas. Se ve a Dios sentado en su trono en el cielo y el hombre contempla pasivamente la presencia de Dios en un estado espiritual estático y atemporal. Con este modelo no hay actividades ni interacciones sociales entre las personas en el cielo. El tiempo, la cultura y cualquier cosa asociada con la tierra han desaparecido para siempre. Las siguientes citas de McDannell y Lang resumen este modelo teocéntrico del cielo:

> Según este modelo, el cielo es para Dios, y la vida eterna de los santos gira en torno a un centro divino.
>
> Los santos pueden participar en una eterna liturgia de alabanza, pueden meditar en soledad o pueden verse envueltos en una relación íntima con lo divino.
>
> Las actividades mundanas no tienen cabida en el cielo.
>
> Al final de los tiempos, la tierra es destruida o desempeña un papel secundario en la vida eterna.

[12] Para un análisis más completo de las opiniones de Orígenes sobre el cuerpo, véase J. Richard Middleton, *A New Heaven and a New Earth: Reclaiming Biblical Eschatology* (Grand Rapids: Baker Academic, 2014), 284-85. Véase Orígenes, *On First Principles* 2.2.2; 2.10.3.

El cielo es fundamentalmente un lugar religioso, un centro de culto, de revelación divina y de conversaciones piadosas con personajes sagrados.

El modelo teocéntrico presenta el cielo como lo opuesto a la tierra. La muerte marca una diferencia radical entre esta vida y la siguiente.

Con la muerte personal o con la muerte de la historia en el fin del mundo, comienza una vida radicalmente nueva.

La vida celestial no es una versión perfeccionada de la vida en la tierra.

El modelo teocéntrico afirma que la vida eterna tiene poco en común con las actividades terrenales cotidianas.

La existencia celestial implica una vida libre no sólo de los dolores de la tierra sino de todo lo terrenal.

No sólo cesan el dolor, la enfermedad, la muerte y el trabajo, sino que los amigos, la familia, el cambio y la creatividad humana carecen por completo de importancia.

Puesto que en el cielo sólo existe lo perfecto, no hay necesidad de cambio.

McDannell y Lang ofrecen a continuación un resumen sucinto de este modelo teocéntrico: «Al suscribir un modelo teocéntrico, la cuestión de qué hacen los santos por la eternidad se queda en el camino. Los santos no tienen que hacer nada, simplemente experimentan la plenitud de su ser al existir con Dios».[13] En resumen, el modelo teocéntrico considera el cielo como un estado no material en el que la atención se centra únicamente en Dios.

El segundo modelo que McDannell y Lang discuten es el «modelo antropocéntrico». La palabra «*anthropos*» se refiere al «hombre». Pero «antropocéntrico» en este contexto no significa que la salvación esté centrada en el hombre o que el foco del cielo esté principalmente en el hombre. Significa que el cielo final implica interacciones sociales entre

---

[13] Colleen McDannell y Bernhard Lang, *Heaven: A History* (Yale University Press, 2001). Estas citas proceden de las páginas 178-180. Los énfasis están en el original.

las personas. Las personas salvadas se relacionan con otras personas salvadas, realizando actividades reales, incluida la cultura, en una tierra nueva tangible. Las personas redimidas adorarán y servirán a Dios a la vez que se amarán y conocerán entre sí. Dios no ve las interacciones sociales entre su pueblo como una amenaza a su amor por Él.

Así, con el modelo antropocéntrico, el estado final incluye a las personas. También incluye el tiempo, el espacio, las actividades, la cultura y el compañerismo humano. Éstos no son vistos como detractores de la gloria de Dios, sino como buenos dones que Dios quiere que su pueblo disfrute. Dios es glorificado cuando el hombre disfruta de la nueva tierra en todas sus dimensiones, incluido el compañerismo humano. Con este modelo el destino del hombre permanece ligado a la tierra, una tierra totalmente restaurada y purgada de los efectos del pecado. Este modelo está estrechamente relacionado con el modelo de la nueva creación.

En capítulos posteriores de este libro se examinarán los dos modelos en la historia con más detalle. Pero hay que señalar que el predominio de un modelo sobre el otro ha cambiado a veces en la historia. Como observan McDannell y Lang «aunque los dos modelos coexisten a menudo, uno de ellos puede considerarse, en general, el punto de vista dominante en un momento y lugar determinados».[14] Ninguno de los dos modelos se ha «establecido a largo plazo».[15] Cuando uno de los modelos adquiere prominencia, se produce una oscilación pendular hacia el otro modelo.

EL MODELO DE LA NUEVA CREACIÓN DA CUENTA DE
Mandato del reino
Reino terrenal de Dios
Todos los elementos físicos, espirituales, individuales, nacionales e internacionales de los pactos bíblicos
Etnias
Naciones geopolíticas Israel nacional
Tierra
Animales, aves, peces
Creación inanimada (rocas, árboles, hierba, etc.)
Bendiciones físicas

[14] Ibid., 357.
[15] Ibid.

Sociedades e interacciones sociales
Actividades culturales

3

IMPLICACIONES PRÁCTICAS DE LOS MODELOS

¿Los modelos de la nueva creación y de la visión espiritual realmente importan? Creemos que sí. Estos modelos resumen dos paradigmas para comprender los propósitos de la creación de Dios y la naturaleza de la vida eterna. Gran parte de la discusión de los planes de Dios se hace a nivel micro, centrándose en la salvación individual y la vida cristiana. Esto es bueno y esencial. Pero también deberíamos contemplar los propósitos de Dios desde una perspectiva global. Examinar los modelos de la nueva creación y de la visión espiritual nos ayuda a hacerlo. Y contemplar estos modelos desafía nuestro propio pensamiento. ¿Qué modelo sostenemos? ¿Basamos nuestros puntos de vista en supuestos cristianos o en otras cosmovisiones o filosofías? Incluso una cosmovisión mayoritariamente cristiana puede tener tintes de pensamiento no bíblico.

Creemos que el modelo de la visión espiritual resta gloria a Dios porque es demasiado estrecho. Al centrarse exclusivamente en lo espiritual y lo individual, pasa por alto o ignora el alcance total de lo que Dios está haciendo. No detecta suficientemente los propósitos multidimensionales de Dios para la humanidad y toda la creación. Génesis 1 detalla la gloria del universo de Dios. Y las primeras declaraciones dadas al hombre implican un reinado sobre toda la tierra y sus criaturas (véase Gén. 1:26-28). La caída de Génesis 3 trajo la muerte y una maldición que afecta al hombre y a toda la creación. Sin embargo, Dios persigue la restauración de las personas y la naturaleza. Un modelo correcto nos ayuda a percibir la plenitud de la cosmovisión bíblica en todas sus dimensiones. Podemos captar la belleza de la creación de Dios, la naturaleza trágica de la caída, las interacciones de Dios a lo largo del Antiguo Testamento, la importancia central de Jesús y la cruz, y la gloriosa restauración de todas las cosas en Jesús cuando venga de nuevo, juzgue a sus enemigos y establezca su reino en la tierra. Un enfoque neocreacionista conecta los puntos teológicos entre Génesis 1 y Apocalipsis 22.

Además, una esperanza del modelo de la nueva creación puede hacer que nuestros corazones anhelen el regreso y el reino del Señor, donde la voluntad y la justicia de Dios siempre prevalecen. Nos ayuda a orar: «venga tu reino, hágase tu voluntad en la tierra como en el cielo» (Mt. 6:10). Este mundo caído no permanecerá para siempre. Dios recuperará el planeta Tierra y lo arreglará todo. La esperanza que Dios ofrece no es una existencia fantasmal en un reino espiritual. Incluye cuerpos tangibles y glorificados y una vida abundante en una tierra renovada. Implica estar en la presencia de Dios y ver al Padre y a Jesús cara a cara. También incluye a creyentes de todas las etnias y naciones que se relacionan e interactúan entre sí a nivel social y cultural. Saber estas cosas afecta a la forma en que pensamos y adoramos a Dios, ya sea en la iglesia, en el trabajo, en la playa, en la montaña, en nuestros barrios o en la habitación de casa. E influye en cómo vemos las tragedias de esta época. Pablo dijo que la creación actualmente sometida a la futilidad tiene «esperanza» (Rom. 8:20) y será «liberada de su esclavitud» (Rom. 8:21). Cuando el pueblo de Dios reciba nuevos cuerpos, la creación también será restaurada.

El neocreacionismo aporta perspectiva. Esta presente era de maldad no durará para siempre. La caída será revertida. Toda lágrima será enjugada (Ap. 21:4). Dios hará nuevas todas las cosas (Ap. 21:5). Todo lo negativo será envuelto en victoria. Incluso la muerte y la tumba serán derrotadas (véase 1 Cor. 15:50-58). Dios está reconciliando todas las cosas en Jesús (Col. 1:20). Nos espera una vida vibrante en una tierra nueva en la presencia de Dios. Conocer estas verdades debería influir en la forma en que afrontamos la pérdida personal, ofrecemos esperanza a los deprimidos, atendemos a un moribundo y hablamos en un funeral. En verdad, la ligera aflicción momentánea no puede compararse con la gloria venidera (véase 2 Cor. 4:17).

Cualquier pérdida por Jesús en esta era será exponencialmente recompensada y multiplicada. Jesús prometió puestos de gobierno en la tierra nueva, parientes, casas y granjas a quienes le sigan (véase Mt. 19:28-30). Su resurrección de entre los muertos garantiza que todo esto sucederá. El reino venidero será un glorioso banquete de celebración y reunión con comida y bebida de verdad (véanse Isa. 25:6-8; Mt. 8:11; Lc. 22:15-18; Ap. 19:9). Al pueblo de Dios le espera la celebración más gozosa de la historia. Estas verdades deberían animarnos en tiempos difíciles y hacer que las cosas negativas a las que nos enfrentamos palidezcan en comparación. Un modelo bíblico de nueva creación nos da esperanza y perspectiva. Como afirmó Pablo: «si resistimos, también reinaremos con él. Si lo negamos, también él nos negará;» (2 Tim. 2:12).

La importancia de los modelos en la historia de la iglesia

El Nuevo Testamento y la historia de la Iglesia primitiva revelan la importancia de los dos modelos. En algunas ocasiones se confrontaron ideas erróneas del modelo de la visión espiritual. En 1 Corintios 4:8 Pablo reprendió sarcásticamente a los corintios por pensar que gobernaban en algún reino ya espiritual: «¡Ya tienen todo lo que desean! ¡Ya se han enriquecido! ¡Han llegado a ser reyes, y eso sin nosotros! ¡Ojalá fueran de veras reyes para que también nosotros reináramos con ustedes!».

Pablo también abordó la herejía de que la resurrección ya había ocurrido. En 2 Timoteo 2:8 se refirió a «hombres que se han desviado de la verdad, afirmando que la resurrección ya ha tenido lugar; y están poniendo en peligro la fe de algunos». En 1 Juan 4:2-3, el apóstol Juan dijo que había gente que negaba que Jesús hubiera venido en la carne (es decir, un cuerpo físico). Tales personas no eran de Dios. Esto refutaba la idea docetista de que poseer un cuerpo humano no era digno de Jesús. Supuestamente, Jesús sólo «aparentaba» ser humano. Estos ejemplos muestran que los puntos de vista del modelo de la visión espiritual eran amenazas para la fe cristiana en la era apostólica.

La iglesia postapostólica también se enfrentó a serias amenazas de las ideas del modelo de la visión espiritual. El gnosticismo negaba la bondad de la creación y del cuerpo humano. Marción eliminó las Escrituras hebreas y los elementos judíos de la Biblia. Afortunadamente, los ideales de la nueva creación, como la bondad de la creación de Dios, la bondad del cuerpo humano y la importancia de las Escrituras hebreas, fueron utilizados por los cristianos ortodoxos para refutar las falsas creencias. Aunque los títulos de los modelos de la nueva creación y de la visión espiritual no eran explícitos en la iglesia primitiva, las ideas de estos modelos eran evidentes.

No se honra a Dios cuando prevalecen las falsas creencias. Y las ideas erróneas tienen consecuencias. Cuando los cristianos adoptan las ideas del modelo de la visión espiritual se alejan de la línea argumental de la Biblia y pueden caer en el error doctrinal. También puede llevar a perderse la esperanza dinámica que ofrecen las Escrituras.

Un estudio de caso

En las primeras etapas de la redacción de este libro, un estudiante de doctorado, que también es pastor y antiguo alumno mío, se puso en contacto conmigo. Quería vincular su proyecto de doctorado con el modelo de la nueva creación.[1] Se trataba de enseñar en su iglesia una serie de diez partes titulada «destellos de gloria». El propósito era enseñar la visión bíblica del cielo desde una perspectiva del modelo de la nueva creación y contrastarla con la visión del modelo de la visión espiritual. También quería mostrar la importancia de este tema en el presente:

> Los objetivos de la serie de sermones eran inculcar una mayor comprensión de la naturaleza del cielo a partir de las Escrituras, ayudar a la congregación a diferenciar entre un modelo de la visión espiritual y un modelo de escatología de la nueva creación, así como ayudarles a ver las implicaciones éticas que esta doctrina tiene en el presente.

Para controlar la eficacia de esta serie utilizó encuestas junto con un grupo de discusión. ¿Cómo respondió la gente? Los resultados fueron alentadores, como él mismo explica:

> Uno de los encuestados dijo: «me hice más consciente de cómo las doctrinas y la verdad del cielo final afectan a mi vida en el aquí y ahora».
>
> Otro dijo: «no me había dado cuenta de que incluso las pequeñas cosas que hago ahora, como orar por un hermano o hermana,

[1] Mi agradecimiento a Robert Wauhop por permitirnos utilizar información de su proyecto de doctorado en este capítulo. Véase Robert Charles Wauhop, «Glimpses of Glory: Preaching the Doctrine of Heaven at Faith Bible Church, Sharpsburg, Georgia», *Doctor of Ministry Project*, The Master's Seminary, 2021.

podrían tener un impacto una vez que esté en el cielo y conozca a ese hermano o hermana».

Otra persona dijo: «la serie fue un cambio de ver el cielo como un lugar aburrido donde cantamos y tocamos arpas todo el día, a uno que toma todas las cosas buenas de esta vida y hace que crezcan desde allí, ya no manchadas por el pecado, estando con Dios y los santos para siempre».

Como muestran estas citas, este proyecto reveló la naturaleza práctica de una nueva perspectiva creacionista en una iglesia local.

En su propuesta, este pastor explicó por qué hizo este proyecto. Años antes, su padre, cristiano, se estaba muriendo de cáncer. En las semanas previas a la muerte de su padre, anhelaba compartir las Escrituras sobre la realidad del cielo. Aunque mencionó Escrituras como Romanos 8 y Apocalipsis 21, seguía sintiéndose frustrado con sus explicaciones:

> pero me encontré deseando ser capaz de articular una imagen clara del cielo para mi padre en sus últimos días. Sin embargo, sentía que, aunque tenía un concepto bíblico del cielo y de la nueva tierra final, me costaba organizar mis pensamientos de forma clara y completa.

Su experiencia le motivó a estudiar la esperanza bíblica para poder explicarla mejor a los demás. Además, como pastor, intuyó que muchos cristianos comparten una frustración similar. Saben que el cielo es real, pero tienen dificultades para explicar la esperanza bíblica. Señaló acertadamente que la visión que una persona tiene del cielo influye en «las elecciones y la conducta en el presente». Este pastor comprende realmente la naturaleza práctica y la importancia del modelo de la nueva creación tal y como se expresa en las Escrituras. Y la iglesia se benefició como resultado.

Beneficios del modelo correcto

La transición a un modelo correcto de los propósitos de Dios es como quitarse unas gafas mal graduadas y ponerse una graduación correcta. Una persona con una graduación ocular defectuosa podría ver la forma general y los colores de un objeto como un cuadro. Pero con las gafas adecuadas, lo borroso se convierte en nitidez. Surgen los detalles y la profundidad. El modelo de la visión espiritual provoca una visión borrosa respecto a los propósitos de Dios. O peor aún las suposiciones del modelo de la visión espiritual pueden funcionar como anteojeras de modo que el cristiano no puede ver las realidades de la creación y cómo es la restauración de todas las cosas. Él o ella sólo pueden ver las cosas «espirituales» pero no pueden ver la importancia del reino material creado y las glorias de la nueva tierra que habitarán.[2] El modelo de la nueva creación, sin embargo, aporta claridad. El hilo argumental de la Biblia de principio a fin sale a la luz.

Necesitamos pensar con precisión en todas las verdades de la Biblia. Hay más en las Escrituras de lo que a menudo se enseña en los ambientes cristianos. Gran parte de la enseñanza cristiana, incluso en las iglesias, es individualista. Se centra en cómo vivir una vida mejor ahora. Por supuesto, algo de eso está bien. Pero gran parte de la Biblia también se refiere a lo que Dios está haciendo en la historia con el mundo, las naciones y asuntos como el día del Señor y el reino de Dios. Las secciones que abordan estas cuestiones también son importantes y pueden tener repercusiones prácticas en el aquí y el ahora. Conocer el «panorama general» coincide con la forma en que nosotros, como individuos y como iglesia, encajamos en él. Un enfoque neocreacionista también implica enseñar todo el consejo de Dios, incluyendo el Antiguo Testamento, los Evangelios (incluidos Mateo y Lucas) y Apocalipsis.

Una visión espiritual enturbia lo que Dios está haciendo. Pero podemos ver correctamente con suposiciones e interpretaciones correctas. Prestemos atención a la esperanza de Pablo en Efesios 1:18 de que captemos correctamente lo que Dios está haciendo en Jesús:

> Pido también que les sean iluminados los ojos del corazón para que sepan a qué esperanza él los ha llamado, cuál es la riqueza de su gloriosa herencia entre los santos.

Lo que argumentaremos

El modelo de la visión espiritual ha sido dominante en la historia de la Iglesia desde el siglo III. Pero creemos que el modelo de la nueva creación representa mejor los propósitos de Dios y el argumento bíblico desde Génesis 1 hasta Apocalipsis 22. Este modelo capta correctamente

---

[2] Véase Randy A. Alcorn, *Heaven* (Sandy, OR: Eternal Perspective Ministries, 2004), 482. Alcorn utiliza la analogía de las «anteojeras» que impiden a los cristianos comprender la riqueza de la revelación de Dios sobre la nueva tierra venidera.

que los propósitos de Dios son holísticos y multidimensionales. Nos ayuda a detectar todo lo que Dios está haciendo en la historia y nos permite conocer nuestro lugar en la historia de Dios. Por otro lado, adoptar las ideas del modelo de la visión espiritual conduce a una comprensión menor, incompleta e incluso miope de los propósitos de Dios. Convierte erróneamente los propósitos de Dios en algo principalmente espiritual e individual, y no detecta la plenitud de la «restauración de todas las cosas» que Dios está llevando a cabo a través de Jesús (He. 3:21). El modelo de la visión espiritual es demasiado estrecho. Pone anteojeras a las personas, impidiéndoles ver la gloria de Dios y de Cristo en todo lo que hacen.

4

LOS MODELOS Y SUS PRECONCEPCIONES

«Una comprensión espiritualizada del mundo material se ha convertido en la cosmovisión reinante del evangelicalismo estadounidense popular».

-Howard Snyder[1]

Nadie se acerca al mundo partiendo de una pizarra en blanco. Todos estamos influenciados por nuestras familias, amigos, vecinos, experiencias, educación, la época en la que vivimos, la cultura que nos rodea y otras cosas. Todo ello influye en nuestra forma de ver e interpretar el mundo. Esto nos lleva a un debate sobre las ideas preconcebidas y cómo éstas se relacionan con los modelos de la nueva creación y la visión espiritual. En resumen, argumentaremos que las precomprensiones defectuosas a menudo han llevado a los cristianos de la historia a no ver la plenitud de todo lo que Dios está realizando en Jesús. Los cristianos han tendido a menudo hacia una comprensión del modelo de la visión espiritual de los propósitos de Dios que deja fuera elementos clave de lo que Dios está haciendo cuando es mejor una perspectiva del modelo de nueva creación.

Pero para empezar, ¿qué es la «preconcepción»? Blaising describe la preconcepción como «la comprensión que uno tiene sobre un tema antes

[1] Snyder, *Salvation Means Creation Healed,* 45.

de investigarlo».[2] Implica suposiciones *a priori* sobre el mundo y su funcionamiento.

En lo que respecta a las Escrituras, la preconcepción es «la comprensión que uno tiene sobre lo que probablemente dice un texto antes de empezar a estudiarlo».[3] Duvall y Hays definen la preconcepción como «todas nuestras nociones preconcebidas y la comprensión que aportamos al texto, que han sido formuladas, tanto consciente como inconscientemente, *antes* de que realmente estudiemos el texto en detalle».[4] En resumen, la preconcepción se refiere a las suposiciones sobre algo al margen del estudio o las pruebas. En lo que respecta a la Biblia, la preconcepción se refiere a las suposiciones que tenemos sobre las Escrituras y los planes de Dios que llevamos a nuestro estudio de la Biblia.

La preconcepción está estrechamente relacionada con las presuposiciones y la visión del mundo. La gente suele tener presuposiciones sobre temas o asuntos antes de estudiarlos. Las precomprensiones son inevitables y no todas son necesariamente malas. A veces nuestras presuposiciones son correctas. Por ejemplo, suponemos nuestra propia existencia. Eso es correcto. También suponemos que otras personas existen. Eso también es correcto. Son presuposiciones correctas porque se corresponden con la realidad. La mayoría de la gente sabe intuitivamente que Dios existe y que asesinar está mal. Esas son suposiciones correctas. Pero a veces las presuposiciones no son correctas y hay que cambiarlas. Esto puede implicar suposiciones sobre los propósitos de Dios. Las presuposiciones deben medirse con las Escrituras. Las presuposiciones bíblicas deben mantenerse mientras que las no bíblicas deben rechazarse. Las precomprensiones erróneas pueden cambiarse. Pero hacerlo a menudo es difícil.

Hablar de «precomprensiones» puede poner nerviosos a algunos. A veces los posmodernistas utilizan el concepto de preconcepción para concluir que no existen verdades objetivas y que las suposiciones de todo el mundo son igualmente válidas. Las conclusiones posmodernistas sobre la preconcepción son erróneas. Puesto que Dios existe, hay realidades objetivas. Existe la verdad absoluta. Debemos esforzarnos por asegurarnos de que nuestra comprensión de la realidad coincide con la realidad de Dios, que en última instancia es lo que importa. Las

---

[2] Blaising, «Premilenialism», en *Three Views on the Millennium and Beyond,* 164.
[3] Ibid.
[4] J. Scott Duvall y J. Daniel Hays, *Grasping God's Word: A Hands-On Approach to Reading, Interpreting, and Applying the Bible* (Grand Rapids: Zondervan, 2012), 139. Énfasis en el original.

precomprensiones que se desvían de la realidad de Dios son erróneas. Pero las precomprensiones que se corresponden con la realidad de Dios son verdaderas.

Si no se controlan, las precomprensiones defectuosas pueden dar lugar a creer cosas sin razón suficiente. Podemos ignorar o pasar por alto indicios de lo contrario y descartar lo que no encaja con nuestras suposiciones. Puede que no utilicemos un pensamiento crítico adecuado. Por ejemplo, esto puede ocurrir con las opiniones políticas o las posturas teológicas. ¿Alguna vez se ha aferrado a una opinión política o teológica de la que estaba muy seguro, pero cuando se le cuestionó tuvo dificultades para defender su punto de vista? Lo que usted creía obvio no lo era para otra persona. O quizá se sorprendió cuando la otra persona sacó a relucir información contraria a su punto de vista. Puede que se sintiera desconcertado porque la otra persona no «veía las cosas» como usted. Si alguna vez se ha sentido así, sus precomprensiones se han puesto en tela de juicio.

Entonces, ¿cómo se relacionan las precomprensiones con los modelos de visión espiritual y nueva creación? Como ocurre con todo el mundo, los cristianos suelen tener precomprensiones y suposiciones sobre la naturaleza de la realidad y la vida eterna que son incompletas o erróneas. A lo largo de la historia, muchos han asumido ideas significativas del modelo de la visión espiritual sobre la realidad y la vida eterna. La influencia de Platón y el platonismo a menudo han contaminado la forma en que los cristianos ven los propósitos de Dios. Esto fue especialmente cierto en los mil doscientos años que precedieron a la Reforma protestante, cuando la mayoría de la gente asumió visiones excesivamente espiritualizadas de los propósitos de Dios.

El modelo de la visión espiritual impide a los cristianos ver lo que Dios está haciendo con su creación. Esto puede ocurrir por no ver lo que hay o por espiritualizar asuntos que no estaban destinados a ser espiritualizados. Los textos de la Biblia que se refieren a la tierra, los animales, Israel, las naciones, las bendiciones físicas, etc., a menudo se ignoran o no se toman al pie de la letra. ¿Por qué? Porque estos asuntos se asumen como irrelevantes. Y cuando esto ocurre durante décadas o siglos, las presuposiciones erróneas pueden arraigarse profundamente y ser difíciles de detectar y eliminar. Como señala Blaising:

> No debemos subestimar el poder de una tradición de larga data a la hora de conformar la preconcepción hermenéutica con la que se interpretan los textos individuales, así como porciones enteras de la literatura bíblica —precomprensiones que se ven reforzadas por las

tradiciones de comentarios expositivos en la predicación evangélica y por las formas tradicionales de catequesis teológica en la enseñanza evangélica.[5]

Por ejemplo, la antigua creencia de la iglesia de que el Israel nacional ya no es significativo en los propósitos de Dios porque la iglesia en Jesús es el nuevo/verdadero Israel ha sido muy difícil de superar. Tuvieron que pasar unos cien años después de la Reforma para que este punto de vista erróneo fuera seriamente cuestionado, e incluso hoy en día el supersesionismo es creído por muchos. Asimismo, la idea de que el cielo eterno es una existencia espiritual en otra dimensión aparte de la tierra ha sido difícil de desplazar. Derrotar siglos de tradición del modelo de lavisión espiritual es difícil. Blaising señala acertadamente que «el modelo de la visión espiritual funciona como la preconcepción con la que muchos cristianos comienzan a estudiar o investigar la enseñanza bíblica sobre nuestra futura esperanza».[6] También afirma con razón: «el largo predominio del modelo de la visión espiritual ha condicionado la forma en que los cristianos piensan y conversan tradicional y habitualmente sobre la vida eterna».[7]

Por otro lado, las precomprensiones también están relacionadas con el modelo de la nueva creación. Si las personas comprenden que los propósitos de Dios son holísticos y multidimensionales, entonces podrán ver las dimensiones completas de lo que Dios está realizando. Captarán el panorama completo de los propósitos de Dios. Su preconcepción les permite empaparse y abarcar todo lo que Dios está diciendo y haciendo. No ignoran ni espiritualizan las pruebas bíblicas clave. Los que tienen una cosmovisión del modelo de la nueva creación entenderán los asuntos terrenales, fisiológicos y nacionales de la Biblia de forma más literal. Cuando Isaías 11:6-9 predice la armonía en el reino animal, eso sucederá literalmente algún día. El mundo animal existirá y será restaurado en el reino de Dios. Cuando Isaías 2:2-4 predice la armonía internacional entre las naciones cuando el Señor reine desde Jerusalén, un adepto de la nueva creación espera que eso suceda tal como se ha dicho. Las naciones geopolíticas literales existirán e interactuarán pacíficamente entre sí. Cuando Jesús dijo a los apóstoles que juzgarán a las doce tribus

---

[5] Craig A. Blaising, «The Future of Israel as a Theological Question», en *Journal of the Evangelical Theological Society* 44.3 (septiembre de 2001): 443.

[6] Blaising, «Premilenialism», 164.

[7] Ibid.

de Israel en una tierra regenerada, eso es lo que quiso decir (véase Mt. 19:28). No existe ninguna razón para espiritualizar estos textos.

La clave aquí es si tenemos una cosmovisión que nos permita ver toda la gama de los propósitos de Dios o si nuestra cosmovisión excluye lo que Dios ha planeado. En cuanto a la confusión sobre el reino de Dios, McClain señala la influencia de la filosofía platónica:

> Gran parte de esta confusión, en mi opinión, se ha debido a la influencia de la filosofía platónica en el campo de la teología cristiana. Muchos predicadores, que quizá nunca hayan leído una sola frase de Platón, han estado más o menos, quizá inconscientemente, bajo el influjo del rígido dualismo metafísico de este filósofo. A tales hombres, la doctrina premilenial de un reino divino establecido en la tierra, que tiene aspectos políticos y físicos, les parece puro materialismo.[8]

En referencia a las influencias del platonismo y el gnosticismo, Bavinck señala que estos puntos de vista «han influido durante siglos en la teología».[9]

A diferencia de mí, que me crié bajo fuertes puntos de vista del modelo de la visión espiritual, mis hijos crecieron con una nueva comprensión creacionista de los propósitos de Dios. Por tanto, tienen ideas más precisas que las que yo tenía a su edad. Creen que la Tierra, el territorio, Israel, las naciones, la ciencia, la tecnología, etc. forman parte de los propósitos de Dios. Saben que Jesús regresará para gobernar la tierra y las naciones. Creen que la música, el arte y la cultura existirán y serán restaurados en el reino de Dios. Afirman que las aves, los animales y los peces existirán en la eternidad. Su amor por la naturaleza y la creación es grande y dan gloria a Dios por ello. Así, cuando menciono que algunos creen que nuestro destino consiste en absorber rayos de luz en otra dimensión para siempre, se ríen y preguntan: «¿Quién cree eso?». Yo les digo: «Yo lo hacía cuando tenía tu edad». Le expliqué a uno de mis hijos que una vez creí que el cielo consistía en escapar del

---

[8] Alva J. McClain, *The Greatness of the Kingdom: An Inductive Study of the Kingdom of God* (Winona Lake, IN: BMH Books, 1959, 1987), 519. Más adelante discutiremos que el Premilenialismo es el punto de vista de que Jesús regresará antes o «pre-» Su reino milenario en la tierra. El premilenialismo es coherente con el modelo de la nueva creación.

[9] Herman Bavinck, *Reformed Dogmatics: God and Creation*, (Grand Rapids: Baker, 2004), vol. 2, 103. Bavinck se refiere sobre todo al «dualismo» entre espíritu y materia que han promovido estos puntos de vista.

cuerpo y del mundo para vivir en un reino espiritual para siempre. Me dijo: «¡eso suena a hinduismo!». ¡Tenía razón!

Los modelos también están relacionados con la interpretación y las cuestiones hermenéuticas. El modelo de la visión espiritual promueve principios de interpretación de la Biblia que fomentan la espiritualización de las entidades físicas y nacionales. Sin embargo, el modelo de la nueva creación, toma en serio y literalmente los pasajes sobre asuntos físicos y nacionales.

Un ejemplo: el estado intermedio y el modelo de la visión espiritual

Un ejemplo del pensamiento común del modelo de la visión espiritual implica creencias sobre el cielo intermedio. El cielo actual es real. Es el lugar donde residen el Padre, Jesús resucitado, los ángeles y las almas de los creyentes en Dios que han partido. Cuando un cristiano muere en esta era antes de la resurrección, su alma va al cielo. No debemos perder de vista la importancia del cielo tal y como existe ahora. Un enfoque neocreacionista afirma esto.

No obstante, algunos asumen que el cielo actual, intermedio, es nuestra meta y destino últimos, no la tierra. Cuando algunos piensan en el destino futuro de los salvos, piensan en el cielo actual. Por ejemplo, cuando un cristiano muere en esta época, a menudo suponemos que esa persona ha llegado a su hogar definitivo. Y el difunto es tan feliz en el cielo que no volvería a la tierra si pudiera. No se habla mucho de que el difunto anhele el regreso de Jesús a la tierra. Tampoco se habla mucho de un regreso a la tierra para un reinado (véase Ap. 5:10).[10] A menudo se hace hincapié en que la persona alcance su destino final en el cielo. Y un día nos uniremos a él o ella en el cielo para siempre. Como dice la canción «I'll Fly Away»:

> Sólo unos pocos días más de cansancio, y luego
> volaré lejos
> A esa tierra donde la alegría nunca terminará,
> volaré lejos.

Pero la Biblia no presenta el cielo actual como el destino final del hombre o el fin de los propósitos de Dios. Pablo dijo que estar sin

[10] Estamos haciendo aquí una afirmación general. Entendemos que hay iglesias de enseñanza bíblica sólidas que enseñan la sana doctrina en los funerales.

cuerpo es como estar desnudo (2 Cor. 5:3). Pedro dijo que buscamos «un cielo nuevo y una tierra nueva» (2 Pe. 3:13). La tierra es el destino del hombre. El Salmo 115:16 dice: «los cielos le pertenecen al Señor, pero a la humanidad le ha dado la tierra». El destino de Jesús el Mesías es la tierra. Jesús regresará a la tierra para gobernar a las naciones (véase Mt. 25:31-46; Ap. 19:15). Los santos de Jesús reinarán en la tierra (véase Ap. 5:10). Los que ahora están con el Señor en el cielo anticipan su regreso a la tierra.

Apocalipsis 6:9-11 presenta una situación de estado intermedio en la que las almas de los creyentes que murieron en la tierra llegan al Cielo. Desean justicia en la tierra, pero se les dice que esperen un tiempo. Su deseo no será satisfecho hasta la segunda venida de Jesús, cuando sean resucitados de entre los muertos y reinen con Jesús en la tierra (véase Ap. 20:4). Así, en una de las raras representaciones del estado intermedio en la Biblia, el pueblo de Dios no es retratado en su estado final último. Esperan algo aún más glorioso en la tierra.

Una perspectiva del modelo de la visión espiritual puede llevar a proyectar el cielo actual como el destino final de los santos cuando no lo es. Sin embargo, una perspectiva creacionista nueva ve el cielo final como la vida en una tierra restaurada con cuerpos resucitados. También afirma la realidad de un estado intermedio actual en el que las almas de los creyentes van al cielo al morir, pero ésta no es la experiencia final y última que presenta la Biblia. La resurrección del cuerpo y la vida en una tierra nueva en presencia de Dios es la experiencia última. En cuanto a la visión del modelo de la nueva creación sobre la vida eterna, Blaising afirma: «mientras que los muertos creyentes están ahora en presencia de Cristo, este modelo espera que su visión de Dios y su comunión con él se enriquezcan dentro de la plenitud de la vida en una nueva creación».[11]

> En resumen, un enfoque de nueva creación afirma la relación personal y la comunión con el Creador como la experiencia más elevada. Pero esto también ocurre dentro de una nueva creación tangible. Se trata de una visión beatífica bíblica, no de una creada con supuestos del modelo de la visión espiritual.

---

[11] Blaising, «Premillennialism», 163.

SEGUNDA PARTE

EXPLICACIÓN DE LOS MODELOS DE LA NUEVA CREACIÓN Y DE LA VISIÓN ESPIRITUAL

5

EL MODELO DE LA NUEVA CREACIÓN EXPLICADO CON MÁS DETALLE

«Está claro que la escatología de la nueva creación no contempla una eternidad inmaterial ni una realidad material alternativa, sino la redención de esta tierra y cielos aptos para una manifestación gloriosa e imperecedera de la presencia de Dios».

-Craig A. Blaising[1]

Anteriormente, ofrecimos definiciones introductorias para los modelos de la nueva creación y de la visión espiritual. Ahora examinaremos estos modelos con mayor profundidad.

Comenzaremos primero en este capítulo con el modelo de la nueva creación.

El lenguaje de la nueva creación

Anteriormente mencionamos que el lenguaje de la «nueva creación» se encuentra en diversos textos bíblicos como 2 Corintios 5:17 («nueva criatura») y Gálatas 6:15 («nueva creación»). Ambos versículos se

[1] Craig A. Blaising, «A Critique of Gentry and Wellum's, Kingdom Through Covenant: A Hermeneutical-Theological Response», *Master's Seminary Journal* 26.1 (Spring 2015): 122.

refieren a la nueva situación que los creyentes tienen en Jesús. Sin embargo, para nuestros propósitos, utilizamos «nueva creación» en el contexto de las realidades de la creación de Dios tal y como se explican en Génesis 1-2 y la situación de nueva creación descrita en pasajes como Isaías 2, Isaías 65, Romanos 8 y Apocalipsis 20-22. Así pues, el «modelo de la nueva creación» aborda la creación y las realidades de la nueva creación desde Génesis 1 hasta Apocalipsis 22. La creación original «muy buena» de Génesis 1, que sufrió la caída del hombre, se encamina hacia la restauración y la situación de nueva creación de Apocalipsis 20-22.[2]

El modelo de la nueva creación da cuenta de la naturaleza de las realidades de la creación y de la próxima creación restaurada. Pero para entender esta última hay que comprender la primera. La protología (las primeras cosas) ayuda a comprender la escatología (las últimas cosas). Como señala Snyder, «bíblicamente hablando, la doctrina de la nueva creación depende de una clara comprensión de la creación original».[3]

El modelo de la nueva creación también se cruza con la doctrina del hombre (antropología) y cómo el hombre interactúa con el tiempo, incluso hasta la eternidad. Blaising señala que este modelo implica tanto una «antropología holística» como una «creación redimida» dentro de la secuencia temporal de la historia. Así, la vida eterna:

> será una vida encarnada en la tierra... situada dentro de una estructura cósmica como la que tenemos actualmente. No es una existencia atemporal y estática, sino una secuencia interminable de vida y experiencias vividas. No rechaza la fisicalidad, ni la materialidad, sino que las afirma como esenciales tanto para una antropología holística como para la idea bíblica de una creación redimida. Esto es lo que significa la parte «creación» de la etiqueta de este modelo.[4]

Blaising observa que el título del modelo de la nueva creación está vinculado a la «creación». La creación originalmente «muy buena» de Génesis 1, que experimentó la caída, está *en camino* de convertirse en una «creación redimida».

---

[2] Gálatas 6:15 es la única mención específica a la «nueva creación». Aquí la designación se refiere al hecho de que la comunidad de Jesús no está determinada por ser circuncidado o incircunciso. 2 Corintios 5:17 dice que los que están en Cristo son una «nueva criatura».

[3] Snyder, *Salvation Means Creation Healed*, 55.

[4] Ibid.

El modelo de la nueva creación, la creación y la vida eterna

La mayor parte de la atención prestada al modelo de la nueva creación se ha centrado en la naturaleza de la vida eterna. Y este énfasis es bien merecido. La vida eterna ha estado demasiado espiritualizada durante demasiado tiempo. El correctivo que el modelo de la nueva creación aporta a la cuestión de la vida eterna llega con retraso y es bienvenido. Sin embargo, el modelo de la nueva creación también aborda la naturaleza de la creación.

La naturaleza de la realidad

Génesis 1-2 revela una creación vasta y espectacular que incluye cuerpos cósmicos (sol, luna, estrellas), la tierra, los mares, el reino animal, la vegetación, el cielo, los planetas, los seres humanos, etc. Los planes de Dios también incluyen la cultura (véase Gén. 4) y diversas naciones y etnias (véase Gén. 10-11). Colosenses 1:16 afirma que por medio de Jesús «fueron creadas todas las cosas en el cielo y en la tierra, visibles e invisibles». Así pues, la creación es multidimensional, e implica asuntos espirituales y cosas materiales. No existe un dualismo cósmico entre espíritu y materia. Como afirma Alva McClain, «no existe un abismo infranqueable entre lo que es físico y lo que es espiritual».[5]

Comprender esto debe repercutir en nuestra visión del mundo. *En resumen, el modelo de la nueva creación da cuenta de todas las dimensiones de la creación de Dios y de los propósitos de la nueva creación —materiales e inmateriales.* La «restauración de todas las cosas» que Dios está llevando a cabo en Jesús (véase He. 3:21; Col. 1:20) concierne a toda la gama de realidades de la creación.

Además, aunque el hombre es el punto culminante de la creación de Dios, la creación tiene valor en sí misma y es algo más que el trasfondo de la historia de la salvación. Como afirma Snyder, «la creación tiene un valor intrínseco, no sólo instrumental».[6] Dios desea que la creación prospere para su gloria y ha comisionado al hombre para que la gobierne responsablemente. Así pues, una parte importante del modelo de la nueva creación consiste en comprender el conjunto de las realidades de la creación de Dios. Éstas forman parte de los propósitos de Dios antes de la llegada del pecado en Génesis 3, y formarán parte de los propósitos

---

[5] McClain, *The Greatness of the Kingdom*, 523.
[6] Snyder, 61.

de Dios después de que todos los efectos del pecado y la muerte sean vencidos (véase Ap. 21-22).

La naturaleza de la vida eterna

El modelo de la nueva creación también aborda la naturaleza de la vida eterna. La vida eterna implica la existencia corporal resucitada para el pueblo de Dios en una tierra tangible y restaurada donde los santos disfrutarán de la presencia directa de Dios, interactuarán con los demás y experimentarán actividades culturales y sociales. Como explica Blaising:

> El *modelo de nueva creación* de la vida eterna se basa en textos bíblicos que hablan de un futuro reino eterno, de una tierra nueva y de la renovación de la vida en ella, de la resurrección corporal (especialmente de la naturaleza física del cuerpo de resurrección de Cristo), de la concurrencia social e incluso política entre los redimidos.[7]

Este modelo sigue el lenguaje de pasajes como Isaías 25; 65; 66; Romanos 8; y Apocalipsis 21 que hablan de una tierra regenerada y transformada.[8] El modelo de la nueva creación afirma que la mayor parte de la vida eterna es ver a Dios y estar en su presencia. Por tanto, existe una verdadera «visión de Dios» o visión beatífica. Sin embargo, esta experiencia, por designio de Dios, implica una tierra restaurada con relaciones, actividades e interacciones sociopolíticas-culturales. Las relaciones son la clave del reino eterno —con Dios y los demás—, pero estas relaciones se darán en el contexto de una creación restaurada y hermosa.

El modelo de la nueva creación también da cuenta de la *diversidad étnica y nacional* entre el pueblo de Dios. Esto incluye a la nación Israel, las naciones gentiles y las tierras en las que viven Israel y las naciones. El pueblo de Dios, o mejor aún, los «pueblos» (véase Isa. 25:6), es más que una colección genérica de individuos sin diversidad. El pueblo de Dios no se convierte en una humanidad genérica. La diversidad étnica y nacional formará parte de las condiciones de la tierra nueva. Dios se glorifica a sí mismo tanto a través de la unidad como de la diversidad.

---

[7] Blaising, «Premillennialism», en *Three Views on the Millennium and Beyond,* 162. Énfasis en el original.

[8] Otros pasajes relevantes son Génesis 49:8-12; Isaías 2; 11; Ezequiel 36-37; Miqueas 4; Amós 9:11-15, Mateo 19:28-30, etc.

Los redimidos son todos salvos de la misma manera en Jesús: unidad. Sin embargo, existen distinciones étnicas y de nación-diversidad. Estas distinciones son hermosas y armonizan con la unidad que todos los creyentes tienen en Cristo (véase Ef. 2:11-3:6). Así pues, la salvación y la restauración implican unidad y diversidad en perfecta armonía.

Continuidad con experiencias actuales

Las religiones del mundo suelen presentar una gran diferencia entre nuestras experiencias actuales en la tierra y nuestras experiencias venideras en la eternidad. El hinduismo y el budismo, por ejemplo, ofrecen una escatología impersonal en la que el objetivo último para el hombre es fundirse en un absoluto impersonal donde no existe la autoconciencia ni nada tangible. La persona será como una gota de agua caída en un vasto océano de realidad mística e impersonal. Sorprendentemente, también las tradiciones cristianas han presentado a menudo el cielo como una existencia puramente espiritual: el alma deslumbrada por la luz en un reino inmaterial para siempre.

Pero ésa no es la imagen que presenta la Biblia. El modelo de la nueva creación afirma que la vida eterna es dinámica, colorida, tangible y relacional. Afirma experiencias y actividades reales como las del mundo actual. La diferencia principal es que el pecado, la maldición y la muerte no empañan estas experiencias venideras del mundo real. Como Blaising señala: «el modelo de la nueva creación espera que el orden ontológico y el alcance de la vida eterna sean esencialmente continuos con los de la vida terrenal actual, excepto por la ausencia del pecado y la muerte».[9] Así pues, la vida eterna no son espíritus flotando en un reino inmaterial. No es así como Dios creó al hombre para ser y funcionar. En su lugar, es más exacto pensar en la vida eterna en términos de actividades sociales, culturales y relacionales saludables en el contexto del amor y la rectitud sin mancha.

Esta continuidad de la experiencia implica espacio y tiempo. Steven James señala que «el modelo de la nueva creación hace hincapié en una existencia terrenal, material, secuenciada en el tiempo y encarnada en un cielo nuevo y una tierra nueva».[10] También dice que «la redención como

---

[9] Blaising, «Premillennialism», 162.

[10] Steven James, *New Creation Eschatology and the Land: A Survey of Contemporary Perspectives* (Eugene, OR: Wipf and Stock, 2017), 1.

tema bíblico incluye sin duda el ámbito espiritual, pero también el físico, concretamente la promesa de un cielo nuevo y una tierra nueva».[11]

En resumen, el modelo de la nueva creación afirma lo siguiente:

- La bondad de toda la creación de Dios —espiritual y material
- Una tierra nueva venidera
- Renovación de la vida en la nueva tierra/creación redimida
- Resurrección corporal/existencia encarnada
- Discurso social, cultural y político entre el pueblo de Dios
- Experiencias en la tierra nueva similares a las de la tierra actual, pero sin pecado, decadencia ni muerte
- Antropología holística (humanidad)
- Historia secuenciada en el tiempo

Más que la salvación individual

Nada es más inmediatamente urgente para una persona que arrepentirse y confiar en Jesús para su salvación. La piedad personal y la vida cristiana también son importantes. Esto implica las disciplinas espirituales de la oración, la abnegación y el estudio de la Biblia. Un enfoque del modelo de la nueva creación afirma la importancia de todo esto. Sin embargo, una perspectiva neocreacionista también aborda los propósitos «a gran escala» de Dios más allá de la salvación humana individual y la vida cristiana cotidiana. Detecta lo que Dios está haciendo en la historia con la tierra, las naciones, Israel, el día del Señor y el reino de Dios. Cuando se trata de los propósitos de Dios nos enfrentamos a una situación de «lo uno y lo otro». Podemos centrarnos en nuestra propia relación personal con Dios y entender lo que Dios está haciendo a un nivel global.

Michael Williams señala que el influyente teólogo Agustín (aD 354-430) enseñaba el «verticalismo», que es una visión del futuro centrada únicamente en el alma que va al cielo.[12] Steven James afirma que una concentración tan fuerte en el individuo ha llevado a menudo a una «devaluación» de otros aspectos de la creación de Dios que ha «dominado la historia de la Iglesia»:

---

[11] Ibid., 12.

[12] Michael Williams, «A Restorational Alternative to Augustinian Verticalist Eschatology», *Pro Rege* 20 (1992): 11.

Según Snyder, la tendencia a centrarse únicamente en el pecado y la salvación individuales y la tendencia al dualismo han conducido a la devaluación de la creación no humana. Estas tendencias han dominado la historia de la iglesia y han hecho predominante el punto de vista que ha hecho de la salvación de las almas no sólo el centro del plan de redención de Dios, sino la circunferencia de ese plan.[13]

Sin embargo, la perspectiva del modelo de la nueva creación está orientada a la *creación* y al *reino*. Incluye una contemplación seria de la salvación humana individual y de todo el ámbito de la creación de Dios. Tomando nota del trabajo de Donald Gowan, James observa que «se promete una triple transformación de la creación: la de la persona humana, la de la sociedad humana y la de la naturaleza».[14] Así, la transformación de la creación implica:

1. La persona humana
2. La sociedad humana (estructuras sociales, culturales, políticas)
3. La naturaleza (creación, tierra, mar, vegetación, animales, aves, peces, criaturas acuáticas, etc.)

Un enfoque del modelo de la nueva creación afirma la importancia de las tres áreas, no sólo de la primera. Como afirma Snyder, «... Jesús es el que renovará toda la creación, toda la faz de la tierra y todas las dimensiones de la vida. La salvación es así de grande».[15]

Los roles de Jesús

Los teólogos han señalado (con razón) que Jesús cumple las funciones de Profeta, Sacerdote y Rey. Él es el Profeta supremo, aquel más grande que Moisés, que revela la voluntad perfecta de Dios. Jesús también es el Sacerdote que ofreció un sacrificio perfecto por los pecados para siempre. Él intercede continuamente por nosotros en el Cielo. Jesús

---

[13] Santiago, 11-12. Véase Snyder, *Salvation Means Creation Healed*, 99.

[14] Santiago, xv. Gowan afirmó: «Dios debe transformar a la persona humana; darle un corazón nuevo y un espíritu nuevo... Dios debe transformar la sociedad humana; restaurar a Israel en la tierra prometida, reconstruir las ciudades y hacer que el nuevo estatus de Israel sea un testimonio para las naciones... y Dios debe transformar la propia naturaleza». Donald E. Gowan, *Eschatology in the Old Testament* (Filadelfia: Fortress, 1986), 2. Véase Robert L. Saucy, *The Case for Progressive Dispensationalism: The Interface between Dispensational and Non-Dispensational Theology* (Grand Rapids: Zondervan, 1993), 221-22.

[15] Snyder, 129.

también es Rey. A continuación, trataremos con más profundidad lo que esto significa.

En nuestra opinión, la Biblia hace especial hincapié en los papeles de Jesús como Salvador y Rey. Jesús como Salvador enfatiza la expiación sacrificial de Jesús por el pecado. Vino «a dar su vida en rescate por muchos» (Mc. 10:45). Su papel de Salvador significa que el hombre puede ser perdonado y reconciliado con Dios.

El papel de Jesús como Rey necesita una explicación porque esta dimensión del papel de Jesús a menudo se ha subestimado en la historia de la Iglesia. Con el dominio del amilenialismo desde finales del siglo IV en adelante, el papel de Jesús como Rey en su reino mesiánico a menudo se ha entendido de forma espiritual. Jesús es Rey sobre un reino espiritual. El reino de Jesús implica sobre todo la salvación del pecado.

Sin embargo, aunque el reino de Jesús tiene una dimensión espiritual, el papel de Jesús como Rey es mucho más profundo que la salvación individual del pecado, por muy importante que ésta sea. Aquí es donde el modelo de la nueva creación capta las múltiples dimensiones de «Jesús como Rey».

El papel de Jesús como Rey también incluye ser (1) Gobernante sobre las naciones geopolíticas; y (2) Restaurador de toda la creación. En cuanto a Jesús como *Gobernante sobre las naciones*, Dios prometió al Mesías las naciones como herencia suya (Sal. 2:8). También dijo que el Mesías gobernará las naciones con vara de hierro (Sal. 2:9; cf. Ap. 19:15). Zacarías 14 afirma que el Mesías (Jesús) será «Rey sobre toda la tierra» (14:9) y las naciones, incluido Egipto, deberán obedecerle o sufrirán consecuencias negativas (14:16-19). En Daniel 2, el reino de Dios, la «piedra hecha sin manos», viene a la tierra y aplasta a las naciones geopolíticas representadas en la estatua (Babilonia, Medo-Persia, Grecia, Roma).

Es importante señalar que el reinado de Jesús como Rey no debe limitarse únicamente a la salvación espiritual o a salvar a los individuos que proceden de las naciones. Jesús también será Rey sobre las naciones geopolíticas y sobre las tierras en las que viven con un gobierno político que incluye toda la tierra (véase Isa. 2:2-4; Zac. 9:10).

El papel de Jesús como Rey también significa que es el Restaurador de la creación. Él restaurará la tierra y sus criaturas y traerá la armonía a toda la naturaleza. Este papel se destaca en pasajes como Isaías 11; Oseas 2:18; y Romanos 8:19-22. La conexión intertextual de Oseas 2:18 con Génesis 1:26, 28 revela que el Mesías restaurará el reino animal que sufrió la caída en Génesis 3. Esto da como resultado la armonía animal-

animal y la paz animal-humana. También traerá la prosperidad agrícola a la tierra (véase Gén. 49:8- 12; Sal. 72:16).

Así pues, una visión del modelo de la nueva creación afirma la profundidad del papel de Jesús como Rey, incluidas las funciones de gobernar las naciones y restaurar la creación.

La expiación de Jesús y la nueva creación

La expiación de Jesús en la cruz es fundamental para la restauración y reconciliación de todas las cosas. Sin ella no hay salvación de las personas ni restauración de nada. Jesús vino a dar su vida como rescate por muchos (véase Mc. 10:45). Con su muerte reconcilió a las personas con Dios (véase Col. 1:22). También murió tanto por los gentiles como por Israel (véase Isa. 52-53). Así pues, morir por los pecados de los humanos es una parte central de la muerte y la expiación de Jesús. Además, la expiación de Jesús afecta a toda la persona, incluido el cuerpo. En referencia a Jesús y a lo que su muerte significa para los santos resucitados, Richard Baxter declaró: «Así como Cristo compró al hombre en su totalidad, así también todo el hombre participará de los beneficios eternos de la compra».[16]

Sin embargo, además de la expiación del pecado humano y de toda la persona, la cruz tiene implicaciones para toda la creación. Colosenses 1:15-20 enseña la reconciliación de «todas las cosas» en Cristo «mediante la sangre de su cruz» (v. 20). Esto se refiere a todo lo que Dios creó, incluidas todas las cosas visibles e invisibles (Col. 1:16). La expiación de Jesús reconcilia y restaura tanto a las personas como a la creación.[17] Así pues, un enfoque basado en el modelo de la nueva creación exige aceptar todas las dimensiones e implicaciones de la expiación de Jesús. Como Steven James señala, «la obra de Cristo no sólo incluye la salvación del individuo, sino también la redención de toda la creación de los efectos del pecado».[18] Howard Snyder explica acertadamente los aspectos cósmicos de la reconciliación de Jesús:

> La reconciliación ganada por Cristo alcanza a todas las alienaciones que resultan de nuestro pecado: alienación de Dios, de nosotros mismos, entre las personas y entre nosotros y nuestro entorno físico.

---

[16] Richard Baxter, *The Saint's Everlasting Rest*, (Glasgow: Khull, Blackie, & Co. 1822), 11.

[17] La reconciliación de todas las cosas no se refiere a la salvación de todas las personas que han vivido alguna vez.

[18] Santiago, 3.

Por tanto, el cuadro bíblico es a la vez personal, ecológico y cósmico. Por alucinante que resulte este pensamiento, las Escrituras enseñan que esta reconciliación incluye incluso la redención del universo físico de los efectos del pecado, ya que todo queda bajo su propia autoridad en Jesús (Rom. 8:19-21).[19]

El hecho de que toda la creación, que sufrió la caída, sea transformada por la salvación que trae Cristo tiene sentido a un nivel simétrico. Como observa Saucy: «Si consideramos que los efectos negativos de la caída de la humanidad son materialmente evidentes, entonces es perfectamente sensato considerar que la transformación positiva operada por la salvación mesiánica también es empírica».[20]

La resurrección de Jesús también se relaciona con la tierra. Jesús resucitado caminó sobre la tierra, mantuvo conversaciones sobre la tierra. Incluso comió. Esto parece tener implicaciones para la nueva tierra venidera: «si el cuerpo de Jesús era reconociblemente el mismo tras su resurrección, así también la tierra será reconociblemente la misma tras su renovación. En la medida en que el cuerpo resucitado de Jesús era y es físico, también lo serán la tierra y nuestros cuerpos».[21] El modelo de la nueva creación nos pide que consideremos todo lo que la cruz de Jesús consigue. Dios persigue la «restauración de todas las cosas» en Jesús (véase He. 3:21) y esto involucra la creación.

Las realidades espirituales y el modelo de la nueva creación

Algunos piensan que la perspectiva del modelo de la nueva creación se centra demasiado en las cosas materiales y no es lo suficientemente espiritual.[22] Pero el modelo de la nueva creación no se opone a las realidades espirituales. Las afirma y confirma su importancia. Este modelo no degrada los asuntos espirituales a un segundo plano. Dios es espíritu. El hombre tiene espíritu. Amar a Dios y amar a la gente son los dos grandes mandamientos y las dos cosas más importantes que una persona puede hacer. El reino de Dios implica justicia, rectitud, paz, alegría y amor. Sin embargo, estas realidades «espirituales» coexisten con realidades materiales. Pasajes como Isaías 11 y el Salmo 72 revelan que el reino del Mesías será un reino terrenal que se destacará por las

---

[19] Snyder, 99.
[20] Saucy, 237.
[21] Snyder, 107.
[22] Véase Michael Allen, *Grounded in Heaven: Recentering Christian Hope and Life in God* (Grand Rapids: Eerdmans, 2018). Allen llama al enfoque neocreacionista «naturalismo escatológico».

cualidades espirituales de la justicia, la equidad y la rectitud. Un enfoque de la nueva creación pide que se consideren adecuadamente tanto los aspectos materiales como los espirituales de los propósitos de Dios. Y las entidades materiales y nacionales no deben espiritualizarse.

Mientras que el modelo de la visión espiritual presenta un dualismo cósmico entre el espíritu y la materia elevando el primero y denigrando la segunda, el modelo de nueva creación no tiene tal dualismo. Afirma la importancia tanto de lo espiritual como de lo físico.

El modelo de la nueva creación y el pecado

El modelo de la nueva creación se centra en cuestiones positivas como los propósitos de la creación de Dios y la naturaleza vibrante y multidimensional de la vida eterna. Sin embargo, este modelo también aborda el impacto del pecado a todos los niveles. El pecado es una cuestión espiritual, pero también es anticreacional. Afecta a toda la creación. Ningún aspecto de la creación queda al margen del pecado. Debemos considerar la naturaleza multidimensional del pecado para poder apreciar la naturaleza polifacética de la salvación y la restauración en Cristo.

En primer lugar, y lo más importante, el pecado es una ofensa contra Dios. Dios es digno de adoración y obediencia por parte del hombre, pero el hombre no responde adecuadamente. El hombre está bajo la ira de un Dios santo que no puede tolerar el pecado ni a los pecadores. El pecado, por tanto, es una ofensa contra Dios: «contra ti, contra ti solo he pecado» (Sal. 51:4).

En segundo lugar, el pecado trae consigo una confusión devastadora para *la persona humana individual*. El pecado de Adán le trajo culpa, vergüenza y miedo. Lo mismo ocurre con todos los descendientes de Adán. La angustia interior de las personas, incluida la depresión, en un mundo caído es grande. Esto es evidente por las muchas adicciones, comportamientos destructivos y suicidios en nuestra sociedad. Snyder observa: «a causa del pecado, las personas no se sienten a gusto en su interior. Experimentan malestar, inquietud, conflictos interiores y temores. El pecado conlleva toda esa gama de males y síntomas de los que se ocupan la psicología y la psiquiatría».[23] El pecado causa estragos internos en el pecador.

El pecado también afecta de forma específica a los dos géneros. Para el hombre, el pecado trae frustración en el reino del trabajo, incluyendo

[23] Snyder, 73.

espinas y cardos para agobiarle. En el reino donde el hombre debía gobernar y someter, se sentirá frustrado. El pecado también trae mayor dolor en el parto para la mujer. El pecado trae devastación a todas las personas, y afecta a hombres y mujeres en sus respectivos papeles.

En tercer lugar, a nivel comunitario, el pecado introduce tensión y odio entre las personas. El asesinato de Abel por Caín es uno de los primeros ejemplos. El pecado afecta a naciones y etnias a través de guerras constantes, odio, genocidio y persecución. Los ámbitos político, social y cultural también están contaminados por el pecado. Así, el pecado devasta al hombre a nivel comunitario y social. Dios instituyó el gobierno para regular el mal en la sociedad (véase Rom. 13), pero en un mundo caído el pecado se produce a nivel comunitario y social.

En cuarto lugar, el pecado afecta a la creación. La tierra y el suelo también se ven afectados por el pecado. «Maldita será la tierra por tu culpa» (Gén. 3:17). Como observa Snyder, «la tierra sufre por el pecado humano de tres maneras: sufre directamente por el maltrato humano de la tierra; indirectamente sufre las consecuencias de la violencia humana; por último, languidece por la falta de un cuidado adecuado de la administración que se confió a la humanidad».[24] El reino animal también sufre en un mundo caído.

La extensión de la salvación de Jesús

La mala noticia del pecado es extensa, pero también lo es la solución. La salvación en Jesús es polifacética. Jesús revierte, restaura y cura todos los efectos negativos del pecado a todos los niveles.

Primero, la salvación en Jesús implica reconciliación y relación restaurada con Dios para la persona individual.

En segundo lugar, la salvación en Jesús sustituye la confusión interior de la culpa, la vergüenza y el miedo por la alegría y la paz.

En tercer lugar, Jesús trae la sanidad a las relaciones humanas. Los cristianos son ahora capaces de amar a su prójimo como deberían.

Y cuarto, Jesús traerá sanidad y paz a toda la creación, incluyendo la tierra, el territorio y todas las criaturas.

En cada área donde el pecado estropea y destruye, Jesús arregla y renueva: «yo hago nuevas todas las cosas» (Ap. 21:5). Jesús perdona los pecados y reconcilia al hombre con Dios a través de sus dos venidas. Jesús sustituye el odio por el amor para que su pueblo pueda amar al prójimo. Sin embargo, los beneficios de la salvación continúan aún más

---

[24] Snyder, 76.

allá. Jesús aniquilará toda enfermedad y resucitará el cuerpo. Anulará la maldición sobre la tierra y traerá la restauración a toda la creación, incluido el reino animal (véase Os. 2:18; Rom. 8; Isa. 11). Él traerá la sanidad a las naciones y grupos de personas del mundo (véase Ap. 5:9). Él restaura la sociedad y la cultura. Snyder tiene razón al afirmar que «la reconciliación ganada por Cristo alcanza a todos los conflictos que resultan de nuestro pecado: alienación de Dios, de nosotros mismos, entre las personas y entre nosotros y nuestro entorno físico. Por lo tanto, la imagen bíblica es a la vez personal, ecológica y cósmica».[25] Así, el modelo de la nueva creación se relaciona con el pecado en el sentido de que el pecado afecta al hombre y a la creación de forma holística, pero la restauración que trae Jesús también es holística.

Lo particular como medio para bendecir lo universal

Un enfoque neocreacionista también afirma la importancia tanto de lo particular como de lo universal en los propósitos de Dios. Dios utiliza en ocasiones lo particular para bendecir lo universal. O, como dice Gerald McDermott, «Dios alcanza lo universal a través de lo particular».[26] Pero mientras esto ocurre, lo particular sigue siendo relevante. ¿Cómo se aplica esto a los propósitos de Dios? Concierne a la importante relación entre Israel y las naciones. En pocas palabras, Dios utiliza los aspectos particulares de Israel y la tierra de Israel para bendecir un día a las naciones del mundo en sus tierras (universales). Génesis 12:2-3 reveló que Abraham y la «gran nación» procedente de él —Israel— serían el medio para bendecir a todas las familias y naciones de la tierra (véase Gén. 18:18). Esto incluye el papel de la tierra de Israel (véase Gén. 12:6-7) que es el lugar geográfico para las bendiciones mundiales. Dios utiliza las particularidades de Israel y de la tierra de Israel para bendecir a naciones gentiles en sus tierras.

Tanto los particulares como los universales son importantes. Uno no anula la relevancia del otro. Por ejemplo, los planes de Dios no son todos sobre lo particular de Israel. Tampoco son todos sobre lo universal de los pueblos distintos de Israel. Los propósitos de Dios conciernen tanto a Israel como a las naciones. Isaías 27:6 afirma: «Días vendrán en que Jacob echará raíces, en que Israel retoñará y florecerá, y llenará el mundo con sus frutos». Israel existe para bendecir al mundo entero. En

---

[25] Snyder, 99.

[26] Gerald R. McDermott, *Israel Matters: Why Christians Must Think Differently about the People and the Land* (Grand Rapids: Brazos Press, 2017), 114.

Isaías 49:3-6, Dios dice que su Siervo restaurará Israel y llevará la luz a todas las naciones. Así que cuando Dios bendiga a Israel, también bendecirá a otras naciones (Amós 9:11-15). Del mismo modo, cuando Dios cumpla sus promesas con Israel (Gén. 15:18-21) bendecirá a otras naciones en sus tierras (Isa. 19:16-25).

Como hemos visto, las bendiciones universales a las naciones no eliminan las promesas particulares a Israel. Los planes de Dios de bendecir a las naciones tampoco implican que Israel como nación ya no sea significativa. Sin embargo, muchos teólogos creen que la importancia del Israel nacional ha desaparecido porque Dios bendice ahora al mundo. Como señala acertadamente McDermott:

> mientras que el patrón de ambos Testamentos es que Dios salva al mundo (lo universal) a través de Israel (lo particular), la mayoría de los teólogos afirman que el patrón cambia en el Nuevo Testamento. Allí lo particular desaparece. Es decir, la mayoría de los teólogos actuales dicen que el pueblo particular de los judíos y su tierra particular ya no tienen importancia para Dios.[27]

El punto de vista correcto es que el cumplimiento con lo particular (Israel) conduce al cumplimiento de lo universal (el mundo). Se trata de una situación de lo uno y lo otro. Puesto que Israel y la tierra de Israel son microcosmos de lo que Dios hará por todos los grupos humanos, no es necesario negar o universalizar estos particulares. Blaising resume este punto:

> No es necesario eliminar lo particular para instituir lo universal ni es necesario expandir lo particular para convertirse en lo universal, sino que lo particular es tanto el medio para la bendición de lo universal como una parte constitutiva central del mismo.[28]

Individuos, naciones e Israel

Mientras que la perspectiva del modelo de la visión espiritual se centra exclusivamente en la salvación de los individuos o los elegidos, la perspectiva neocreacionista afirma la importancia de los individuos,

---

[27] Ibidem, 113. También afirma: «Pero, para demasiados teólogos de la actualidad, falta lo particular». Ibídem, 114.

[28] Craig A. Blaising, «Israel and Hermeneutics», en *The People, The Land, and the Future of Israel: Israel and the Jewish People in the Plan of God,* eds. Darrell L. Bock y Mitch Glaser (Grand Rapids: Kregel, 2014), 162.

Israel y todas las etnias y naciones en los planes de Dios. En primer lugar, Dios salva a los individuos (Mt. 11:28-29). En segundo lugar, utiliza a la nación Israel como vehículo de sus planes (Gén. 12:2; Rom. 11:12). Y tercero, Dios trabaja con naciones y etnias. Dios bendecirá a todos los grupos étnicos y naciones (Gén. 12:3; 22:18; Ap. 5:9). Isaías 19:16-25 promete que en el reino venidero las naciones de Egipto, Asiria e Israel existirán y funcionarán armoniosamente como entidades geopolíticas. Apocalipsis 21:24, 26 habla de múltiples naciones y reyes que traerán su gloria a la nueva Jerusalén. El evangelio va a todas las naciones en esta era presente, pero se avecina una era futura en la que las entidades nacionales servirán al Señor (véase Isa. 2:2-4).

McDermott señala que «todos seremos renovados, como individuos y como naciones».[29] ¿Por qué es tan importante entender bien esta cuestión? Porque «las teologías actuales... tienden a acentuar lo individual a expensas de lo social». Y «las identidades étnicas, nacionales y lingüísticas han sido borradas de la mayoría de las representaciones cristianas del mundo venidero...»[30] Pero un enfoque del modelo de la nueva creación capta la riqueza y las dimensiones de todos los grupos de personas en los propósitos de Dios.

Comparación entre el modelo de la visión espiritual y los puntos de vista del modelo de la nueva creación sobre la eternidad

	Modelo de la visión espiritual	**Modelo de la nueva creación**
El destino actual de la tierra	La tierra actual es aniquilada	La tierra actual es restaurada y renovada
La «tierra nueva» en la eternidad	Existe un planeta totalmente diferente; o la tierra nueva es el cielo espiritual	La tierra actual es restaurada
El destino de los salvos	Cielo espiritual	Una tierra nueva tangible
Tiempo	El tiempo no existe	El tiempo existe
Movimiento	El movimiento no existe	El movimiento existe
Relación de esta era	No hay relación. La	Las experiencias en la

[29] McDermott, 116.
[30] Ibid., 115.

presente con la eternidad	eternidad tiene lugar en otro reino con experiencias diferentes	tierra nueva son similares a las experiencias en la tierra actual, menos los efectos del pecado, la caída y la maldición
Enfoque de los salvos	Sólo Dios es el centro de los salvos	Dios es el foco principal, pero existe el amor a otras personas salvas y la interacción con la tierra nueva
Cultura (arte, música, tecnología, etc.)	La cultura no existe	La cultura existe
Interacciones sociopolíticas	Las interacciones sociopolíticas no existen	Existen interacciones sociales y políticas
Naciones geopolíticas	Las naciones geopolíticas no existen; sólo los individuos salvos	Existen naciones geopolíticas con líderes
Etnias	El origen étnico ya no importa	Las diversas etnias existen en armonía y lo celebran
Conocimiento de otras personas salvas	Sin ser conscientes de los demás, o sólo conscientes de los demás cuando se unen para adorar a Dios	Conciencia e interacciones sociales con los salvos
Alimentación y celebraciones	No existen	Sí existen
Conocimiento	No necesita aprender nada	Continúa el aprendizaje sobre Dios y su creación
Cuerpo resucitado	El cuerpo resucitado existe, pero tiene poca utilidad ya que el cielo consiste sobre todo en la	Las personas utilizan sus cuerpos resucitados para moverse e interactuar con otras personas y

	contemplación mental de Dios	con la tierra nueva
Sentidos físicos	Las personas salvas verán y tendrán percepción de Dios, pero no hay necesidad de sentidos como el gusto, el olfato o el oído	Los sentidos de la vista, el olfato, el gusto, el oído y el tacto existirán y se desarrollarán mejor que ahora
Casas	No existirán	Sí existirán
Granjas, agricultura	Las granjas y la agricultura no existen	Las granjas y la agricultura existen
Animales	Los animales no existen; tienen valor instrumental ahora pero no tienen lugar en la eternidad	Los animales existen en la tierra nueva; tienen un valor inherente para Dios y siguen siendo importantes en la eternidad
Hablar/Comunicación	La conversación y la comunicación no existen	Las personas salvas hablan y se comunican entre sí
Conocimiento de la tierra y la era actuales	No existe ningún recuerdo de la tierra ni de la era actual	Las personas recuerdan a otras personas y experiencias de la época actual; lo que no se traslada son los recuerdos y experiencias negativas de la tierra y la época actuales
Océanos, cuerpos de agua	Los océanos y las masas de agua no existen; las criaturas acuáticas no existen	Los océanos de agua salada que son peligrosos y separan a las personas por grandes distancias desaparecen; pero

		existen grandes masas de agua y criaturas acuáticas

6

ELEMENTOS CLAVE DEL MODELO DE LA NUEVA CREACIÓN 1ª PARTE

«Los cristianos hablan a menudo de vivir con Dios "en el cielo" para siempre. Pero en realidad la enseñanza bíblica es más abundante que eso: nos dice que habrá cielos nuevos y una tierra nueva —una creación totalmente renovada— y que allí viviremos con Dios».

-Wayne Grudem[1]

En el último capítulo se definió el paradigma del modelo de la nueva creación y se ofrecieron creencias estratégicas asociadas a él. Este capítulo y el siguiente ofrecen dieciséis elementos importantes de la creación de Dios y los propósitos de la nueva creación asociados al modelo de la nueva creación.

El destino del hombre ligado a la Tierra

El hombre y la tierra son inseparables en los propósitos de Dios. Mientras que un enfoque del modelo de la visión espiritual considera que el hombre necesita escapar del planeta tierra, el modelo de la nueva creación afirma que el destino del hombre está ligado a la tierra. Dios

[1] Wayne, Grudem, *Systematic Theology* (Grand Rapids: Zondervan, 1994), 1158.

«formó al hombre del polvo de la tierra» (Gén. 2:7). Y Dios comisionó al hombre que «gobernara» y «sometiera» la tierra y sus criaturas (véase Gén. 1:26, 28; Sal. 8). El hombre no fue creado para huir de la tierra hacia un reino espiritual. Fue creado para gobernar desde y sobre la tierra. El Salmo 115:16 afirma: «Los cielos le pertenecen al Señor, pero a la humanidad le ha dado la tierra». Comentando este versículo, Middleton señala: «mientras que Dios reina desde el cielo, la tierra es el reino característicamente humano».[2]

La relación del hombre con la tierra se afirma después de la caída. Según Génesis 3, la tierra fue maldecida y ahora actúa contra el hombre. Lleno de espinas y cardos, el suelo frustra al hombre a cada paso. La muerte, la decadencia y la destrucción son ahora la experiencia del hombre. Pero Dios no ha abandonado al hombre ni a la tierra. En Génesis 3:15 Dios prometió que una «simiente» venidera de la mujer derrotaría el poder detrás de la serpiente. Y con Génesis 5:28-29, Lamec esperaba un descendiente que «este niño nos dará descanso en nuestra tarea y penosos trabajos, en esta tierra que maldijo el Señor». Génesis 49:8-12 declara que una figura mesiánica («Silo» o «Aquel a quien pertenece») gobernará las naciones y traerá prosperidad a la tierra. Así pues, tres pasajes mesiánicos tempranos presentan una esperanza para el hombre en la tierra.

A causa del pecado, el hombre no puede cumplir el destino que Dios le ha dado de gobernar la tierra con éxito. Pero este destino se cumplirá a través del hombre definitivo: Jesús, el último Adán, que triunfará donde Adán fracasó y reinará con éxito desde y sobre la tierra. En un pasaje de la segunda venida, Zacarías 14:9 afirma: «en aquel día el Señor será el único Dios». En cuanto al destino de los santos de Jesús, Apocalipsis 5:10 afirma: «De ellos hiciste un reino; los hiciste sacerdotes al servicio de nuestro Dios, y reinarán sobre la tierra». Esto se cumple en Apocalipsis 20 cuando Jesús reina con sus santos sobre la tierra. En el reino eterno, los santos reinarán desde una nueva Jerusalén y una tierra nueva (véase Ap. 21:1-2; 22:5). El hombre y la tierra están inseparablemente unidos desde Génesis 1 hasta Apocalipsis 22.

Resurrección del cuerpo

Las formas extremas del modelo de la visión espiritual consideran el cuerpo humano como un obstáculo para la existencia y la iluminación.

---

[2] J. Richard Middleton, «A New Earth Perspective», en *Four Views on Heaven,* ed. Michael E. Wittmer (Grand Rapids: Zondervan, 2022), 72.

Las religiones orientales, por ejemplo, no dan cabida a un cuerpo resucitado en su escatología. Tampoco las filosofías derivadas de Platón. Los heréticos docetistas creían que Jesús no tenía cuerpo humano, ya que el cuerpo es malo. Pero el modelo de la nueva creación afirma que el cuerpo humano es bueno y está destinado a la resurrección física. Existe una correspondencia uno a uno entre el cuerpo que una persona tiene ahora y el cuerpo que dicha persona experimentará en la tierra nueva. El tú de hoy será el mismo tú en la eternidad. ¡Pero sin imperfecciones!

De hecho, la conexión entre el ahora y el entonces se aplica tanto a los creyentes como a los incrédulos (véase Dan. 12:1-2; Jn. 5:28-29). Ambos serán llamados de la tumba y tendrán un cuerpo físico apto para sus destinos. Sin embargo, el mayor énfasis de las Escrituras se pone en la resurrección de los creyentes. Pablo dijo que «esperamos ansiosamente... la redención de nuestro cuerpo» (Rom. 8:23b). Isaías 26:19a: «Pero tus muertos vivirán, sus cadáveres volverán a la vida. ¡Despierten y griten de alegría, moradores del polvo! Porque tu rocío es como el rocío de la mañana, y la tierra devolverá sus muertos».

La resurrección se basa en Jesús, que es la primicia de la resurrección (1 Cor. 15:20). El Jesús que fue colocado en una tumba es el mismo Jesús que salió. Jesús podía hablar, caminar, ser tocado y comer. Hablaba con los que conocía antes de morir. Afortunadamente, la creencia en la resurrección del cuerpo ha sido sostenida por los cristianos a lo largo de la historia de la iglesia. Este es uno de los elementos del modelo de la nueva creación que se ha sostenido de forma más consistente a lo largo de la historia de la iglesia.

Además, en conexión con la resurrección del cuerpo está el perfeccionamiento de nuestros sentidos físicos. Nuestros cuerpos fueron creados para ver, oír, oler, saborear y tocar. Estos sentidos funcionarán en el futuro incluso mejor de lo que lo hacen ahora. Como afirmó Richard Baxter «... hasta tal punto superarán nuestros sentidos a los que ahora poseemos. Sin duda, así como Dios hace progresar nuestros sentidos y amplía nuestra capacidad, así hará progresar la felicidad de esos sentidos y llenará de sí mismo toda esa capacidad».[3]

La resurrección del cuerpo también está vinculada a la transformación de la creación. Pablo lo señala en Romanos 8:21: «para que también la creación misma sea liberada de su esclavitud de corrupción a la libertad de la gloria de los hijos de Dios». Así pues, la resurrección no sólo afecta a los seres humanos, sino a todo el orden

---

[3] Richard Baxter, *The Saint's Everlasting Rest*, 11.

creado. Como señala un autor: «es *absurdo* pensar que Jesús murió y resucitó para salvar nuestras almas, no nuestros cuerpos y toda la creación. ¿Por qué iba a resucitar Jesús *físicamente* para salvarnos sólo *espiritualmente*?»[4]

En ocasiones, la discusión de Pablo sobre el «cuerpo espiritual» en 1 Corintios 15:44 se toma en el sentido de que nuestros cuerpos futuros no serán físicos. Pero esto no es a lo que Pablo se refería. Como acabamos de ver, en Romanos 8:23 Pablo se refirió a la futura «redención de nuestro cuerpo», lo que señala un cuerpo físico resucitado. La referencia de Pablo a un «cuerpo espiritual» se refiere a la *fuente* de nuestro futuro cuerpo de resurrección, no a su *sustancia*. La fuente y el poder de nuestro futuro cuerpo de resurrección es el Espíritu Santo. Como explica Ian Smith:

> Debemos tener cuidado para entender lo que se quiere decir con un «cuerpo espiritual». El griego puede diferenciar la sustancia de la que está hecho un cuerpo de aquello que da poder a un cuerpo. Pablo se refiere a «espiritual» como aquello que da poder al cuerpo, no como su sustancia. Un tren de vapor no está hecho de vapor, ni una tetera eléctrica está hecha de electricidad, y un horno de gas no está hecho de gas.[5]

Blaising también señala que «la "espiritualidad" de la vida eterna en el modelo de la nueva creación» no es «la ausencia de materialidad, sino el efecto pleno de la inhabitación del Espíritu Santo en los cuerpos físicos resucitados de los redimidos».[6] En resumen, el «cuerpo espiritual» que explica Pablo se refiere a la fuente espiritual de nuestros cuerpos físicos resucitados venideros.

Renovación/restauración de la Tierra

Una vez pensé que la Tierra estaba tan corrompida y era tan irredimible que tenía que ser expulsada de la existencia y reemplazada por un reino completamente nuevo. Esto se conoce como el «punto de vista aniquilacionista». Más tarde supe que esta idea estaba relacionada con el

---

[4] Snyder, *Salvation Means Creation Healed*, 226. Énfasis en el original.

[5] Ian K. Smith, *Not Home Yet: How the Renewal of the Earth Fits into God's Plan for the World* (Wheaton, IL: Crossway, 2019), 127.

[6] Blaising, «Premillennialism», 163.

pensamiento del modelo de la visión espiritual. Como señala Craig Blaising, «la idea de la aniquilación cósmica pertenece propiamente a la escatología gnóstica, que generalmente sostenía que la materialidad como tal sería aniquilada para dar paso a un orden puramente espiritual».[7]

Aunque la transición de lo viejo a lo nuevo es dramática, Dios no aniquilará su «muy buena» creación (Gén. 1:31): la restaurará. Jesús llamó a la tierra nueva venidera «la regeneración» (véase Mt. 19:28). El término griego, *paliggenesia*, significa «génesis de nuevo» o «renovación». Además, Pablo dijo que Jesús está reconciliando todas las cosas «mediante la sangre de su cruz» (véase Col. 1:20). Esto se refiere a la reconciliación de todas las cosas creadas. En Hechos 3:21, Pedro se refirió a la futura «restauración de todas las cosas» en relación con el regreso de Jesús. La restauración es el plan, no la aniquilación. Pablo dijo que la actual creación corrupta anhela ansiosamente la libertad: «... la creación misma también será liberada de su esclavitud a la corrupción para la libertad de la gloria de los hijos de Dios» (véase Rom. 8:21). La creación actual existe en un estado de «esperanza» (Rom. 8:20). Si la creación estuviera abocada a la aniquilación, la «esperanza» no sería aplicable. La aniquilación de la existencia no es motivo de esperanza.

El modelo de la nueva creación afirma una próxima renovación/restauración de la Tierra y sus elementos. Esta tierra que fue maldecida y sumida en la futilidad a causa del pecado del hombre (véase Rom. 8:20; cf. Gén. 3) será renovada. Será purgada y purificada y se encontrará mejor que antes. La purga ardiente de 2 Pedro 3:10-13 tiene como resultado que la tierra sea «encontrada» o «manifestada». Al igual que los metales preciosos pasan por el fuego para ser purgados, la Tierra será purgada, pero permanecerá. La destrucción ardiente relacionada con los nuevos cielos y la tierra nueva está vinculada a la purificación. Como señala Blaising: «lo que se eliminará en el día del Señor no es el cosmos ni la materialidad como tales, sino el pecado y el mal. Y aquí es donde el lenguaje de la purificación por el fuego encuentra su lugar apropiado».[8]

Dios no se da por vencido con su creación. Poythress señala acertadamente que cuando se trata de «la renovación del mundo... [l]a solución es la redención y la transfiguración, no la vaporización».[9] Esto da a Dios la victoria con su creación originalmente «muy buena» (véase

---

[7] Craig A. Blaising, «The Day of the Lord Will Come: An Exposition of 2 Peter 3:1–18», *Bibliotheca Sacra* 169.676 (Octubre-Diciembre 2012): 398.

[8] Ibid.

[9] Vern Sheridan Poythress, «Currents within Amillennialism», *Presbyterion* 26.1 (2000): 23.

Gén. 1:31). Anthony Hoekema afirma: «si Dios tuviera que aniquilar el cosmos actual, Satanás habría obtenido una gran victoria».[10] Snyder argumenta: «La nueva creación no es una segunda creación *ex nihilo;* es la restauración y el florecimiento potenciado de la creación original».[11]

El lenguaje relativo a los nuevos cielos y la tierra nueva se encuentra explícitamente en Isaías 65:17; 66:22; 2 Pedro 3:13; y Apocalipsis 21:1. La transformación de la tierra/tierra se aborda en Isaías 35:1-2a, donde el desierto y el yermo serán transformados:

> Se alegrarán el desierto y el sequedal;
> se regocijará el desierto
> y florecerá como el azafrán.
> Florecerá y se regocijará:
> ¡gritará de alegría!

La exuberancia se describe en Isaías 35:6b-7:

> Porque aguas brotarán en el desierto,
> y torrentes en el sequedal.
> La arena ardiente se convertirá en estanque,
> la tierra sedienta en manantiales burbujeantes.
> Las guaridas donde se tendían los chacales
> serán morada de juncos y papiros.

En Ezequiel 36:34-35 se vincula la restauración de la tierra con el retorno a condiciones similares a las del Edén:

> Se cultivará la tierra desolada, y ya no estará desierta a la vista de cuantos pasan por ella. Entonces se dirá: «Esta tierra, que antes yacía desolada, es ahora un jardín de Edén; las ciudades que antes estaban en ruinas, desoladas y destruidas, están ahora habitadas y fortificadas».

Observe cómo el lenguaje bíblico revela el glorioso destino de la creación:

> «la *renovación*» -Mt. 19:28
> «la *restauración* de todas las cosas» -He. 3:21

---

[10] Anthony A. Hoekema, *The Bible and the Future* (Grand Rapids: Eerdmans, 1979), 280.
[11] Snyder, 121.

«para *reconciliar* consigo todas las cosas» -Col. 1:20
«un cielo *nuevo* y una tierra *nueva*» -Ap. 21:1
«hago *nuevas* todas las cosas» -Ap. 21:5

Aunque no utiliza el título «modelo de la nueva creación», Michael Williams habla de una «perspectiva restauracional» que es coherente con el modelo de la nueva creación: «la perspectiva restauracional puede resumirse en una sola declaración: la redención invierte la caída».[12]

Saber que Dios restaurará la creación es una verdad emocionante. La creación que ha estado sometida a la futilidad también verá los beneficios del alcance redentor de Jesús. Como dice Eduard Thurneysen:

> el mundo en el que entraremos en la parusía de Jesucristo no es, por tanto, otro mundo; es este mundo, este cielo, esta tierra; ambos, sin embargo, desvanecidos y renovados. Son estos bosques, estos campos, estas ciudades, estas calles, estas personas, los que serán el escenario de la redención. En la actualidad son campos de batalla, llenos de la lucha y el dolor de la consumación aún no realizada; entonces serán campos de victoria, campos de cosecha, donde de la semilla que se sembró con lágrimas se segará y llevará a casa por las gavillas eternas.[13]

Naciones y etnias

Algunos piensan que la eternidad será un lugar donde nos uniremos a una comunidad celestial genérica sin identidades o distinciones étnicas, nacionales o funcionales. Las etnias y las naciones ya no existirán. Algunos también piensan que, desde la llegada de Jesús, el plan de Dios para las naciones consiste únicamente en salvar a ciertos individuos de diversas etnias y naciones en esta era. Pero los propósitos de Dios no se detienen ahí. Los planes de Dios también incluyen entidades corporativas, no sólo para la iglesia en esta era, sino para las naciones en el reino venidero. Como dice Andrew Kim, la «consumación del reino» implica «una realidad multinacional, compuesta no sólo de individuos, sino de individuos con distintas afiliaciones étnicas y territoriales».[14]

---

[12] Michael Williams, «A Restorational Alternative to Augustinian Verticalist Eschatology», 14.
[13] Eduard Thurneysen, *Eternal Hope*, trad. Harold Knight (London: Lutterworth, 1954), 204.
[14] Andrew H. Kim, «The Eschatological Kingdom as a Multinational Reality in Isaiah», Ph.D. diss. Southwestern Baptist Theological Seminary, 2019: 170.

Pero antes de profundizar en lo que dice la Biblia sobre las naciones, queremos hablar de los planes de Dios tanto para la unidad como para la diversidad. Somos una sola raza —la raza humana. Y todas las personas están hechas a imagen de Dios. Los creyentes se salvan de la misma manera en Jesús (véase Gál. 3:28; Ef. 2:11-3:6). Y en la iglesia no hay distinciones funcionales basadas en el origen étnico. Todas estas verdades revelan la unidad del pueblo de Dios.

Sin embargo, también hay elementos de diversidad. La diversidad étnica y nacional son partes importantes de los planes de Dios. A partir de Adán, diversos grupos de personas componen la familia humana. Hechos 17:26 declara: «De un solo hombre hizo *todas las naciones* para que habitaran toda la tierra; y determinó los períodos de su historia y las fronteras de sus territorios».[15] Dios cuida de las naciones. Él determina cuándo existen y dónde viven y funcionan.

Génesis 10-11, con su tabla de naciones, revela la diversidad de naciones y pueblos derivados de los tres hijos de Noé. Estas naciones, mencionadas minuciosamente una a una, preparan el escenario para Abraham y el pacto abrahámico de Génesis 12. Dios eligió a Abraham y a la «gran nación» Israel (véase Gén. 12:2) para bendecir a todas las «familias» y «naciones» de la tierra (véase Gén. 12:3; 18:18; 22:18). Así, al principio de la Biblia aprendemos que Dios tiene un plan para que todas las naciones sean bendecidas a través de una nación. Las naciones importan. Dios podría haber dejado que la humanidad siguiera siendo un conjunto de individuos, pero determinó que las naciones formarían parte de sus propósitos.

Los profetas mayores contienen secciones dedicadas específicamente a las naciones y grupos gentiles —Isaías 13-23; Jeremías 43-51; Ezequiel 25-32. Daniel 2 y 7 describen la importancia de varios imperios sucesivos en la historia— Babilonia, Medo-Persia, Grecia, Roma y lo que parece ser una forma final del Imperio Romano. Se trata de naciones geopolíticas con reyes que viven en zonas geográficas específicas. Están relacionadas con los planes de Dios para el pasado, el presente y el futuro.

Algunos pasajes bíblicos describen guerras y batallas relacionadas con naciones geopolíticas que aún esperan su cumplimiento futuro. Ezequiel 38 menciona a Rusia, Turquía, Irán, Etiopía y Libia como involucrados en un intento de invasión de Israel. Daniel 11 habla de «el rey del Sur» y «el rey del Norte» (40) que vienen contra un rey malvado que blasfema contra Dios (36). Las naciones y pueblos mencionados en

---

[15] Énfasis mío.

este capítulo incluyen a Edom, Moab, Amón, Egipto, Libia, Etiopía e Israel [«la hermosa tierra»] (41, 43). Apocalipsis 16:12-16 se refiere a «los reyes del este» y «los reyes de todo el mundo» que se reúnen para la batalla en Armagedón. Apocalipsis 19:19 menciona a «entonces vi a la bestia y a los reyes de la tierra con sus ejércitos, reunidos para hacer guerra contra el jinete de aquel caballo y contra su ejército». Jesús dijo que los últimos días se distinguirían por naciones en guerra entre sí (véase Mt. 24:6-7). No se trata aquí de especular sobre todos los detalles de estas batallas. Pero revelan que las naciones geopolíticas y sus gobernantes están involucrados en los planes de Dios para la historia.

También en relación con el futuro, Isaías 2:2-4 y Miqueas 4 presentan a representantes de naciones geopolíticas viajando a Jerusalén para aprender los caminos de Dios. El Señor también tomará decisiones por estas naciones. Isaías 19:24 menciona tres naciones territoriales específicas en el reino venidero: Israel, Egipto y Asiria: «En aquel día Israel será, junto con Egipto y Asiria, una bendición en medio de la tierra». Egipto hará un monumento al Señor en la tierra de Egipto (véase Isa. 19:19). Isaías 19:23 habla de Egipto entrando en Asiria, y Asiria en Egipto, para adorar al Señor:

> En aquel día habrá una carretera desde Egipto hasta Asiria. Los asirios irán a Egipto y los egipcios a Asiria, y unos y otros adorarán juntos.

Zacarías 14 afirma que el Señor [Jesús] rescatará a Jerusalén de las naciones (1-5). Y cuando Jesús reine como Rey sobre toda la tierra (9), se exigirá a las naciones que envíen una delegación a Jerusalén para adorarle. Si se niegan, se producirá una plaga (véase 14:16-19).

Los pasajes anteriores son sólo muestras de lo que la Biblia dice sobre las naciones en los planes de Dios. Discernir los propósitos históricos de Dios significa entender sus planes para las naciones y los grupos humanos. Dios no busca la desintegración de las etnias y las naciones; Él las gobernará con un reinado justo (véase Sal. 2; 110). La segunda venida de Jesús traerá su gobierno sobre «las naciones» con «vara de hierro» (véase Ap. 19:15). Dios salvará y capacitará a las naciones, con sus líderes, para que contribuyan a la nueva tierra (véase Ap. 21:24). Alcorn señala: «las tribus, los pueblos y las naciones harán su contribución particular al enriquecimiento de la vida en la nueva Jerusalén».[16]

---

[16] Alcorn, *Heaven*, 380.

Esta verdad de múltiples grupos de personas y naciones en los planes de Dios coincide con la igualdad salvífica para todos en Jesús (véase Gál. 3:28). Sin embargo, también hay diversidad de grupos humanos. Hay un pueblo de Dios salvíficamente en Jesús, pero también hay pueblos de Dios, ya que el pueblo de Dios procede de diversas etnias y naciones. En esta era, individuos de varios grupos de personas y naciones están siendo salvados en la iglesia de Jesús. Sin embargo, en el futuro, cuando Jesús venga a reinar en la tierra, las naciones corporativas estarán allí. Las naciones también experimentarán la salvación. Romanos 11:26 predice la salvación nacional de Israel: «todo Israel será salvo». A continuación, Romanos 11:26-27 cita Isaías 59:20-21 (y quizá Jer. 31:34), que también predice una salvación nacional de Israel. Volviendo a Isaías 19, este capítulo habla de la próxima salvación de Egipto. El versículo 20 dice que Dios enviará a «Egipto un Salvador Todopoderoso». El versículo 21 declara entonces: «el Señor se dará a conocer a los egipcios, y en aquel día ellos reconocerán al Señor: lo servirán con sacrificios y ofrendas de grano; harán votos al Señor y se los cumplirán».

En los tres últimos capítulos de las Escrituras, Apocalipsis 20-22, se hace referencia a las «naciones» cinco veces, lo que revela su importancia. Apocalipsis 21:3 dice: «Y ellos serán su pueblo (*laoi*)». Y estos «pueblos» son «las naciones» mencionadas en Apocalipsis 21:24, 26; 22:2:

> Las naciones caminarán a su luz, y los reyes de la tierra traerán su gloria a ella (Ap. 21:24).
>
> y traerán a ella la gloria y el honor de las naciones (Ap. 21:26).
> y las hojas del árbol eran para la sanidad de las naciones (Ap. 22:2b).[17]

La genética importa. Randy Alcorn señala que «las identidades raciales continuarán (Ap. 5:9; 7:9), y esto implica un traspaso genético del viejo cuerpo al nuevo».[18] Del mismo modo que las personas no pierden su género ni sus identidades individuales cuando se convierten en creyentes, tampoco pierden su etnia ni el significado de la misma. Forma parte de lo que son. El propio Jesús siempre será israelita, descendiente de David. Así que tanto la unidad como la diversidad

[17] Los énfasis de estas citas son míos.
[18] Alcorn, *Heaven*, 290.

existen en el pueblo o pueblos de Dios. Parte de la belleza del reino venidero es la diversidad entre el (los) pueblo(s) de Dios. Como afirma Herman Bavinck, «la diversidad no se destruye en la eternidad, sino que se limpia del pecado y se hace útil para la comunión con Dios y con los demás».[19] Isaías 25:6 se refiere a una comida de reyes en la que participarán los pueblos: «Sobre este monte, el Señor Todopoderoso preparará para todos los pueblos un banquete de manjares especiales, un banquete de vinos añejos, de manjares especiales y de selectos vinos añejos».

A menudo se pasa por alto o se subestima la importancia y el lugar de las naciones en el argumento bíblico. Gran parte de esto está relacionado con la suposición del modelo de la visión espiritual de que Dios sólo trabaja con individuos. Sin embargo, las traducciones de la Biblia al español también pueden contribuir al problema. La palabra «naciones» en el Nuevo Testamento procede del término griego *ethnos*. Formas de *ethnos* aparecen 162 veces en el Nuevo Testamento. Y aunque este término se traduce a veces correctamente como «nación» o «naciones», las traducciones bíblicas utilizan mayoritariamente «gentil» o «gentiles». Esto no siempre es erróneo, pero puede presentar una comprensión ligeramente diferente del término y contribuir a una desconexión con la comprensión de las naciones en el Antiguo Testamento.

«Gentil» parece hacer referencia a «no judío» de forma genérica. Mientras que «nación» supone la idea más amplia y rica de grupos de personas con culturas diferentes en tierras distintas fuera de Israel. O. Palmer Robertson señala acertadamente: «En muchos pasajes del Nuevo Testamento», *ethnos* «sencillamente no puede traducirse como "gentiles" y hacer justicia al sentido del texto».[20] A continuación hace referencia a Mateo 24:14; Marcos 11:17; Hechos 10:34, 35; y Apocalipsis 15:3 como ejemplos. Robertson también afirma que *ethnos* «podría traducirse mejor de forma coherente como "nación" o "pueblo"».[21] ¿Por qué? «La traducción "nación" proporciona una dimensión positiva cuando se consideran todos los diversos pueblos del mundo».[22] Estamos de acuerdo con su valoración. Timothy Whitaker

---

[19] Herman Bavinck, *Reformed Dogmatics: Holy Spirit, Church, and New Creation*, Volume 4, ed. John Bolt, trad. John Vriend (Grand Rapids: Baker Academic, 2008), 715. No pretendemos afirmar que Bavinck estaría de acuerdo con todo lo que afirmamos en esta sección.

[20] O. Palmer Robertson, «Israel and the Nations in God's Covenants», en *Covenant Theology: Biblical, Theological, and Historical Perspectives*, eds. Guy Prentiss Waters, J. Nicholas Reid, y John R. Muether (Wheaton, IL: Crossway, 2020), 515.

[21] Ibid., 514.

[22] Ibid.

señala que cuando «gentiles» es la traducción los lectores en español pierden la conexión con el significado veterotestamentario de «naciones»: «Cuando *ethne* en el Nuevo Testamento se traduce como *los gentiles* en lugar de *las naciones*, la conexión entre el relato de las naciones en el Antiguo Testamento y la novedosa y prominente preocupación por las naciones en el Nuevo Testamento queda oscurecida para los lectores de habla hispana».[23]

En resumen, el relato bíblico incluye la importancia de las naciones y los grupos humanos. El modelo de la nueva creación detecta su importancia. A continuación, examinamos una de las naciones clave en los planes de Dios: Israel.

Israel

Puesto que las naciones geopolíticas son importantes en los planes de Dios, no debería sorprendernos que Israel como nación también lo sea. Como señaló Barry Horner, «la mención de contribuciones nacionales características [en la Biblia]... ¡seguramente tendría que incluir las benefacciones culturales de Israel!»[24] El punto de Horner está bien elaborado. Si las naciones existen en la tierra nueva, dedicándose a una cultura y unas actividades reales, entonces Israel también lo hará. La tierra de Israel también es importante. Blaising afirma: «Ahora bien, dado que la tierra nueva tiene particularidades geográficas y que es esencialmente esta tierra redimida para una gloria eterna, ¿no es importante preguntarse por las promesas territoriales a Israel?»[25]

En ambos testamentos se describe a Israel como una entidad étnica, nacional y territorial que procede de Abraham, Isaac y Jacob. La importancia de Israel se afirma en secciones como Jeremías 30-33 y Ezequiel 36-48 que predicen la próxima restauración del Israel nacional, incluida la tierra. El día de su ascensión, Jesús y los apóstoles hablaron de la próxima restauración del reino a Israel (He. 1:6-7). En Romanos 11:11-32, Pablo explicó la salvación venidera de «todo Israel» (11:26) y las crecientes bendiciones que esto aportaría al mundo (11:12, 15). La restauración de las doce tribus de Israel se menciona en Mateo 19:28; Lucas 22:30 y Apocalipsis 7:4-8. Israel sigue siendo importante como

---

[23] Timothy W. Whitaker, «The Nations in the Bible», https://providencemag.com/2021/02/ the-nations-bible/ (18 de febrero de 2021), consultado el 4 de marzo de 2023. Énfasis en el original.

[24] Barry E. Horner, *Future Israel: Why Christian Anti-Judaism Must Be Challenged* (Nashville, TN: B&H Academic, 2007), 217.

[25] Craig A. Blaising, «Israel and Hermeneutics», en *The People, The Land, and the Future of Israel*, 163.

entidad nacional corporativa. Horton no es exacto cuando afirma que «Israel ya no se identifica con una nación o un pueblo étnico...».[26] Ningún pueblo o nación étnica, ni siquiera Israel, pierde su identidad. Cristo trae la unidad salvífica entre Israel y los gentiles, pero las identidades no se pierden.

Sin embargo, la importancia de Israel no es un fin en sí mismo. Se producirán bendiciones universales para otras naciones y pueblos debido a las particularidades de Israel y de la tierra de Israel.[27] Génesis 12:2-3 revela que a través de Abraham y de la gran nación, Israel, llegarán bendiciones a las familias de la tierra. El Salmo 67:7 afirma: «Dios nos bendice [a Israel] para que todos los confines de la tierra le teman».

Un enfoque de visión espiritual es supersesionista, ya que considera que la iglesia en Jesús suplanta, sustituye o realiza a Israel de un modo que hace que la nación Israel carezca de importancia teológica. Pero una perspectiva consistente del neocreacionismo no es supersesionista. La nación Israel sigue siendo significativa en los propósitos de Dios y en el argumento bíblico porque Israel y las demás naciones importan. Cuando Jesús gobierne desde el trono de David sobre una tierra regenerada, los apóstoles gobernarán sobre las tribus restauradas de Israel (véase Mt. 19:28; Lc. 1:31-33). Esto coincidirá con bendiciones a otras naciones (véase Isa. 2:2-4). Dios se preocupa por cada nación distinta y por las contribuciones que cada una de ellas, incluida Israel, hará. Como Bavinck señala:

> todas las naciones, incluida Israel, mantienen su lugar y vocación distintos (Mt. 8:11; Rom. 11:25; Ap. 21:24; 22:2). Y todas esas naciones —cada una de acuerdo con su carácter nacional distintivo— llevarán a la nueva Jerusalén todo lo que han recibido de Dios en forma de gloria y honor (Ap. 21:24, 26).[28]

[26] Michael S. Horton, «Covenant Theology», en *Covenantal and Dispensational Theologies: Four Views on the Continuity of Scripture*, eds. Brent E. Parker y Richard J. Lucas (Downers Grove, IL: IVP Academic, 2022), 71. El comentario de Horton termina con «pero con Cristo como cabeza con su cuerpo —"un solo hombre nuevo", acabando incluso con la distinción entre judío y gentil en su reino (Ef. 2:14-16; cf. Gál. 3:28)». Sí, Cristo acaba con la «distinción entre judío y gentil» en lo que respecta a la salvación, pero esto no significa que ya no existan todas las distinciones. Los judíos siguen siendo judíos y los gentiles siguen siendo gentiles étnicamente.

[27] Y esto ocurre gracias a Jesús, el último israelita.

[28] Bavinck, 720.

Tierra

La cuestión de la «tierra», y de la tierra de Israel en particular, es muy debatida en los círculos cristianos. En este tema suelen prevalecer las suposiciones del modelo de la visión espiritual. En 2007, hablé en una iglesia a mitad de semana sobre el tema de Israel y la tierra de Israel con un público que no estaba de acuerdo con lo que yo creía. Para su crédito, querían escuchar un punto de vista opuesto. Argumenté que el Israel étnico/nacional sigue siendo importante en los propósitos de Dios y que Israel sería salvado y restaurado en su tierra. Esto coincidiría con las bendiciones a otras naciones en sus tierras en un reino terrenal bajo Jesús (véase Isa. 19:23-25). Mi presentación y las preguntas subsiguientes salieron bien y el ambiente fue profesional y cortés. Pero poco después una mujer se me acercó apresuradamente con las manos en alto gritando: «¡Tierra! ¿Por qué hablamos de tierra? ¿Cree que a Dios le importa la tierra?». Para ella, la tierra no era importante para Dios y deberíamos centrarnos en cosas más espirituales. Su reacción se me quedó grabada. ¿Tenía razón? Ella y yo teníamos presupuestos diferentes sobre la importancia de la tierra en los planes de Dios. Entonces, ¿la tierra es realmente importante para Dios? Parece que sí, y de una manera destacable.

La tierra es uno de los temas y asuntos más tratados en la Biblia. Hay 2,504 referencias a *eretz* en el Antiguo Testamento, una palabra que a menudo se interpreta como «tierra» (1,581 veces) y «planeta» (651 veces). La palabra del Nuevo Testamento para «tierra» o «tierra» —*gē*— aparece aproximadamente 250 veces.

Muchos pasajes detallan la importancia de las promesas sobre la tierra. La tierra fue un elemento central del pacto con Abraham en Génesis 12:6-7, y los límites de la tierra prometida a Israel se establecen en Génesis 15:18-21. En Deuteronomio 30 Dios predijo que Israel sería dispersado de su tierra por desobediencia, pero que luego sería restaurado a ella: «Te hará volver a la tierra que perteneció a tus antepasados, y tomarás posesión de ella. Te hará prosperar, y tendrás más descendientes que los que tuvieron tus antepasados» (Deut. 30:5). Levítico 26:40-45 dice que Dios restaurará a Israel a la tierra relacionada con el pacto abrahámico después de un período de dispersión a las naciones: «Pero, si confiesan su maldad y la maldad de sus padres, y su traición y constante rebeldía contra mí, las cuales me han obligado a enviarlos al país de sus enemigos, y si su obstinado corazón se humilla y reconoce su pecado, entonces me acordaré de mi pacto con Jacob, Isaac y Abraham, y también me acordaré de la tierra» (Lev. 26:40-42).

El libro de Josué está dominado por la cuestión de la tierra. La palabra para tierra —*eretz*— aparece 102 veces. Thomas Schreiner señala: «la importancia de la tierra en Josué no puede sobreestimarse».[29] Josué es un libro «consumido por el lugar donde el Señor gobierna a su pueblo».[30]

La tierra no es sólo una cuestión del Antiguo Testamento. Jesús comenzó su ministerio en la parte norte de Israel, donde las primeras tribus de Israel fueron conquistadas con el cautiverio asirio (Mt. 4:12-16). Desde aquí predicaría la cercanía del reino (véase Mt. 4:17). Jesús dijo que los humildes «heredarán la tierra» (Mt. 5:5). En Hechos 7, Esteban mencionó la «tierra» seis veces (3, 4, 6, 29, 36, 40). En Hechos 13:19 Pablo dijo que Dios «distribuyó su tierra [la de Israel] como herencia».

Aunque a menudo se resta importancia a las promesas sobre la tierra en la Biblia, o se las espiritualiza o universaliza, la tierra que Dios prometió a los descendientes de Abraham es importante para los propósitos creadores de Dios y sus planes para salvar a la humanidad. Tras la caída y el diluvio universal, el mundo era un lugar oscuro. La tierra de Israel debía funcionar como una cabeza y un punto de luz para los planes de Dios de salvar y restaurar el mundo. Según Deuteronomio 4:1, 5-8, si Israel obedecía a Dios en la tierra prometida, otras naciones lo notarían y se sentirían atraídas hacia Dios. Así pues, la tierra es una parte importante del argumento bíblico, y su significado se subraya a menudo en los pasajes proféticos sobre el futuro. Algunos pasajes revelan que cuando Israel posea la tierra en el reino venidero, otras naciones también se beneficiarán enormemente (véanse Isa. 2; 19; Zac. 14).

Así que la respuesta correcta a la pregunta: «¿A quién le importa la tierra?», ¡es a Dios y a la Biblia! La tierra y el suelo son partes importantes del argumento bíblico. Sorprendentemente, algunos de los que promueven el neocreacionismo se resisten a reconocer la importancia de Israel y de la tierra de Israel. Esta cuestión fue abordada directamente por Steven James en su libro *New Creation Eschatology and the Land: A Survey of Contemporary Perspectives*. James habló de varios teólogos que sostienen el neocreacionismo en muchas áreas pero

---

[29] Thomas Schreiner, *The King in His Beauty: A Biblical Theology of the Old and New Testaments* (Grand Rapids: Baker, 2013), 107.

[30] Ibid, 108. No pretendemos que Schreiner esté de acuerdo con nuestra teología de la tierra.

se resisten a la importancia de Israel y de la tierra de Israel.[31] A algunos de estos teólogos los citamos a menudo favorablemente en este libro. Pero James señala que ese enfoque es incoherente, ya que toma al pie de la letra los pasajes sobre la «tierra», pero no los pasajes sobre Israel. Y a veces esto ocurre cuando la tierra e Israel se mencionan juntos en los mismos contextos como en Isaías 2 y Ezequiel 36-37. James observa la «incoherencia lógica» en cuestión:

> ...surge una incoherencia lógica entre las concepciones de la nueva creación y un cumplimiento metafórico de la promesa del territorio particular de Israel. La incoherencia implica la práctica de los neocreacionistas de afirmar una tierra nueva que se corresponde en identidad con la tierra actual mientras niegan un papel duradero para la porción particular del Israel territorial como parte de esa tierra.[32]

Blaising también detecta una incoherencia en este tema. James afirma: «como argumenta Blaising, hay incoherencia e inconsistencia en las concepciones de la nueva creación que afirman una tierra restaurada o regenerada mientras descuidan el territorio particular de Israel».[33] Estamos de acuerdo con James y Blaising. Aún no hemos visto un argumento convincente para tomar al pie de la letra los pasajes sobre la «tierra» en la Biblia mientras no se hace lo mismo con los textos sobre «Israel». Para llegar a esta conclusión, debe existir una presuposición teológica controladora en contra del significado de Israel. Más adelante identificaremos esta presuposición contra Israel y la tierra de Israel como «supersesionismo estructural».

Así pues, *un enfoque coherente del modelo de la nueva creación afirma la importancia de las particularidades de Israel y de la tierra de Israel en los planes de Dios*. Éstas se enfatizan en las Escrituras. Y son particularidades que Dios utiliza con fines universales: salvar y bendecir a todas las naciones en sus tierras.

Gobiernos

En este mundo caído es difícil pensar positivamente de los gobiernos humanos, y con razón. Los gobiernos se caracterizan a menudo por la corrupción y la injusticia. A menudo abusan de las personas a las que

---

[31] Entre ellos se encuentran N. T. Wright, Richard Middleton, Russell Moore y Howard A. Snyder.
[32] James, *New Creation Eschatology and the Land*, 95.
[33] Ibid., 97.

gobiernan. El Salmo 2 presenta a las naciones como rebeldes contra Dios. Sabiendo esto, ¿cómo pueden existir gobiernos en el reino de Dios?

El gobierno humano fue establecido por Dios y forma parte de su plan para una sociedad ordenada. El fundamento del gobierno es el pacto de Noé, cuando Dios concedió al hombre el derecho de administrar justicia a quienes asesinaran a un ser humano (véase Gén. 9:6).[34] En Romanos 13:1 Pablo dijo que las «autoridades gobernantes» son «establecidas por Dios». También dijo que el gobierno es un «ministro de Dios» (Rom. 13:4). Los gobiernos, en general, recompensan a los que hacen el bien y castigan a los malhechores.

Egipto operaba bajo el gobierno del faraón. Israel operó bajo los líderes mediadores de Moisés, Josué, los jueces y luego Saúl, David y Salomón. Los reinos divididos de Israel y Judá operaron bajo varios reyes. Las naciones gentiles de Babilonia, Medo-Persia, Grecia y Roma ejercieron el gobierno como se predijo en Daniel 2 y 7.

Pero los gobiernos de las naciones darán paso al gobierno definitivo del Mesías. En Génesis 49:8-12, Jacob predijo una persona mesiánica conocida como «Silo» que poseería una «vara de mando» y a Él le sería «la obediencia de los pueblos». Isaías 9:6a predijo que el Mesías tendría un *gobierno*: «Porque nos ha nacido un niño, se nos ha concedido un hijo».[35] Isaías 9:7 revela que este gobierno del Mesías tendrá un reinado desde el trono de David con paz, justicia y rectitud para siempre:

> Se extenderán su soberanía y su paz,
> y no tendrán fin.
> *Gobernará* sobre el trono de David
> y sobre su reino,
> para establecerlo y sostenerlo
> con justicia y rectitud
> desde ahora y para siempre.
> Esto lo llevará a cabo
> el celo del Señor Todopoderoso.[36]

El ángel Gabriel afirmó un gobierno venidero cuando predijo que Jesús gobernaría Israel para siempre desde el trono de David:

---

[34] Para más información sobre las implicaciones gubernamentales derivadas del pacto Noético, véase David VanDrunen, *Politics after Christendom: Political Theology in a Fractured World* (Grand Rapids: Zondervan Academic, 2020), 79-123.

[35] Énfasis mío.

[36] Énfasis mío.

Él será un gran hombre, y lo llamarán Hijo del Altísimo. Dios el Señor le dará el trono de su padre David, y reinará sobre el pueblo de Jacob para siempre. Su reinado no tendrá fin. (Lc. 1:32-33).

Apocalipsis 19:15 afirma que, en la segunda venida de Jesús, Él gobernará a las naciones: De su boca sale una espada afilada, con la que herirá a las naciones. «Las gobernará con puño de hierro». Él mismo exprime uvas en el lagar del furor del castigo que viene de Dios Todopoderoso.

El reinado venidero del Mesías trae un gobierno tangible sobre la tierra que sustituye a los poderes gentiles. La estatua del sueño de Nabucodonosor en Daniel 2 representaba cuatro reinos terrenales geopolíticos-Babilonia, Medo-Persia, Grecia y Roma. Los metales mencionados con cada imperio —oro, plata, bronce y hierro— representan la calidad de estos imperios. Pero un quinto y último imperio es un reino divino que reemplaza a los otros reinos. Es una piedra tallada sin manos que representa el reino de Dios desde el cielo (véase Dan. 2:44-45). Esta piedra (el reino de Dios) viene dramáticamente y aplasta los imperios terrenales anteriores y se convierte ella misma en un gran reino sobre la tierra. Significativamente, el reino de Dios aplasta y desplaza a los reinos gentiles sobre la tierra. Así como Babilonia, Medo-Persia, Grecia y Roma eran gobiernos geopolíticos que ejercían reinados sobre la tierra, así también el reino de Dios será un gobierno geopolítico que reinará sobre toda la tierra.[37]

En Isaías 2, el reinado venidero del Señor desde Jerusalén le incluye tomando decisiones en nombre de las naciones:

Porque de Sión saldrá la ley,
  de Jerusalén, la palabra del Señor.
Él juzgará entre las naciones
  y será árbitro de muchos pueblos (Isa. 2:3b-4a).

Este reinado del Señor desde Jerusalén tiene como implicación la paz internacional y el uso de los recursos materiales para la paz y no para la guerra:

---

[37] Las verdades de Daniel 2 se repiten en Daniel 7 con la visión de las cuatro bestias, que se refiere a los cuatro imperios gentiles mencionados en Daniel 2. El reino del Mesías sustituye al reino del «cuerno pequeño». Y con Daniel 7, el reino del Mesías reemplaza a los reinos terrenales y al reino del «cuerno pequeño» que parece ser una figura del anticristo que persigue al pueblo de Dios en la tierra.

Convertirán sus espadas en arados
y sus lanzas en hoces.
No levantará espada nación contra nación,
y nunca más se adiestrarán para la guerra (Isa. 2:4b).

Cuando el Señor regrese a la tierra, según Zacarías 14:9, reinará sobre las naciones y les dará instrucciones sobre lo que deben hacer. También castigará a las naciones y a los gobiernos que no actúen como deben. Esto se explica en Zacarías 14:16-19:

> Entonces los sobrevivientes de todas las naciones que atacaron a Jerusalén subirán año tras año para adorar al Rey, al Señor Todopoderoso, y para celebrar la fiesta de las Enramadas. Si alguno de los pueblos de la tierra no sube a Jerusalén para adorar al Rey, al Señor Todopoderoso, tampoco recibirá lluvia. Y, si el pueblo egipcio no sube ni participa, tampoco recibirá lluvia. El Señor enviará una plaga para castigar a las naciones que no suban a celebrar la fiesta de las Enramadas. ¡Así será castigado Egipto, y todas las naciones que no suban a celebrar la fiesta de las Enramadas!

En resumen, el gobierno es importante, y su significado se manifiesta en el futuro reino de Dios, cuando el gobierno operará rectamente bajo el Mesías.

Sociedad

El hombre es una criatura social. Y la presencia de las naciones incluye a la sociedad. «Sociedad» se refiere al conjunto de personas que viven juntas dentro de una comunidad ordenada. El reino de Dios venidero tendrá sociedades y actividades sociales reales. La gente construirá casas y cultivará la agricultura. Sin embargo, a diferencia de la época actual, esto se hará en contextos de equidad, justicia y rectitud. Por ejemplo, Isaías 65:21-22b afirma que en la tierra nueva la gente construirá casas reales y plantará viñedos reales. Al hacerlo, se beneficiarán personalmente de sus labores:

Construirán casas y las habitarán;
plantarán viñas y comerán de su fruto.

Ya no construirán casas para que otros las habiten,
ni plantarán viñas para que otros coman (21-22b).

El Salmo 72:12-14 revela que los que tienen menos medios serán tratados con justicia:

Él librará al indigente que pide auxilio,
y al pobre que no tiene quien lo ayude.
Se compadecerá del desvalido y del necesitado,
y a los menesterosos les salvará la vida.
Los librará de la opresión y la violencia,
porque considera valiosa su vida.

Cultura

La cultura está relacionada con las formas de vida de una sociedad. Incluye las leyes, la moral, las creencias religiosas, las costumbres, la lengua, la vestimenta, el arte, la música, la agricultura, la arquitectura, la tecnología y muchas otras áreas. La cultura implica el ingenio y la creatividad humanos. Es una parte inherente a los grupos de personas que residen juntas. La cultura surgió muy pronto en el relato bíblico. Dios ordenó al hombre «gobernar» y «someter» la tierra, y «cultivar» y «guardar» el jardín (Gén. 1:26, 28; 2:15). Esto se ha denominado en ocasiones el «mandato cultural», ya que el hombre debía tener dominio sobre la tierra y sus recursos. Aunque la tierra estaba maldita, la cultura se desarrolló con los acontecimientos de Génesis 4. Jabal, descendiente de Enoc a través de Lamec, se convirtió en el primer ganadero o habitante con rebaños (4:20). El hermano de Jabal, Jubal, se convirtió en el primero en componer y tocar música (Gén. 4:21). Tubal Caín se especializó en metales. Fue «el forjador de todos los instrumentos de bronce y hierro» (Gén. 4:22).[38]

La caída afectó negativamente a la cultura humana, que a menudo está manchada por el pecado. Por ejemplo, el intento de construir una torre hacia el cielo en Génesis 11:1-9 fue un acto de cultura que Dios no aprobó. Deberíamos prestar atención a la instrucción de Juan: «No amen al mundo ni nada de lo que hay en él. Si alguien ama al mundo, no tiene el amor del Padre» (1 Jn. 2:15). Pero hay otra vertiente. La cultura en sí no es mala. Construir cosas, hacer música, crear arte, trabajar en un

[38] Véase John MacArthur y Richard Mayhue, eds. *Biblical Doctrine: A Systematic Summary of Bible Truth* (Wheaton, IL: Crossway, 2017), 447.

oficio y avanzar en tecnología y ciencia puede ser muy bueno. El tabernáculo y el templo en la historia de Israel eran hermosas obras de arte. El reino venidero del Mesías redimirá la cultura para gloria de Dios. Múltiples pasajes bíblicos hablan de la cultura en el reino. Isaías 19:18 afirma que las ciudades de Egipto aprenderán la lengua hebrea.[39] Zacarías 14:20-21 muestra que objetos como campanas y ollas de cocina existirán y serán sagrados en el reino:

> En aquel día los cascabeles de los caballos llevarán esta inscripción: Consagrado al Señor. Las ollas de cocina del templo del Señor serán como los tazones sagrados que están frente al altar del sacrificio. Toda olla de Jerusalén y de Judá será consagrada al Señor Todopoderoso, y todo el que vaya a sacrificar tomará algunas de esas ollas y cocinará en ellas.

En cuanto a las condiciones de la tierra nueva, Apocalipsis 21:24 dice: «Las naciones caminarán a su luz, y los reyes de la tierra traerán su gloria a ella». Lo más probable es que esta «gloria» se refiera a las aportaciones culturales. Apocalipsis 21:26 repite esta verdad: «y ellos [las naciones] traerán a ella la gloria y el honor de las naciones». Comentando estos dos versículos, Anthony Hoekema afirma: «¿Es demasiado decir que, según estos versículos, las contribuciones únicas de cada nación a la vida de la tierra actual enriquecerán la vida de la tierra nueva?»[40] Estas contribuciones incluyen «los mejores productos de la cultura y el arte que ha producido esta tierra».[41] El mensaje de Apocalipsis 21:24, 26 es similar al de Isaías 60:11, que también habla de riqueza:

> Tus puertas estarán siempre abiertas,
> ni de día ni de noche se cerrarán;
> te traerán las riquezas de las naciones;
> ante ti desfilarán sus reyes derrotados.

Miqueas 4:3b dice que en los «últimos días» (4:1) las naciones, bajo el gobierno del Señor, «Convertirán sus espadas en arados y sus lanzas en hoces». Los recursos dedicados a las armas militares se reorientarán entonces hacia instrumentos pacíficos. A lo largo de la historia se ha

[39] «En aquel día, cinco ciudades de la tierra de Egipto hablarán la lengua de Canaán» (Isa. 19:18).
[40] Hoekema, *The Bible and the Future*, 286.
[41] Ibid.

gastado mucha riqueza en armas militares. Reflexione sobre cómo será cuando las naciones utilicen su riqueza únicamente para cosas pacíficas y constructivas.

La prosperidad relativa a los metales se visualiza con Miqueas 4:13a:

> ¡Levántate, hija de Sión!
> ¡Ponte a trillar!
> Yo haré de hierro tus cuernos
> y de bronce tus pezuñas.
> Miqueas 4:13b afirma luego que la riqueza injusta se utilizará correctamente:
> Para que conviertas en polvo a muchos pueblos,
> y consagres al Señor sus ganancias injustas;
> sus riquezas, al Señor de toda la tierra.

Isaías 60:5b-7a predice la presencia de la riqueza del mar, el ganado y los metales preciosos:

> porque te traerán los tesoros del mar,
> y te llegarán las riquezas de las naciones.
> En ti se reunirán todos los rebaños de Cedar,
> te servirán los carneros de Nebayot;
> subirán como ofrendas agradables sobre mi altar,
> y yo embelleceré mi templo glorioso.

Isaías 60:9b también habla de riqueza durante este tiempo:

> a la cabeza vendrán los barcos de Tarsis
> trayendo de lejos a tus hijos,
> y con ellos su oro y su plata,
> para la honra del Señor tu Dios,
> el Santo de Israel,
> porque él te ha llenado de gloria.

La transformación de la cultura es una realidad emocionante de la venida del reino de Dios. Con respecto a la cultura en la tierra nueva, Anthony Hoekema señaló que «las posibilidades que ahora surgen ante nosotros aturden la mente».[42] A continuación plantea algunas preguntas

---

[42] Anthony A. Hoekema, *Created in God's Image* (Grand Rapids: Eerdmans, 1994), 95.

interesantes: «¿Habrá "mejores Beethoven en el cielo"?» y «¿Veremos mejores Rembrandts, mejores Rafaeles, mejores Constables?» También: «¿Leeremos mejor poesía, mejor teatro y mejor prosa? ¿Seguirán avanzando los científicos en sus logros tecnológicos, seguirán explorando los geólogos los tesoros de la tierra nueva y seguirán construyendo los arquitectos estructuras imponentes y atractivas?»[43] Hoekema señala que no conocemos las respuestas a estas preguntas, pero pensar en las posibilidades resulta apasionante.

5 PUNTOS DE VISTA SOBRE EL FUTURO DE LA TIERRA EN LA ETERNIDAD

1. La tierra nueva en la eternidad será esta tierra presente purificada, refinada y renovada. El pueblo de Dios vivirá en esta nueva tierra, que tiene conexiones con la tierra presente, para siempre. (Muchos hoy sostienen este punto de vista)
2. La tierra nueva en la eternidad será un reemplazo tangible de esta tierra actual. Dios aniquilará la tierra actual y la reemplazará con una tierra nueva física donde el pueblo de Dios vivirá para siempre. (Muchos hoy sostienen este punto de vista)
3. La tierra actual será desocupada en la eternidad, pero aún existe como un memorial de las obras de Dios en la historia. Quedará congelada en la luz. El pueblo de Dios vivirá en el Cielo para siempre y de ninguna manera en la tierra. (El punto de vista de Tomás de Aquino)
4. La tierra actual no será renovada. Se convertirá en un infierno de fuego para siempre para los malvados. Los santos vivirán en el Cielo para siempre, mientras que la tierra funciona como un infierno para los incrédulos. (El punto de vista de Jonathan Edwards)
5. La tierra actual deja de existir mientras el pueblo de Dios vive en el Cielo para siempre. (Popular en toda la historia de la iglesia después del siglo IV d.C.)

[43] Ibid.

7

ELEMENTOS CLAVE DEL MODELO DE LA NUEVA CREACIÓN 2ª PARTE

Comida/bebida/celebración

La comida y la bebida son esenciales para la existencia del hombre. En la creación se le dijo a Adán que comiera de los árboles del jardín (véase Gén. 2:16). Incluso en un mundo caído la comida, la bebida y la celebración se consideran buenos regalos de Dios. Cuando hablaba a los gentiles en Listra, Pablo dijo: «Sin embargo, no ha dejado de dar testimonio de sí mismo haciendo el bien, dándoles lluvias del cielo y estaciones fructíferas, proporcionándoles comida y alegría de corazón» (He. 14:17). Pablo apeló a «la comida y el gozo» como evidencia de Dios.

Ambos testamentos hablan a menudo de celebraciones que involucran comida y bebida. Y la actividad del banquete está vinculada con el reino venidero de Dios. Isaías 25:6 habla de un «banquete de manjares» para «todos los pueblos» que incluye «vino añejo» y «vinos añejos selectos». En Mateo 8:11 Jesús dijo: «Les digo que muchos vendrán del oriente y del occidente, y participarán en el banquete con Abraham, Isaac y Jacob en el reino de los cielos». Esto no es lenguaje figurado. El reino tendrá celebraciones con comida. Apocalipsis 19:9 se refiere a la gente «que está invitada a la cena de las bodas del Cordero». En la última cena, Jesús prometió que volvería a comer la cena de la pascua con sus seguidores en el reino de Dios:

> Y les dijo: «He tenido muchísimos deseos de comer esta pascua con ustedes antes de padecer, pues les digo que no volveré a comerla hasta que tenga su pleno cumplimiento en el reino de Dios». Y cuando hubo tomado una copa y dado gracias, dijo: «Tomen esto y repártanlo entre ustedes. Les digo que no volveré a beber del fruto de la vid hasta que venga el reino de Dios» (Lc. 22:15-18).

Así como la pascua en aquel día solemne fue una comida tangible, la celebración de la pascua en el reino de Dios será una comida real.

Poco después de su resurrección, Jesús se apareció a sus discípulos. Ellos se sobresaltaron y se asustaron, pensando que podrían estar viendo un espíritu. Después de mostrarles las manos y los pies, Jesús les preguntó: «¿Tienen aquí algo de comer?» (Lc. 24:41). En ese momento, «entonces le dieron parte de un pez asado, y un panal de miel. Y él lo tomó, y comió delante de ellos» (Lc. 24:42-43). Después de derrotar a Satanás y a la muerte, Jesús resucitado se tomó tiempo para comer un trozo de pescado delante de sus discípulos.

Comer y beber son acciones importantes y existirán en el reino. En Romanos 14:17, Pablo dijo que el reino no es sólo comida y bebida. El amor y las relaciones son siempre lo más importante. Pero la comida y la bebida importan. Están ligados a las relaciones humanas y a las celebraciones en esta época, y lo estarán en el futuro. Randy Alcorn observa: «Cuando estoy comiendo con la gente aquí, disfrutando de la comida y la amistad, estoy construyendo un puente hacia el momento cuando estaré comiendo allá, disfrutando de la comida y la amistad en la mesa del banquete que Dios preparó para nosotros (Ap. 19:9). No se trata de dar un salto a ciegas hacia un sombrío más allá, sino de dar unos pasos naturales a la luz que las Escrituras nos han dado».[1]

Casas y terrenos

El reino de Dios tendrá casas y terrenos. Jesús lo afirmó en Mateo 19:28-30 cuando habló de las recompensas futuras para los que le sigan:

> «Y todo el que por mi causa haya dejado *casas*, hermanos, hermanas, padre, madre, hijos o *terrenos* recibirá cien veces más y heredará la vida eterna».[2]

---

[1] Randy Alcorn, *Eternal Perspectives: A Collection of Quotations on Heaven, The New Earth, and Life after Death* (Carol Stream, IL: Tyndale House Publishers, 2012), 177.
[2] Énfasis mío.

Seguir a Jesús en esta época a menudo significa dejar las posesiones que tenemos y las personas que conocemos. Pero todo lo que se pierde o se abandona en esta era se vuelve a multiplicar exponencialmente; esto incluye los lugares habitados. Personas reales habitarán casas reales. Si tenemos cuerpos resucitados en una tierra renovada, se deduce que las casas y los terrenos también formarán parte de nuestra experiencia. Isaías 65 revela que los «cielos nuevos y la tierra nueva» venideros incluirán «casas» y «viñedos». En Juan 14:2-3 Jesús habló de moradas para sus seguidores:

> «En el hogar de mi Padre hay muchas viviendas; si no fuera así, ya se lo habría dicho a ustedes. Voy a prepararles un lugar. Y, si me voy y se lo preparo, vendré para llevármelos conmigo. Así ustedes estarán donde yo esté» (NVI).

Aunque no menciona las casas específicamente, Zacarías 8:4-5 señala la existencia de calles con actividad lúdica:

> Así dice el Señor Todopoderoso:
> «Los ancianos y las ancianas volverán a sentarse
> en las calles de Jerusalén,
> cada uno con su bastón en la mano
> debido a su avanzada edad.
> Los niños y las niñas volverán a jugar
> en las calles de la ciudad».

El modelo de la nueva creación afirma que el reino verá la presencia de casas, terrenos y actividades asociadas a éstas. Esto tiene sentido ya que la gente vivirá en una tierra restaurada con cuerpos físicos.

Prosperidad económica y agrícola

El reino venidero tendrá prosperidad económica y agrícola. Dicha prosperidad en la Biblia se asocia a menudo con el grano, el aceite, el vino y los rebaños. Según Génesis 49:10-12 la figura mesiánica conocida como «Silo» (49:10) traerá gran prosperidad:

> «Judá amarra su asno a la vid,
> y la cría de su asno a la mejor cepa;
> lava su ropa en vino;

su manto, en la sangre de las uvas.
Sus ojos son más oscuros que el vino;
sus dientes, más blancos que la leche» (Gén. 49:11-12).

Aunque este lenguaje resulte extraño a los lectores modernos, la mención de «vid escogida», «ropas en vino», «sangre de uvas», «ojos más oscuros que el vino» y «dientes más blancos que la leche» señalan actividades agrícolas de lujo.

El Salmo 72:16 revela que el último rey davídico traerá «abundancia de grano»: «Que abunde el trigo en toda la tierra; que ondeen los trigales en la cumbre de los montes. Que el grano se dé como en el Líbano; que abunden las gavillas como la hierba del campo». Amós 9:13-14 declara que el reino futuro contendrá abundante prosperidad agrícola en la tierra:

> Vienen días —afirma el Señor—, en los cuales el que ara alcanzará al segador y el que pisa las uvas, al sembrador. Los montes destilarán vino dulce, el cual correrá por todas las colinas. Restauraré a mi pueblo Israel; ellos reconstruirán las ciudades arruinadas y vivirán en ellas. Plantarán viñedos y beberán su vino; cultivarán huertos y comerán sus frutos.

En el capítulo del nuevo pacto de Jeremías 31, Dios promete que habrá bendiciones de «grano», «vino nuevo», «aceite» y «rebaños»:

> Vendrán y cantarán jubilosos en las alturas de Sión; disfrutarán de las bondades del Señor: el trigo, el vino nuevo y el aceite, las crías de las ovejas y las vacas. Serán como un jardín bien regado, y no volverán a desmayar (Jer. 31:12).

Joel 2:24 también afirma esto «Las eras se llenarán de grano; los lagares rebosarán de vino nuevo y de aceite». Según Ezequiel 36:29, el futuro reino en la tierra habrá multiplicación del grano y eliminación del hambre: «Los libraré de todas sus impurezas. Haré que tengan trigo en abundancia, y no permitiré que sufran hambre». En Miqueas 4:13b, el profeta indica que la riqueza injusta de las naciones será devuelta al Señor: «para que conviertas en polvo a muchos pueblos, y consagres al Señor sus ganancias injustas; sus riquezas, al Señor de toda la tierra». Zacarías 8:12 señala:

> Habrá paz cuando se siembre, y las vides darán su fruto; la tierra producirá sus cosechas y el cielo enviará su rocío. Todo esto se lo daré como herencia al remanente de este pueblo.

La abundancia de lluvias está estrechamente asociada a la prosperidad agrícola en el reino venidero:

> Alégrense, hijos de Sión, regocíjense en el Señor su Dios, que a su tiempo les dará las lluvias de otoño. Les enviará la lluvia, la de otoño y la de primavera, como en tiempos pasados. (Jo. 2:23).

> Haré que ellas y los alrededores de mi colina sean una fuente de bendición. Haré caer lluvias de bendición en el tiempo oportuno (Ez. 34:26).

> En el día de la gran masacre, cuando caigan las torres, habrá arroyos y corrientes de agua en toda montaña alta y en toda colina elevada (Isa. 30:25).

En el reino, se podrá retener la lluvia a cualquier nación que se niegue a venir a Jerusalén a adorar: «Si alguno de los pueblos de la tierra no sube a Jerusalén para adorar al Rey, al Señor Todopoderoso, tampoco recibirá lluvia. Y, si el pueblo egipcio no sube ni participa, tampoco recibirá lluvia» (Zac. 14:17-18a).

Podrían citarse muchos otros pasajes. Pero el punto principal es que el modelo de la nueva creación da cuenta de la prosperidad económica y agrícola en la tierra nueva venidera. También explica la importancia de las precipitaciones.

En su artículo «The Fertility of the Land in the Messianic Prophecies», Antonine DeGuglielmo argumenta persuasivamente que la fertilidad y la prosperidad de la tierra en las profecías del Antiguo Testamento deben tomarse en serio, literalmente, y no metafóricamente. Esto es coherente con la tierra nueva venidera:

> Por supuesto, una interpretación metafórica en el sentido indicado elimina todo fundamento para la objeción expresada anteriormente. Pero bien puede ser que los escritores también pretendieran describir la condición real de la tierra en la era mesiánica. De hecho, la doctrina mesiánica del AT apunta en esa dirección, ya que una característica de la era mesiánica es la renovación del cielo y la

tierra. Si pensamos en esta línea, los pasajes sobre la fertilidad de la tierra conservarían su sentido propio, y una fertilidad abundante sería una característica de la tierra nueva.[3]

Relaciones y amistades

Una vez charlé con un amigo que me dijo que estaba triste porque en el cielo ya no se acordaría de su familia ni de sus amigos. Pero eso no es cierto. No hay evidencia de que olvidaremos a las personas que conocimos en esta era. Aunque la relación de una persona con Dios es lo más importante, las relaciones sociales sanas forman parte del diseño de Dios para nosotros. En ninguna parte de la Biblia se visualiza el amor al prójimo como una amenaza a la relación con Dios. De hecho, el amor al prójimo es una prueba de que uno conoce y ama a Dios (véase 1 Jn. 4:7-8).

En el reino venidero, las relaciones existen y se consideran buenas. En Mateo 19:28-29 Jesús dijo que la «regeneración» del cosmos involucraría «padre», «madre» e «hijos». Esto se refiere a que habrá relaciones humanas estrechas en el reino. En Lucas 22:15-16, Jesús dijo que volvería a comer con sus discípulos en el reino de Dios: «Entonces les dijo: —He tenido muchísimos deseos de comer esta Pascua con ustedes antes de padecer, 16 pues les digo que no volveré a comerla hasta que tenga su pleno cumplimiento en el reino de Dios». Las personas con las que Jesús comió antes de su muerte son las mismas con las que cenará en el reino. Así que la noche antes de su muerte Jesús esperaba una cena de reencuentro con sus amados discípulos.

Las relaciones también estaban en la mente de Pablo en 1 Tesalonicenses 4. A los tesalonicenses les preocupaba que sus seres queridos fallecidos se perdieran el regreso de Jesús. Pero Pablo les dijo que no debían preocuparse:

> Hermanos, no queremos que ignoren lo que va a pasar con los que ya han muerto, para que no se entristezcan como esos otros que no tienen esperanza (1 Tes. 4:13).

Pablo dice a continuación que «Dios traerá consigo a los que durmieron en Jesús» (4:14b). Los seres queridos que han partido

[3] Antonine DeGuglielmo, «The Fertility of the Land in the Messianic Prophecies», *Catholic Biblical Quarterly* 19:3 (Julio de 1957): 311. También señala que la fertilidad de la tierra es «una característica necesaria del reino mesiánico» (309).

regresarán cuando Jesús regrese. A continuación, los versículos 15-17 hablan de la gran reunión que se llevará a cabo:

> Conforme a lo dicho por el Señor, afirmamos que nosotros, los que estemos vivos y hayamos quedado hasta la venida del Señor, de ninguna manera nos adelantaremos a los que hayan muerto. El Señor mismo descenderá del cielo con voz de mando, con voz de arcángel y con trompeta de Dios, y los muertos en Cristo resucitarán primero. Luego los que estemos vivos, los que hayamos quedado, seremos arrebatados junto con ellos en las nubes para encontrarnos con el Señor en el aire. Y así estaremos con el Señor para siempre.

El regreso de Jesús trae consigo la restauración de las relaciones y el reencuentro: «junto con ellos».

Una escatología holística afirma la presencia de amistades y relaciones, incluso en el futuro. Recordaremos y tendremos comunión con otros que aman a Dios. Las relaciones humanas formaban parte de las intenciones de Dios para el hombre antes de la caída (véase Gén. 1:27) y forman parte de sus planes en la eternidad.

El reino animal

La Biblia afirma el estatus y el papel especiales del hombre en los propósitos de Dios. Sin embargo, la Biblia también afirma la importancia de los animales. El reino animal de bestias, aves, peces, reptiles, etc. le importa a Dios. Jesús dijo: «¿No se venden cinco gorriones por dos moneditas? Sin embargo, Dios no se olvida de ninguno de ellos». (Lc. 12:6). El último versículo de Jonás revela el deseo de Dios de mostrar compasión al pueblo de Nínive. Pero Dios también se preocupó por los animales de allí. Jonás 4:11 afirma: «y de Nínive, una gran ciudad donde hay más de ciento veinte mil personas que no distinguen su derecha de su izquierda, y tanto *ganado*, ¿no habría yo de compadecerme?»[4]

Los animales forman parte de la creación de Dios y de los planes de la nueva creación. El relato de la creación de Génesis 1 incluía bestias, aves y peces (véase Gén. 1:20-25). Y el pacto de Noé se hizo con todos los seres vivos:

---

[4] Énfasis mío.

> «Yo establezco mi pacto con ustedes, con sus descendientes, y con todos los seres vivientes que están con ustedes, es decir, con todos los seres vivientes de la tierra que salieron del arca: las aves, y los animales domésticos y salvajes» (Gén. 9:9-10).

Así, la creación y el pacto noético ponen de relieve la importancia del reino animal en los propósitos de Dios.

El Salmo 104 revela el deleite de Dios en su maravillosa y diversa creación. Se habla de casi todos los aspectos de la naturaleza: aves, animales, peces, montañas, océanos, árboles, sol, luna, cielos, etc. Se afirma mucho sobre la provisión de Dios para los animales y las aves: «Todos ellos esperan de ti que a su tiempo les des su alimento. Tú les das, y ellos recogen; abres la mano, y se colman de bienes» (Sal. 104: 27-28). Significativamente, el mundo animal tiene un valor inherente para Dios, no sólo un valor instrumental para los seres humanos. El cuidado de Dios por los animales en el Salmo 104 se aplica a animales, aves y peces que están fuera del ámbito de las comunidades humanas. Como señalan Douglas y Jonathan Moo, «lo que más llama la atención en el Salmo 104 es la amplitud de la preocupación y el deleite de Dios por la creación, que se extiende más allá de los nítidos límites de la vida y la civilización humanas asentadas».[5]

Y el hombre tiene un papel importante en la administración de este reino en el que Dios se deleita. Snyder señala: «Desde el punto de vista bíblico, las criaturas y especies de la Tierra deben ser "administradas" por cuatro razones clave: Dios las creó; Dios se deleita en ellas; dependemos de ellas; forman parte del plan más amplio de Dios».[6]

El reino animal es misterioso. Gran parte de él es hermoso. Disfrutamos e incluso incluimos a muchos animales en nuestros hogares. Y, sin embargo, mucho de él es peligroso. Como señala Snyder: «El reino animal está lleno de violencia, depredación y muerte: millones de criaturas grandes y pequeñas que devoran y son devoradas. Las Escrituras son muy francas al respecto. La visión bíblica del mundo no es romántica. Reconoce la caída y la transitoriedad de la naturaleza».[7]

No debería sorprender, por tanto, que los animales sean una parte importante del reino de Dios venidero. Los animales están destinados a

---

[5] Douglas J. Moo y Jonathan A. Moo, *Creation Care: A Biblical Theology of the Natural World* (Grand Rapids: Zondervan, 2018), 56.
[6] Snyder, *Salvation Means Creation Healed*, 123.
[7] Ibid., 43.

la restauración. Isaías 11:6-8 predice no sólo la presencia de animales en el reino, sino también la armonía animal-animal y animal-humana:

> El lobo vivirá con el cordero,
> el leopardo se echará con el cabrito,
> y juntos andarán el ternero y el cachorro de león,
> y un niño pequeño los guiará.
> La vaca pastará con la osa,
> sus crías se echarán juntas,
> y el león comerá paja como el buey.
> Jugará el niño de pecho
> junto a la cueva de la cobra,
> y el recién destetado meterá la mano
> en el nido de la víbora.

Con respecto a la tierra nueva Isaías 65:25 afirma: «El lobo y el cordero pacerán juntos; el león comerá paja como el buey, y la serpiente se alimentará de polvo. En todo mi monte santo no habrá quien haga daño ni destruya, dice el Señor».

La restauración de Israel está vinculada a los animales que dan gloria a Dios:

> «Me honran los animales salvajes, los chacales y los avestruces; yo hago brotar agua en el desierto, ríos en lugares desolados, para dar de beber a mi pueblo escogido» (Isa. 43:20).

Ezequiel 47:9 habla de la abundancia de peces durante el reinado:

> Por donde corra este río, todo ser viviente que en él se mueva vivirá. Habrá peces en abundancia porque el agua de este río transformará el agua salada en agua dulce, y todo lo que se mueva en sus aguas vivirá.

La creencia de que los animales no existirán en la eternidad es una idea común del modelo de la visión espiritual. Y a menudo se ignora la importancia del reino animal. Pero el neocreacionismo da cuenta de los animales. No sólo son partes importantes de la creación de Dios ahora, sino que también existirán en el futuro. Oseas 2:18 predice la restauración de los animales, las aves y los reptiles:

> «Aquel día haré en tu favor un pacto con los animales del campo, con las aves de los cielos y con los reptiles de la tierra».

Observe que las tres categorías de animales de Oseas 2:18 se mencionaban en Génesis 1:24-28:

> «Animales del campo» (Gén. 1:24, 25) «aves de los cielos» (Gén. 1:26, 28) «reptiles» (Gén. 1:24) y «todo lo que se arrastra por el suelo» (Gén. 1:26)

La conexión entre Génesis 1:24-28 y Oseas 2:18 es explícita. Así, las condiciones del reino según Oseas 2:18 implican la restauración de los animales, como se menciona en el texto de la creación de Génesis 1. Las criaturas que sufrieron las consecuencias del pecado del hombre y la caída serán restauradas en el reino de Dios. Y en el contexto de Oseas 2 esto tiene implicaciones positivas para el pueblo de Dios, que también se beneficia de la restauración de la creación. El reino animal ya no será en modo alguno una amenaza para el pueblo de Dios. John K. Goodrich observa: «en el reino mesiánico, Israel estaría en paz con toda la creación: los animales y la humanidad».[8]

Los recursos naturales y el medio ambiente

El Salmo 24:1 declara: «Del Señor es la tierra y todo cuanto hay en ella, el mundo y cuantos lo habitan» (cf. 1 Cor. 10:26). No sólo la tierra en general pertenece a Dios, sino también todo lo que hay en ella. Dios recibe la gloria por haber creado todas las cosas, como afirma Apocalipsis 4:11: «Digno eres, Señor y Dios nuestro, de recibir la gloria, la honra y el poder, porque tú creaste todas las cosas; por tu voluntad existen y fueron creadas». Esto tiene grandes ramificaciones para la responsabilidad del hombre ante la creación, incluidos sus recursos naturales.

Génesis 1:26, 28 habla de que al hombre se le encomendó gobernar y someter la tierra y sus criaturas. Asimismo, Génesis 2:15 habla de que Adán debía cultivar y conservar el jardín del Edén. Dios se preocupa por el bienestar de la tierra, las criaturas y el medio ambiente. Y el hombre tiene la responsabilidad de gestionar estas áreas.

---

[8] John K. Goodrich, «Hosea», en *The Moody Bible Commentary,* eds. Michael Rydelnik y Michael Vanlaningham (Chicago: Moody Publishers, 2014), 1318.

Algunos textos hablan de la relación del hombre con la naturaleza. Según Deuteronomio 20:19-20, durante la guerra Israel podía talar árboles pero no debía cortar árboles frutales. En Deuteronomio 22:6-7, si alguien se encontraba con un nido de pájaros se podían recoger los huevos pero había que dejar en paz a la madre pájaro: «ciertamente dejarás marchar a la madre». Además, cada siete años, con la ley del año sabático, Israel debía dejar descansar la tierra para que pudiera refrescarse y ser fértil en el futuro (véase Lev. 25).[9] Anthony Hoekema amplía los detalles de lo que la mayordomía del hombre implica sobre la tierra: «Esto incluye poseer propiedades, labrar la tierra, cultivar árboles frutales, extraer carbón y perforar en busca de petróleo no para el engrandecimiento personal, sino de forma responsable, para el beneficio y el bienestar de nuestros semejantes».[10] A continuación afirma:

> En nuestro mundo actual, esto incluye también la preocupación por la conservación de los recursos naturales y la oposición a toda explotación despilfarradora o irreflexiva de estos recursos. Incluye la preocupación por la preservación del medio ambiente y por la prevención de todo lo que dañe ese medio ambiente: la erosión, la destrucción gratuita de especies animales, la contaminación del aire y del agua. Incluye la preocupación por una distribución adecuada de los alimentos, la prevención de las hambrunas y la mejora del saneamiento. También abarca el avance de la investigación científica, la investigación y la experimentación, incluida la conquista continua del espacio, de forma que se honren los mandatos de Dios y se le rindan pleitesías.[11]

En un mundo caído no se da una administración responsable de los recursos naturales y del medio ambiente. Pero esto no significa que el hombre no tenga que rendir cuentas a Dios por no hacerlo. El mandato de que el hombre gobierne bien la tierra nunca ha sido revocado y se afirma en textos como el Salmo 8 y Hebreos 2:5-8. Cuando el hombre se rebela contra Dios, la tierra sufre. Snyder señala acertadamente: «los humanos tienen dominio sobre la tierra de forma constructiva o destructiva».[12] Por desgracia, muy frecuentemente la destruimos. Oseas

---

[9] El orden de los versículos utilizado aquí es similar al de Alva J. McClain, *The Greatness of the Kingdom*, 83.

[10] Hoekema, *Created in God's Image*, 88.

[11] Ibid.

[12] Snyder, 106.

4:1-3 afirma que debido a la pecaminosidad del hombre, la naturaleza sufre:

> Por tanto, se resecará la tierra,
> y desfallecerán todos sus habitantes.
> ¡Morirán las bestias del campo,
> las aves del cielo y los peces del mar! (v. 3).

Pero como indica Hebreos 2:5, el reinado a plenitud del hombre sobre la tierra ocurrirá en «el mundo venidero». Pablo también afirma que la restauración de la creación ocurrirá en el futuro, cuando los santos reciban sus cuerpos gloriosos (véase Rom. 8:19-23). Así pues, un enfoque basado en el modelo de la nueva creación da cuenta adecuadamente de la importancia de los recursos naturales y de cómo éstos encajan en los propósitos de Dios. Estos no se gestionarán adecuadamente hasta que Jesús y los santos reinen en la tierra, pero su relevancia siempre permanece. Y es un ámbito del que debemos preocuparnos e impactar positivamente cuando podamos.

Tiempo

Otra área en la que difieren los modelos de la nueva creación y de la visión espiritual es el tiempo. En las religiones orientales como el hinduismo y el budismo, el tiempo cesará para aquél que se libere del ciclo de nacimientos y renacimientos asociado al universo físico. Esta liberación o *moksha* se refiere a liberarse de los confines del espacio y del tiempo. Esta visión de una eternidad más allá del tiempo también encuentra expresión en algunas versiones cristianas del modelo de la visión espiritual. Por ejemplo, el cielo empíreo de Tomás de Aquino y algunos teólogos medievales implicaba una existencia para el pueblo de Dios en la eternidad que trasciende el tiempo. Un himno muy conocido, «cuando suene la trompeta allá arriba», afirma: «cuando suene la trompeta del Señor y el tiempo no exista más». Otros himnos hacen afirmaciones similares.

Recuerdo una vez a un líder de adoración que nos pedía que nos pusiéramos de pie y cantáramos en la iglesia para que nos acostumbráramos a adorar a Dios el día que «el tiempo ya no existirá». Este tipo de pensamiento podría estar fomentado por una traducción errónea de Apocalipsis 10:6 en la versión NVI (entre otras) que dice «el tiempo ha terminado». La traducción correcta es «ya no habrá más demora» (LBLA) en relación con los planes de Dios para juzgar la tierra y establecer su reino. Apocalipsis 10:6 no es una afirmación de que el tiempo no existirá en la eternidad.

El punto de vista tradicional del modelo cristiano de la visión espiritual sobre el tiempo es que el tiempo está ligado a un mundo caído y a la imperfección. Así que cuando llegue el estado perfecto en la eternidad, el tiempo ya no existirá. Pero el modelo de la nueva creación difiere con esta comprensión. El tiempo no está intrínsecamente relacionado con un mundo caído o con la imperfección. El tiempo existía en la creación antes del pecado y la caída según Génesis 1-2. Los seis días sucesivos de la creación en Génesis 1 revelan secuencia y tiempo. Y Adán y Eva actuaban en el tiempo antes de la caída.

Además, sabemos que hay tiempo en el cielo actual. Apocalipsis 8:1 dice «Cuando el Cordero rompió el séptimo sello, hubo silencio en el cielo como por media hora». Este «como por media hora» es una referencia temporal específica. En una escena celestial de Apocalipsis 6:9-11, a las almas de los mártires que llegaron al cielo «se les dijo que debían descansar un poco más» (Ap. 6:11) en relación con su deseo de que Dios vengara sus muertes. Esperar implica tiempo.

El reino milenario de Jesús también está relacionado con el tiempo. Seis veces se nos dice que dura «mil años» en Apocalipsis 20. Y este reino se sitúa secuencialmente después de la segunda venida de Jesús en Apocalipsis 19 y del reino eterno de Apocalipsis 21-22.

El tiempo también existirá en el reino eterno después del milenio. En dos pasajes sobre la «tierra nueva» el tiempo está presente. Isaías 66:22a afirma: «Porque así como perdurarán en mi presencia el cielo nuevo y la tierra nueva que yo haré, así también perdurarán el nombre y los descendientes de ustedes —afirma el Señor—», a lo que sigue «Sucederá que de una luna nueva a otra, y de un sábado a otro, toda la humanidad vendrá a postrarse ante mí —dice el Señor—» (66:23). Alcorn señala acertadamente: «las lunas nuevas y los sábados requerían luna, sol y tiempo».[13] En segundo lugar, el pasaje de la «tierra nueva» de Apocalipsis 21:1-22:5 menciona los meses. Apocalipsis 22:2a afirma: «a cada lado del río estaba el árbol de la vida, que produce doce cosechas al año, *una por mes*».[14] El fruto se produce «cada mes». «Cada mes» implica tiempo. Hay varios meses en los que uno sigue a otro, y así sucesivamente. El concepto de «meses» implica días, ya que hacen falta

---

[13] Alcorn, *Heaven*, 267.
[14] Énfasis añadido.

días para formar un mes. Los meses también están vinculados a los años. La mención de meses también implica estaciones y ciclos.

Así que incluso en el reino eterno existirá el tiempo y tendremos experiencias vividas que se desarrollan en el tiempo. Cuando las naciones y los reyes entren y salgan de la nueva Jerusalén (véase Ap. 21:24, 26) lo harán en el tiempo. La afirmación de que el tiempo dejará de existir es falsa. Como dice Randy Alcorn: «hemos permitido durante demasiado tiempo que una suposición no bíblica ("no habrá tiempo en el cielo") oscurezca la abrumadora revelación bíblica de lo contrario».[15] Wayne Grudem también señala: «la nueva creación no será "atemporal", sino que incluirá una sucesión interminable de momentos».[16]

Pero, ¿no es cierto que todas las cosas buenas deban llegar a su fin? ¿Nos aburriremos o agotaremos en la eternidad? ¿No nos cansaremos de las cosas al cabo de un tiempo, como cuando se pierde el interés por una canción favorita por escucharla demasiado? Una respuesta detallada a estas preguntas va más allá de nuestros propósitos aquí. Pero vivir con y amar a nuestro Dios infinito nunca podría llegar a ser aburrido. Y nunca nos cansaremos de amar a la gente en el reino eterno. Además, nunca dejaremos de disfrutar de la belleza de la tierra nueva y de los infinitos buenos dones de Dios. Además, en la tierra nueva tendremos cuerpos glorificados que gozarán de una salud perfecta y podremos disfrutar del amor, las relaciones y los descubrimientos de la tierra nueva hasta un grado que ahora no podemos imaginar. Las personas que gozan de una salud perfecta, que aman y son amadas, y que aman lo que hacen, no desean que estas condiciones terminen. ¿Por qué habrían de hacerlo?

El tiempo es un enemigo cruel en un mundo caído y pecador. En nuestro actual estado no glorificado nuestras vidas son como un vapor (véase Sant. 4:14). Vivimos sólo unos 70-80 años como dijo Moisés en el Salmo 90. Cada tictac del reloj nos acerca más a la muerte y a la separación de nuestros seres queridos y de lo que nos gusta hacer. Pero en el reino eterno el tiempo nunca será un enemigo. El tiempo será un amigo del pueblo de Dios.

Conclusión

Los planes de Dios incluyen pero también conciernen a algo más que la salvación humana individual. Involucran una gran variedad de áreas.

---

[15] Alcorn, 269.

[16] Wayne Grudem, *Systematic Theology* (Grand Rapids: Zondervan, 1994), 1162. Las mayúsculas corresponden al título de una sección sobre «los cielos nuevos y la tierra nueva».

Hemos mencionado dieciséis de ellas, pero hay muchas más que se pueden discutir. Nuestro glorioso e infinito Dios ha creado un universo hermoso y multidimensional que revela su gloria. El modelo de la nueva creación intenta detectar todo lo que Dios está haciendo desde la creación hasta la nueva creación para ver la gloria de Dios manifestada en todos los ámbitos.

ELEMENTOS CLAVE DEL MODELO DE LA NUEVA CREACIÓN
1. La Tierra como destino del hombre
2. La resurrección del cuerpo
3. Restauración de la Tierra
4. Naciones y etnias
5. Israel
6. Tierra
7. Gobiernos
8. Sociedad
9. Cultura
10. Comer/Beber/Celebrar
11. Casas y terrenos
12. Prosperidad económica y agrícola
13. Relaciones y amistades
14. Animales, aves y peces
15. Recursos naturales
16. Tiempo

8

EL MODELO DE LA NUEVA CREACIÓN EN EL ANTIGUO TESTAMENTO

«La visión cósmica de la redención de "todas las cosas" por medio de Cristo se fundamenta en la visión ecológica de los primeros capítulos de Génesis, donde los seres humanos y su entorno terrenal están intrínsecamente entrelazados, de modo que la salvación humana es impensable sin la renovación del mundo».

-J. Richard Middleton[1]

Los dos últimos capítulos examinaron elementos clave del modelo de la nueva creación desde una perspectiva tópica. Aquí destacamos pasajes clave que afirman la importancia de áreas como la tierra, los asuntos físicos y las naciones en los propósitos de Dios. Los pasajes mencionados no son exhaustivos, ni nuestra discusión de cada pasaje es profunda. Ya hemos presentado algunos de ellos en capítulos anteriores. Pero el propósito aquí es ofrecer una muestra de pasajes bíblicos que muestran cuán holísticos y multidimensionales son los propósitos de Dios. También revelan que el modelo de la nueva creación surge de un estudio inductivo de las Escrituras.

---

[1] J. Richard Middleton, «A New Earth Perspective», en *Four Views on Heaven*, 85.

Génesis 1

Génesis 1 destaca los seis días de la creación. «En el principio creó Dios los cielos y la tierra». El resto del capítulo destaca los detalles de la actividad creadora de Dios durante esos seis días. Dios crea el universo, la tierra, la luz, los mares, la vegetación, los animales, las aves, los peces y, finalmente, el hombre. «Tierra» (*eretz*) se menciona veinte veces. La creación se describe como «buena» en seis ocasiones (4, 10, 12, 18, 21, 25). Luego, en 1:31, el orden creado se describe como «muy bueno»: «Dios miró todo lo que había hecho, y consideró que era muy bueno». Esto hace una declaración de valor sobre la creación física. Es «muy buena», no inferior o mala como se cree con las religiones y filosofías orientales vinculadas a Platón. Tampoco hay ninguna indicación de que este universo «muy bueno» sea algo de lo que el hombre deba huir para entrar en un estado superior de existencia.

Génesis 1:26-28; 2:15

Génesis 1:26-28 es fundamental para comprender el argumento bíblico y el propósito funcional de la existencia del hombre. No solo es significativo por sí mismo, sino que otros pasajes también se basarán en sus verdades (véase Sal. 8; Os. 2:18; 1 Cor. 15:27; He. 2:5-8).

Dios creó al hombre a su imagen y semejanza para que representara a Dios y gobernara sobre la tierra y sus criaturas para su gloria. Dios creó un mundo hermoso y maravilloso y luego encarga al hombre como mediador para gobernarlo y someterlo. Este texto dice:

> Entonces dijo Dios: «Hagamos al ser humano
> a nuestra imagen y semejanza.
> Que tenga dominio sobre los peces del mar,
> y sobre las aves del cielo;
> sobre los animales domésticos,
> sobre los animales salvajes,
> y sobre todos los reptiles
> que se arrastran por el suelo».
> Y Dios creó al ser humano a su imagen;
> lo creó a imagen de Dios.
> Hombre y mujer los creó,
> y los bendijo con estas palabras:
> «Sean fructíferos y multiplíquense;

llenen la tierra y sométanla;
dominen a los peces del mar y a las aves del cielo,
y a todos los reptiles que se arrastran por el suelo».

Como «imagen» (*tselem*) de Dios, el hombre fue creado para representar a Dios en la tierra. Y como «semejanza» de Dios (*demuth*) el hombre fue creado como hijo en relación con Dios. En conjunto, la creación del hombre es soberana y relacional. El hombre fue creado en relación con Dios. Y como representante y mediador de Dios, el hombre es responsable de gobernar la creación.

La palabra «gobernar» (*radah*) es un término fuerte. Puede referirse a la opresión de invasores extranjeros (ver Neh. 9:28), a la autoridad ejercida por un rey (ver 1 Re. 4:24; Sal. 72:8), e incluso al gobierno del Mesías (ver Sal. 110:2).[2] El término «someter» (*kabash*) también es un término contundente, usado trece veces en el Antiguo Testamento. Significa forzar, esclavizar y someter. Se utiliza para someter una tierra (Núm. 32:22, 29) o una nación (Jos. 18:1). Aunque el término puede usarse para referirse a una violación en sentido negativo (véase Est. 7:8), no implica nada negativo.[3] Pero involucra fuerza y acción.

En Génesis 1:26-28, el dominio y sometimiento de la tierra y sus creaturas por parte del hombre afecta a todos los peces, aves, ganado y todo lo que camina sobre la tierra. Las implicaciones son enormes. Como observa Anthony Hoekema, la palabra «sojuzgar» significa que «el hombre debe explorar los recursos de la tierra, cultivar su suelo, extraer sus tesoros enterrados».[4] Y aún más: «el hombre está llamado por Dios a desarrollar todas las potencialidades que se encuentran en la naturaleza y en la humanidad en su conjunto. Debe tratar de desarrollar no sólo la agricultura, la horticultura y la ganadería, sino también la ciencia, la tecnología y el arte».[5]

Obsérvese lo centrado que está este texto en la tierra. El hombre debe gobernar *desde* y *sobre* la tierra según lo que Middleton define como «una vocación terrenal».[6] Además de su relación con Dios, Adán poseía autoridad física y social/política. Esto debía manifestarse en todas las áreas: agricultura, arquitectura, domesticación de animales,

---

[2] Moo, «Nature in the New Creation: New Testament Eschatology and the Environment», 478, n. 108.
[3] Ibid.
[4] Hoekema, *Created in God's Image*, 79.
[5] Ibid.
[6] Middleton, *A New Heaven and a New Earth*, 39.

aprovechamiento de la energía y los recursos naturales, y otras esferas.[7] Como señala Middleton, «la criatura humana está hecha para adorar a Dios de una forma distintiva: interactuando con la tierra, usando el poder que Dios nos ha dado para transformar nuestro entorno terrenal en un mundo complejo (un mundo sociocultural) que glorifique a nuestro creador».[8]

El significado de este pasaje no debe pasarse por alto ni subestimarse. Esta es la intención y el mandato original de Dios para la humanidad. El Creador creó un mundo hermoso lleno de cosas y criaturas maravillosas. Luego crea al hombre y le comisiona que lo gobierne en su nombre. Al hombre se le dan las llaves de una creación maravillosa y Dios le bendice con la oportunidad y la responsabilidad de cuidarla y hacerla florecer. Como afirma Daniel Block:

> Como punto culminante de su «muy buena» semana de creación, Dios había creado a Adán para que le sirviera de representante y adjunto en el gobierno de dicha creación. Por esta razón, podemos referirnos al papel de Adán como administrador; la tarea principal de la humanidad era promover el bienestar del entorno físico y de todos los seres vivos (criaturas y plantas) para que el universo pudiera glorificar a su Creador en una majestuosa y armoniosa sinfonía de sonido y vista. En resumen, la función *de Adán* era mantener bien engrasada y en buen funcionamiento la relación triangular entre Dios, el mundo físico y los seres vivos.[9]

En Génesis 2:15 se encomendó al hombre la tarea de administrar el jardín del Edén: «Dios el Señor tomó al hombre y lo puso en el jardín del Edén para que lo cultivara y lo cuidara». Los términos «cultivar» y «cuidar» añaden más dimensiones a la responsabilidad del hombre sobre la tierra. Además de gobernar y someter, había que cultivar, cuidar y custodiar la tierra en la que Adán había sido colocado.[10] El hombre no

---

[7] Véase Wayne Grudem, *Politics According to the Bible: A Comprehensive Resource for Understanding Modern Political Issues in Light of Scripture* (Grand Rapids: Zondervan, 2010), 325. Grudem dice: «Dios esperaba que Adán y Eva y sus descendientes exploraran y desarrollaran los recursos de la Tierra de tal manera que les reportaran beneficios a ellos y a otros seres humanos».

[8] Middleton, 41.

[9] Daniel Block, *Covenant*, 44. Énfasis en el original.

[10] Hoekema dice: «A Adán, en otras palabras, no sólo se le dijo que gobernara sobre la naturaleza; también se le dijo que cultivara y cuidara la porción de tierra en la que había sido colocado». *Created in God's Image*, 80.

estaba llamado a consumir los recursos de la tierra de forma imprudente o egoísta; debía cuidarlos y custodiarlos como un buen administrador.

Cuanto más comprendamos el papel del hombre como mediador designado por Dios y rey de la tierra, más entenderemos lo que Dios está haciendo con su creación, ¡incluidos sus planes para una nueva creación! Y seremos más capaces de detectar cuando algunos afirman erróneamente que el reino que Dios persigue es sólo un reino espiritual.

La historia bíblica comienza con la intención regia y relacional de Dios para la creación. Tiene que ver con la tierra y sus criaturas y con el papel real del hombre en el gobierno del mundo en nombre de Dios. Como veremos más adelante, el pecado y la caída alterarán la capacidad del hombre para cumplir la vocación que Dios le dio. Sin embargo, el mandato del reino de Génesis 1:26-28 y 2:15 es fundamental para comprender los propósitos de Dios para el hombre.

Génesis 3:17-19

Génesis 3 describe la caída del hombre y las devastadoras consecuencias que el pecado acarrea para el hombre y toda la creación. Cuando Adán y Eva pecaron, se pronunció una maldición sobre la tierra con consecuencias para la relación del hombre con la tierra. Esto se evidencia en Génesis 3:17b-19a:

> «¡Maldita será la tierra por tu culpa!
> Con penosos trabajos comerás de ella
> todos los días de tu vida.
> La tierra te producirá cardos y espinas,
> y comerás hierbas silvestres.
> Te ganarás el pan con el sudor de tu frente,
> hasta que vuelvas a la misma tierra
> de la cual fuiste sacado».

El hombre fue hecho para gobernar y someter con éxito la tierra para Dios, pero al rebelarse el hombre contra su Creador se produce un dramático giro negativo. Dios maldijo la tierra sobre la que el hombre había sido creado para gobernar. Con trágica ironía, debido al pecado el hombre será frustrado en el reino donde se supone que debe gobernar. Y el suelo acabará por cubrirlo de muerte. Así, entre otras cosas, el pecado es anticreacional. Afecta no sólo al hombre, sino a todo el orden creado, algo que Pablo explica en Romanos 8:19-22 cuando dice que la creación fue sometida involuntariamente a la futilidad.

Génesis 5:28-29

Pero hay esperanza. En Génesis 3:15, Dios declaró que la simiente de la mujer aplastaría a la simiente de la serpiente. Y una simiente específica de esta línea llevaría a cabo esta tarea. Alguien de la humanidad derrotaría al mal e invertiría la maldición. Esta «esperanza mesiánica» para la restauración se ve en Génesis 5:28-29. Aquí Lamec esperaba que su hijo le diera descendencia. Aquí Lamec esperaba que su hijo Noé fuera el que revirtiera la maldición sobre la tierra:

> Lamec tenía ciento ochenta y dos años cuando fue padre de Noé. Le dio ese nombre porque dijo: «Este niño nos dará descanso en nuestra tarea y penosos trabajos, en esta tierra que maldijo el Señor».

Nótese que este texto de esperanza mesiánica temprana es tangible. Con el fracaso del hombre en Génesis 3 la tierra fue maldecida y el trabajo duro. La expectativa de Lamec es que estas consecuencias negativas serán eliminadas algún día, y espera que Noé sea quien lo haga. Ahora sabemos que Noé no era el hombre que revertiría la maldición. Pero esta esperanza era real. En resumen, Génesis 5:28-29 revela tanto la esperanza mesiánica de un libertador como la expectativa de que este libertador revierta la maldición sobre la Tierra. Después de la caída existía la expectativa de que la maldición sobre la tierra sería eliminada. La esperanza mesiánica está ligada a una tierra restaurada.

Génesis 8:20-9:17

El Pacto Noético de Génesis 8:20-9:17 es el primer pacto mencionado en las Escrituras. También es un pacto de creación que es fundamental para los propósitos de Dios a partir de ese momento. Los propósitos del reino de Dios y todos los demás pactos bíblicos —el abrahámico, el mosaico, el davídico y el nuevo— sólo pueden realizarse gracias a este pacto. El diluvio de los días de Noé destruyó la mayor parte de la vida en la tierra y la creación quedó consternada. Sin embargo, el pacto Noético funcionará como una plataforma para la estabilidad de la naturaleza para que el reino de Dios, el pacto y los propósitos de salvación puedan desarrollarse en la historia. Génesis 8:22 afirma:

> «Mientras la tierra exista,
> habrá siembra y cosecha,
> frío y calor,
> verano e invierno,
> y días y noches»

Este versículo transmite una estabilidad que existirá. Habrá estaciones y ciclos. Esto preparará el escenario para el pacto abrahámico venidero y los planes de Dios para salvar al mundo a través de Abraham.

Aunque este pacto se pronuncia con Noé, en realidad es un pacto con toda la creación. Se refiere a Noé como representante de la humanidad, de toda criatura viviente y de la tierra. Como dice Génesis 9:12-13:

> Y Dios añadió: «Esta es la señal del pacto que establezco para siempre con ustedes y con todos los seres vivientes que los acompañan: He colocado mi arco iris en las nubes, el cual servirá como señal de mi pacto con la tierra.

Esto afirma que los propósitos de Dios en la historia son creacionales. El pacto noético no es sólo un pacto de «salvación humana». La palabra «tierra» se utiliza veintitrés veces en Génesis 8-9, lo que pone de relieve la importancia de la tierra en los planes de Dios. Se menciona «todo ser viviente» en cuatro ocasiones. En un mundo caído, después del diluvio, toda la creación sigue siendo importante para los propósitos de Dios. Y para entender lo que Dios está haciendo en la historia, hay que tener en cuenta toda la creación.

Génesis 10-11

Génesis 10-11 describe el origen de los grupos humanos y las naciones, y dónde se sitúan, a medida que se extienden desde el suceso de la torre de babel a través de los tres hijos de Noé. Los hombres malvados intentaron quedarse en una zona y hacerse un gran nombre. Pero Dios obligó a que se extendieran por la tierra, algo que formaba parte de la intención original de la creación de Dios. Esto prepara el escenario para Génesis 12, en el que Abraham y la gran nación que saldrá de él (Israel) serán un medio para bendecir a los grupos de pueblos del mundo (véase Gén. 12:2-3) que se mencionaron en Génesis 10-11. Así pues, Génesis 10-11 revela la importancia de las naciones. A lo largo de las Escrituras, las naciones de la tierra se presentan como fundamentales para los planes de Dios. A menudo se las presenta como pecadoras y opuestas a los propósitos de Dios. Pero las naciones también son una parte positiva de sus planes salvíficos. Su existencia perdura incluso en el estado eterno, donde se las representa haciendo contribuciones culturales a la tierra nueva (véase Ap. 21:24, 26).

Génesis 12:6-7; 15:18-21

La tierra es importante para Dios y una tierra específica también es significativa en los propósitos de Dios. Génesis 12:6-7 revela que se prometió un área específica de tierra a los descendientes de Abraham:

> Abram atravesó toda esa región hasta llegar a Siquén, donde se encuentra la encina sagrada de Moré. En aquella época, los cananeos vivían en esa región. Allí el Señor se le apareció a Abram y le dijo: «Yo le daré esta tierra a tu descendencia».

Las dimensiones de la tierra prometida se dan en Génesis 15:18-21:

> En aquel día el Señor hizo un pacto con Abram. Le dijo:
> —A tus descendientes les daré esta tierra, desde el río de Egipto hasta el gran río, el Éufrates. Me refiero a la tierra de los quenitas, los quenizitas, los cadmoneos, los hititas, los ferezeos, los refaítas, los amorreos, los cananeos, los gergeseos y los jebuseos.

Como mencionamos anteriormente en nuestra discusión sobre la «Tierra», la tierra particular de Israel tendrá importancia en los propósitos históricos de Dios. La tierra de Israel iba a funcionar como una luz en un mundo oscuro y una cabeza de playa para la recuperación del planeta tierra para los propósitos del reino de Dios. La historia de Israel con la tierra será una de altibajos y finalmente de ascenso permanente, pero el significado de la tierra para los propósitos universales de Dios es grande y debe ser considerado.

Génesis 49:8-12

En Génesis 49:8-10 Jacob el anciano predijo que una figura mesiánica («Silo») provendría del linaje de su hijo Judá. El versículo 10 explica que los «pueblos» le obedecerán:

> Judá amarra su asno a la vid,
> y la cría de su asno a la mejor cepa;
> lava su ropa en vino;
> su manto, en la sangre de las uvas.
> Sus ojos son más oscuros que el vino;
> sus dientes, más blancos que la leche (Gén. 49:11-12).

Estas palabras señalan abundancia y muestran que el reinado del Mesías traerá condiciones increíblemente prósperas sobre la tierra. Como señala Snyder, «es la creación *floreciendo* sin fin para gloria de Dios. La obra de Dios no es sólo restauradora; es creativa, generativa, hermosamente generosa».[11] Así, Génesis 49:8-12 muestra que esta persona mesiánica de Judá gobernará el mundo durante una época de gran prosperidad en la tierra.

Salmo 2

El Salmo 2 explica cómo el Mesías venidero se relaciona con los planes de Dios para un reino terrenal. Presenta a las naciones de la tierra, con sus líderes, como rebelándose desafiantemente contra Dios y su Mesías ungido. Pero Dios, desde el Cielo, se ríe de estos líderes insensatos y anuncia que instalará al Mesías como Rey en la tierra, en el mismo reino donde se está produciendo la rebelión: «He establecido a mi rey sobre Sión, mi santo monte» (Sal. 2:6). Luego el Salmo 2:8-9 afirma que Dios dará las naciones al Mesías como herencia y el Mesías las gobernará con vara de hierro:

> «Pídeme, y como herencia te entregaré las naciones; ¡tuyos serán los confines de la tierra! Las gobernarás con puño de hierro; las harás pedazos como a vasijas de barro».

Así que este salmo fundamental revela que el Mesías de Dios gobernará las naciones cuando venga a la tierra. Este salmo se usará en Apocalipsis 19:15 para describir el regreso de Jesús a la tierra para gobernar a las naciones.

---

[11] Snyder, *Salvation Means Creation Healed*, 108. Énfasis añadido.

Salmo 8

El Salmo 8 afirma que, incluso en un mundo caído, el hombre aún posee el derecho de gobernar la tierra y sus criaturas. El lenguaje de los versículos 6-8 se basa en la redacción de Génesis 1:26-28 sobre el destino del hombre para gobernar la tierra:

> Lo entronizaste (al hombre) sobre la obra de tus manos,
> todo lo sometiste a su dominio;
> todas las ovejas, todos los bueyes,
> todos los animales del campo,
> las aves del cielo, los peces del mar,
> y todo lo que surca los senderos del mar.

Así pues, incluso en un mundo caído, sigue existiendo la tarea encomendada por Dios al hombre de gobernar con éxito el mundo. Este salmo se utilizará varias veces en el Nuevo Testamento para describir el reinado venidero del hombre sobre la tierra, y cómo esto sucederá a través de Jesús, el Hombre por excelencia (véanse Heb. 2:5-8; 1 Cor. 15:27).

Salmo 72

El Salmo 72 describe el reinado venidero del Rey ideal davídico, el Mesías. Además de gobernar con «rectitud» y «justicia» (v. 2), este Rey gobernará la tierra. Reivindicará y salvará a los afligidos y necesitados (v. 4). Su reinado se extenderá por todo el planeta, pues «dominará de mar a mar y desde el río hasta los confines de la tierra» (v. 8). Todos los reyes y naciones le servirán (v. 11). Habrá prosperidad agrícola: «Que abunde el trigo en toda la tierra; que ondeen los trigales en la cumbre de los montes» (v. 16a).

Este reino contiene elementos espirituales como la rectitud y la justicia, pero también es un reino terrenal. Este salmo muestra la naturaleza multidimensional del reino del Mesías. Es un reino terrenal que cubre toda la tierra. Se caracteriza por la prosperidad. Pero también tiene cualidades espirituales de equidad, rectitud y justicia. David y Salomón nunca experimentaron el reino que se describe aquí, pero Jesús el Mesías sí lo hará.

Isaías 2:2-4

Isaías 2 describe un reinado venidero del Señor desde Jerusalén que implicará que el Señor tome decisiones por las naciones durante un tiempo de paz. Cuando el reino de Dios se establezca desde Jerusalén, las naciones acudirán a esta ciudad para aprender los caminos de Dios (2-3). El Señor tomará decisiones por las naciones (4a). Este será un tiempo de armonía internacional cuando las naciones desechen sus armas de guerra y usen sus recursos para propósitos pacíficos.

Isaías 11

Pocos pasajes describen el impacto del reino del Mesías en tantas áreas como Isaías 11. Isaías 11 describe un reino terrenal venidero bajo el Mesías que es llamado «el vástago de Isaí» (1). Este reino tendrá características espirituales de «justicia» y «equidad» (4). Y traerá la sanidad de la naturaleza que actualmente sufre a causa de la caída. Habrá armonía en el mundo animal, pues «el lobo vivirá con el cordero» (6), «la vaca pastará con la osa» (7a), y el león comerá paja (7b). Además, animales y humanos vivirán en armonía: «Jugará el niño de pecho junto a la cueva de la cobra, y el recién destetado meterá la mano en el nido de la víbora» (8). La mención de los animales aquí nos remite naturalmente a la importancia de los animales en Génesis 1 y espera su restauración.

Isaías 11 revela otras grandes verdades. «La tierra se llenará del conocimiento del Señor» (9). En este tiempo las naciones de la tierra servirán al Señor (10) y la nación Israel será reunida de los rincones de la tierra (12). Las condiciones de este capítulo aún no se han cumplido en la historia, pero se cumplirán en el reino venidero del Mesías.

Isaías 19

Isaías 19 predice la presencia de naciones geopolíticas durante un reino terrenal de Dios. Aquí se destacan tres naciones: Egipto, Asiria e Israel. El reino ciertamente involucrará a más de estos tres países, pero estos resaltan la importancia de Israel entre otras naciones, incluso los enemigos tradicionales de Israel. El reino ciertamente involucrará a más que estos tres países, pero éstos resaltan la importancia de Israel entre otras naciones, incluso los enemigos tradicionales de Israel.

En Isaías 19:16-25 se describe a las tres naciones en armonía y disfrutando de las bendiciones del reino de Dios. En ese momento, cinco ciudades de Egipto aprenderán la lengua hebrea. Se construirá un monumento a Dios cerca de la frontera de Egipto. Egipto y Asiria construirán un camino alto que les permitirá adorar al Señor juntos.

Significativamente, los términos una vez utilizados de Israel también se aplicarán a las naciones gentiles. Egipto será llamado el pueblo de Dios («Mi pueblo») y Asiria será llamada «la obra de mis manos». Y la nación de Israel también está aquí. Siguen siendo la «herencia» de Dios (véase Isa. 19:24-25). Esto muestra que a medida que los gentiles y las naciones gentiles se convierten en «pueblo de Dios» no se convierten en «Israel». El concepto del pueblo de Dios se amplía para incluir a los gentiles, pero al mismo tiempo, el Israel nacional sigue siendo significativo. Los gentiles se convierten en pueblo de Dios sin incorporarse a Israel.

La importancia de este emocionante texto es grande. Se acerca un tiempo en el que habrá un reino terrenal de Dios con naciones geopolíticas que existirán y actuarán en armonía unas con otras. Estas naciones tendrán identidades independientes, pero todas estarán unidas como pueblo de Dios. Esto evidencia un hermoso tema de «unidad-diversidad» que vemos a menudo en las Escrituras.

También está la presencia de la cultura, evidenciada por la lengua y la construcción de una carretera. Capítulos como estos son fundamentales para la idea del modelo de la nueva creación de un reino de Dios hermoso y multidimensional.

Isaías 25

Isaías 25 forma parte de Isaías 24-27, una sección a la que a menudo se hace referencia como «el pequeño Apocalipsis de Isaías» porque describe mucho de lo que se encuentra en el Apocalipsis. Describe un Día global del Señor, que trae juicio sobre toda la tierra y su gente. Luego le sigue un glorioso reino terrenal en el que las naciones experimentan su gloria. Los versículos 6-8 describen un glorioso banquete de celebración para los pueblos de la tierra, un banquete con gran comida y bebida. Esto se hace en honor de la salvación de Dios y la eliminación de la muerte a escala mundial:

> Sobre este monte, el Señor Todopoderoso
> preparará para todos los pueblos

un banquete de manjares especiales,
un banquete de vinos añejos,
de manjares especiales y de selectos vinos añejos.
Sobre este monte rasgará
el velo que cubre a todos los pueblos,
el manto que envuelve a todas las naciones.
Devorará a la muerte para siempre;
el Señor omnipotente enjugará las lágrimas de todo rostro,
y quitará de toda la tierra
el oprobio de su pueblo.
El Señor mismo lo ha dicho.

Nótese la naturaleza tangible de esta profecía. Involucra a los pueblos de la tierra, un banquete con comida y bebida, y la eliminación de la muerte física. Esta es una fiesta/celebración como ninguna otra en la historia. Este escenario del banquete del reino también se encuentra en pasajes del Nuevo Testamento como Mateo 8:11 donde Jesús dijo: «Les digo que muchos vendrán del oriente y del occidente, y participarán en el banquete con Abraham, Isaac y Jacob en el reino de los cielos».

Isaías 35

Isaías 35 es un pasaje del reino que predice la restauración de la naturaleza a las condiciones del Edén. También habla de la curación física. El desierto prosperará (1-2). «La tierra quemada se convertirá en un estanque» (7). Ningún animal hará daño a nadie (v. 9). Los ciegos, sordos y cojos serán curados (5-6). Jesús se refirió a este capítulo en Mateo 11:2-5 para que los discípulos de Juan el Bautista supieran que Jesús era quien decía ser. Jesús hizo los milagros del reino que Isaías 35 predijo. Los milagros físicos de Jesús fueron anticipos de la restauración y sanidad que tendrán lugar a escala permanente y global en el futuro.

Isaías 65:17-25

Los cielos nuevos y la tierra nueva que se avecinan (v. 17) tienen condiciones similares a las de la vida real. Esto incluye situaciones que son muy parecidas a nuestras experiencias actuales en esta era, pero con resultados mucho mejores. Habrá gente joven y anciana (v. 20). La gente construirá casas y vivirá en ellas (21a). Plantarán viñas y comerán sus frutos (21b). Todo esto se hace en un contexto de equidad, ya que la gente podrá vivir en las casas que construyan y comer los frutos que produzcan. Además, la maternidad irá bien tanto para las madres como para sus hijos: «no trabajarán en vano, ni tendrán hijos por calamidad» (23a). Esto muestra una inversión de las condiciones de la época actual, en la que tanto las madres como sus hijos corren a menudo peligro durante el embarazo y el parto. Mientras que llenar la tierra a través de la procreación ha estado ocurriendo desde Génesis 4, por primera vez ocurrirá sin las consecuencias negativas de un mundo caído. (Esta condición muy probablemente ocurre en el reino milenario del Mesías, ya que la procreación probablemente no ocurre en el estado eterno después del milenio).

También existirá armonía en el reino animal: «El lobo y el cordero pacerán juntos; el león comerá paja como el buey, y la serpiente se alimentará de polvo» (v. 25). Esto repite la verdad relativa a los animales encontrada anteriormente en Isaías 11.

En Isaías 65, la creación se restaura y las personas viven en armonía entre sí y con los animales en condiciones ideales nunca vistas. La tierra nueva tendrá condiciones similares a las actuales, pero sin los efectos negativos de la caída.[12]

Ezequiel 36

La nación de Israel fue dispersada a las naciones por desobediencia, pero será salvada y restaurada a la tierra prometida. Las tribus de Israel serán unificadas. Cuando esto ocurra Dios reconstruirá las ciudades que habían sido arruinadas y hará que la tierra «vuelva a ser como el jardín del Edén»:

> Así dice el Señor omnipotente: «El día que yo los purifique de todas sus iniquidades, poblaré las ciudades y reconstruiré las ruinas. Se cultivará la tierra desolada, y ya no estará desierta a la vista de cuantos pasan por ella. Entonces se dirá: Esta tierra, que antes yacía desolada, es ahora un jardín de Edén; las ciudades que antes estaban en ruinas, desoladas y destruidas, están ahora habitadas y fortificadas» (Ez. 36:33-35).

[12] Si este pasaje habla de un reino milenario venidero o del estado eterno o de ambos es una discusión para otro momento. El punto clave es que el futuro reino de Dios implica actividades reales en una tierra tangible.

Nótese la mezcla de bendiciones espirituales y físicas. La purificación de las iniquidades va unida a las bendiciones físicas en la tierra y las ciudades. La misma tierra y ciudades que sufrieron decadencia se dirigen a la restauración. Volverán a ser como el «Edén».

Jeremías 30-33

Jeremías 30-33 es conocido como el libro de la consolación que describe la restauración de Israel después de un tiempo de cautiverio. Estos cuatro capítulos describen muchas bendiciones espirituales y físicas, más de las que podemos cubrir aquí. Sin embargo, considere las bendiciones físicas —«la generosidad del SEÑOR»— que espera a Israel:

> Vendrán y cantarán jubilosos en las alturas de Sión;
> disfrutarán de las bondades del Señor:
> el trigo, el vino nuevo y el aceite,
> las crías de las ovejas y las vacas.
> Serán como un jardín bien regado,
> y no volverán a desmayar (31:12).

Las condiciones del reino venidero involucrarán «grano», «vino nuevo», «aceite» y «crías del rebaño». Éstas revelan las bendiciones de la prosperidad en la tierra. Más adelante en el capítulo Jeremías hablará de las bendiciones espirituales del nuevo pacto (véase Jer. 31:31-34), la perpetuidad de Israel como nación (31:35-37) y la reconstrucción de la ciudad de Jerusalén (Jer. 31:38-40). Así pues, las bendiciones físicas, nacionales y espirituales forman parte del nuevo pacto.

Oseas 2:14-23

El libro de Oseas tiene mucho que decir sobre la desobediencia de Israel. Sin embargo, como los demás profetas, Oseas también promete salvación y restauración. Dios concederá a Israel viñedos (2:15) y paz permanente: «eliminaré del país arcos, espadas y guerra, para que todos duerman seguros» (2:18b). Habrá prosperidad agrícola: «la tierra les responderá al cereal, al vino nuevo y al aceite» (2:22). Utilizando el lenguaje y los conceptos de Génesis 1:20-24, Oseas 2:18a predice condiciones positivas para las criaturas de la tierra:

«Aquel día haré en tu favor un pacto
con los animales del campo,
con las aves de los cielos
y con los reptiles de la tierra».

Así pues, la restauración de Israel implicará un retorno a las condiciones anteriores a la caída en la tierra y una curación de las criaturas vivientes mencionadas en Génesis 1:20-25.

Miqueas 4

Miqueas 4 contiene gran parte de la información que se encuentra en Isaías 2:2-4. El profeta también revela que las personas vivirán en paz en el contexto de lo que hacen: «Cada uno se sentará bajo su vid y bajo su higuera, sin que nadie lo atemorice» (4:4). El Señor también se asegurará de que la riqueza de las naciones se utilice adecuadamente: «para que conviertas en polvo a muchos pueblos, y consagres al Señor sus ganancias injustas; sus riquezas, al Señor de toda la tierra» (4:13b). Este pasaje no sólo afirma la tierra y las condiciones terrenales, sino que también aborda la cuestión de la riqueza en la tierra. La justicia se aplica a la riqueza económica.

Amos 9:13-15

Amós 9:13-15 describe las condiciones del reino venidero, que incluyen el arado de los campos, el pisado de las uvas, las montañas prósperas, los viñedos, el vino, los garajes, los frutos, la tierra y un Israel restaurado:

Vienen días —afirma el Señor—,
en los cuales el que ara alcanzará al segador
y el que pisa las uvas, al sembrador.
Los montes destilarán vino dulce,
el cual correrá por todas las colinas.
Restauraré a mi pueblo Israel;
ellos reconstruirán las ciudades arruinadas
y vivirán en ellas.
Plantarán viñedos y beberán su vino;
cultivarán huertos y comerán sus frutos.
Plantaré a Israel en su propia tierra,

> para que nunca más sea arrancado
> de la tierra que yo le di»,
> dice el Señor tu Dios.

La restauración de Israel en el futuro está vinculada a la prosperidad en la tierra.

Zacarías 8

Zacarías 8 revela que los barrios y los niños que juegan seguros en las calles formarán parte del reino. Se trata de una dulce escena en la que participan hombres y mujeres mayores, junto con niños y niñas:

> Así dice el Señor Todopoderoso:
> Los ancianos y las ancianas volverán a sentarse
> en las calles de Jerusalén,
> cada uno con su bastón en la mano
> debido a su avanzada edad.
> Los niños y las niñas volverán a jugar
> en las calles de la ciudad (Zac. 8:4-5).

Alva McClain señala aquí la representación del modelo de la nueva creación: «Este no es un reino de ascetismo donde los impulsos primitivos de la humanidad, implantados por la creación divina, serán rigurosamente suprimidos». Este es un tiempo de «alegre liberación» y «recreación gozosa y segura».[13]

Zacarías 14

Zacarías 14 ofrece muchos detalles específicos sobre el reino terrenal venidero del Mesías. El Señor viene físicamente a liberar a Jerusalén de las naciones hostiles. Su regreso al Monte de los Olivos provoca grandes cambios en la geografía de la región (1-4). Establecerá un reino terrenal global: «el Señor será rey sobre toda la tierra; en aquel día el Señor será el único, y su nombre el único» (9).

Así pues, cuando se produzca este reino, será el del Señor en la tierra, lo que traerá la derrota de las naciones y traerá el rescate de Jerusalén. Y será un tiempo cuando todos en la tierra sepan que el Señor

---

[13] McClain, *The Greatness of the Kingdom*, 28.

es Rey y no habrá rivales. ¡Su nombre es el único nombre! Estas condiciones no se han cumplido todavía en la historia, pero se cumplirán. Creemos que esperan la segunda venida y reino de Jesús como se describe en Apocalipsis 19-20. Aquí Jesús regresa a la tierra, derrota a Sus enemigos y luego reina por mil años.

En Zacarías 14, el Señor ejercerá su reinado sobre las naciones de la tierra que deben pagarle tributo viniendo a Jerusalén. Los que se resistan a este mandato experimentarán el castigo (16-19). Esto aparece conectado con Apocalipsis 19:15 que afirma que Jesús vendrá a gobernar las naciones con vara de hierro.

Este capítulo muestra que el Señor reinará sobre toda la tierra y las naciones. Las naciones deben servirle y enfrentarán consecuencias si no lo hacen. También, cada objeto, incluyendo los que son de uso común, será considerado santo en el reino:

> En aquel día los cascabeles de los caballos llevarán esta inscripción: consagrado al Señor. Las ollas de cocina del Templo del Señor serán como los tazones sagrados que están frente al altar del sacrificio. Toda olla de Jerusalén y de Judá será consagrada al Señor de los Ejércitos. Además, todo el que vaya a sacrificar tomará algunas de esas ollas y cocinará en ellas (Zac. 14:20-21a).

El reino de Dios santificará todos los objetos, incluso los considerados de uso común.

Zacarías 14 muestra que Jerusalén, Israel, las naciones, la tierra, los objetos comunes, y otras realidades tangibles están asociadas con el regreso del Mesías, que ahora conocemos como Jesús.

Malaquías 4:6

Una vez leí un libro de teología que afirmaba que la «tierra» ocupa un lugar destacado en Génesis, pero pierde su significado gradualmente a lo largo del Antiguo Testamento. Eso no sólo es falso, sino que el último versículo del Antiguo Testamento menciona la «tierra». Al hablar del día venidero del Señor, Malaquías señaló que Elías aparecería y restauraría a Israel para que «la tierra» no fuera afectada por una maldición:

> «Estoy por enviarles al profeta Elías antes que llegue el día del Señor, día grande y terrible. Él hará que los padres se reconcilien

> con sus hijos y los hijos con sus padres; así no vendré a herir la tierra con destrucción total»
> (Mal. 4:5-6).

Así pues, el último versículo del Antiguo Testamento termina con la promesa de que Dios planea restaurar Israel, y esto involucra a la tierra. El Antiguo Testamento termina con la expectativa de que tanto Israel como la tierra de Israel son importantes en los planes de Dios. Como veremos, esta verdad, junto con otras realidades de la nueva creación, se reafirman en el Nuevo Testamento al que ahora nos dirigiremos.

Antes de pasar a los pasajes del Nuevo Testamento, Saucy ofrece un útil resumen de la esperanza del modelo de la nueva creación del Antiguo Testamento —una esperanza que es «integral y holística»:

> El marco profético del Antiguo Testamento revela una esperanza que es integral y holística. Los elementos presentan la restauración de todas las cosas espirituales y materiales. La humanidad, el centro de la creación, es también el centro del propósito redentor. Todos los aspectos de la vida humana —tanto los personales, internos e individualistas como los sociales, comunitarios e internacionales— forman parte del marco profético total.[14]

[14] Saucy, *The Case for Progressive Dispensationalism*, 241–42.

9

EL MODELO DE LA NUEVA CREACIÓN EN EL NUEVO TESTAMENTO

El Nuevo Testamento presenta la llegada de Jesús el Mesías. Y aunque en el Nuevo Testamento se abordan muchas áreas teológicas, es justo decir que se hace mucho hincapié en la obra salvadora de Jesús. Pero, ¿acaso vemos que los pasajes del Nuevo Testamento expresan la esperanza del modelo de la nueva creación tan frecuentemente expresada en el Antiguo Testamento? La respuesta es un sí rotundo. Vemos mucha continuidad entre las expectativas del Antiguo Testamento y las del Nuevo Testamento en asuntos tangibles relacionados con la tierra, la tierra, las naciones, Israel, las bendiciones físicas, el día del Señor y el reino del Mesías. A continuación presentamos algunos versículos y pasajes del Nuevo Testamento que expresan las expectativas del modelo de la nueva creación.

Lucas 1-2

Lucas 1-2 revela diversas expectativas relativas a la llegada de Jesús que son coherentes con la esperanza del modelo de la nueva creación del Antiguo Testamento. El ángel Gabriel le dijo a María que su hijo Jesús reinaría desde el trono de David sobre Israel para siempre: «Este será grande, y será llamado Hijo del Altísimo; y el Señor Dios le dará el trono de David su padre; y reinará sobre la casa de Jacob para siempre, y su reino no tendrá fin» (ver Lc. 1:32-33). No se menciona ninguna espiritualización de Israel ni del trono de David. Aquí se afirma la esperanza veterotestamentaria de un reinado del Mesías sobre Israel desde el trono de David.

Lleno del Espíritu Santo, Zacarías, esperaba una liberación nacional venidera para Israel de los enemigos que fue prometida en los pactos abrahámico y davídico:

> (Como lo prometió en el pasado por medio de sus santos profetas), para librarnos de nuestros enemigos y del poder de todos los que nos aborrecen (Lc. 1:71).

La profetisa Ana y otros eran «los que esperaban la redención de Jerusalén» (Lc. 2:38). De este modo, las expectativas tangibles del Antiguo Testamento se reafirman a principios del Nuevo Testamento.

Mateo 4:17

En Mateo 4:17 Jesús comenzó su ministerio público declarando: «Arrepiéntanse, porque el reino de los cielos está cerca». Es significativo que Jesús no ofreciera ninguna definición o redefinición de este reino. Esto demuestra que probablemente esperaba que su audiencia judía conociera este reino que ahora proclamaba como «cercano». ¿Cómo sabrían cómo era? Por las Escrituras hebreas. J. Ramsey Michaels señala que la expectativa de Jesús sobre el reino está «dentro del marco de las expectativas mesiánicas y apocalípticas judías contemporáneas». Se trata de un reino «a la vez espiritual y nacional, a la vez universal y étnico».[1]

Mateo 5:5

El Antiguo Testamento hablaba a menudo de la tierra. El Salmo 37:11, por ejemplo, declaraba que la prosperidad en la tierra sería para los humildes:

> Pero los desposeídos heredarán la tierra
> y disfrutarán de gran bienestar.

[1] J. Ramsey Michaels, «The Kingdom of God and the Historical Jesus», en *The Kingdom of God in 20th Century Interpretation,* ed. Wendell Willis (Peabody, MA: Hendrickson, 1987), 114, 116. Énfasis en el original.

Este versículo menciona tanto la «tierra» como la «prosperidad abundante». En su sermón del monte Jesús se refirió a la tierra como una herencia futura: «Dichosos los humildes, porque recibirán la tierra como herencia» (Mt. 5:5). El término «tierra» también puede referirse al territorio. Es difícil discernir si se refiere específicamente a la tierra en general o a la tierra de Israel en particular, o a ambas. Las bendiciones a la tierra de Israel también implican bendiciones para todas las naciones en sus tierras.

Jesús considera la tierra y/o la tierra como el destino de quienes se caracterizan por la mansedumbre. Cuando Jesús ofrece la instrucción del nuevo pacto, declara que sus seguidores heredarán la tierra/tierra.

Mateo 6:10

Cuando Jesús enseñó a sus discípulos a orar, lo primero que les ordenó que pidieran fue la venida del reino de Dios a la tierra, donde se haría perfectamente la voluntad de Dios:

> «Venga tu reino,
> hágase tu voluntad
> en la tierra como en el cielo» (Mt. 6:10).

Jesús menciona muchas cosas por las cuales orar en este «Padre Nuestro», pero la primera se refiere a la venida del reino a la tierra. Debemos pedir su venida para que la voluntad de Dios se haga en la tierra, como se hace en el cielo. Esto demuestra que el reino aún no había llegado cuando Jesús pronunció estas palabras, ya que debemos orar por su venida.

Y este versículo revela que cuando el reino venga será en la tierra. Sólo entonces se hará la voluntad de Dios en la tierra como en el cielo. Cuando combinamos Mateo 5:5 y Mateo 6:10, vemos la importancia que Jesús da a heredar la tierra y a que el reino de Dios venga a la tierra. Estos versículos también muestran que las expectativas del Antiguo Testamento sobre la tierra y el reino terrenal permanecen. Jesús no trasciende estas expectativas, sino que espera su cumplimiento literal.

Mateo 8-9

Jesús trae la salvación del pecado. Sin embargo, Mateo 8-9 también muestra que el poder del reino de Jesús se aplica a todos los aspectos de la existencia humana. Jesús demostró su dominio sobre las enfermedades físicas, la muerte, la naturaleza y los demonios. Sana el cuerpo, restaura la creación, derrota al enemigo y trae la resurrección.[2]

Nótese la naturaleza tangible del ministerio de Jesús en estos capítulos. En cuanto a la sanidad, Jesús sanó a un leproso (8:1-4), al siervo paralítico de un centurión (8:5-13), a la suegra de Pedro que tenía fiebre (8:14-17) y a un paralítico (9:1-8). Resucitó a una mujer y sanó a una mujer que padecía una hemorragia desde hacía doce años (9:18-26). Jesús sanó a dos ciegos (9:27-31) y a un mudo endemoniado (9:32-33). Jesús también calmó una gran tormenta (8:23-27) y expulsó demonios (8:28-34). Mateo 9:35 resume la gran magnitud del ministerio de curación de Jesús: «Jesús recorría todos los pueblos y aldeas enseñando en las sinagogas, anunciando las buenas nuevas del reino, y sanando toda enfermedad y toda dolencia».

Jesús se preocupaba por las necesidades físicas y dedicaba gran parte de su tiempo a restablecer la salud física. El «evangelio del reino» está vinculado a la sanidad física, la resurrección y el dominio de la naturaleza. Cuando Jesús eligió a los doce apóstoles para proclamar el reino a Israel, les dio autoridad para hacer las mismas cosas: «Jesús reunió a sus doce discípulos y les dio autoridad para expulsar a los espíritus malignos y sanar toda enfermedad y toda dolencia» (Mt. 10:1).

El ministerio de Jesús incluyó actos de restauración física, resurrección, autoridad sobre los demonios y autoridad sobre la naturaleza. Eran algo más que actos individuales de bondad hacia la gente (que lo eran). Eran demostraciones del poder del reino. El reino de Dios implica no sólo la salvación espiritual, sino también actos de restauración física. Esto ocurrirá plenamente cuando Jesús regrese y establezca su reino sobre la tierra.

Mateo 19:28-30

En Mateo 19:28-30 Jesús habló de las recompensas para los que le siguen. Significativamente, estas recompensas no son sólo recompensas espirituales. Incluyen beneficios tangibles. Jesús se refiere a una «regeneración» venidera cuando en ese momento Él se siente sobre su glorioso trono [davídico] y sus doce apóstoles juzguen a las doce tribus de Israel (v. 28).

---

[2] No estamos diciendo que la sanidad física y la resurrección ocurran en esta época, pero cuando se cumplan las dos venidas de Jesús, estos serán los resultados para todos los creyentes.

«Regeneración» es el término griego *paliggenesia* que significa «renovación» o «renacimiento». Aquí se refiere a la restauración de la tierra/creación. El orden creado experimentará una transformación cuando Jesús venga a reinar. En ese tiempo los hogares, relaciones y terrenos serán multiplicadas para aquellos que dejaron todo para seguir a Jesús en esta era presente (v. 29). La mención de «hogares» y «terrenos» revela que la tierra y las moradas forman parte de los propósitos futuros de Dios para su pueblo. Su destino no es estar sentado en una nube, como muestran muchas representaciones culturales de la eternidad.

Las recompensas en el reino venidero se relacionan con experiencias de la vida real que tenemos ahora. Así como las relaciones, los hogares y terrenos son parte de nuestra experiencia actual, también lo serán en el futuro. Pero entonces serán permanentes y no se verán afectadas por el pecado y la maldición.

Lucas 22

En la última cena, Jesús habló de algunos detalles que tienen implicaciones para la comprensión del modelo de la nueva creación. El primero describe a Jesús comiendo una comida tangible con sus discípulos en el reino venidero de Dios. Como dice Lucas 22:15-16:

> Y les dijo: «He tenido muchísimos deseos de comer esta Pascua con ustedes antes de padecer, pues les digo que no volveré a comerla hasta que tenga su pleno cumplimiento en el reino de Dios».

La comida de la pascua que Jesús estaba comiendo con sus discípulos era una comida real. Y volverán a comer una comida pascual cuando llegue el reino de Dios. Una comida tangible ocurrirá en el reino. Esto concuerda con otros pasajes que describen banquetes de celebración en el reino de Dios (véase Isa. 25:6-8; Mt. 8:10-12).

Entonces, en Lucas 22:28-30, Jesús vuelve a mencionar el comer y beber en su mesa en el reino, pero luego añade el detalle de sus discípulos sentados en tronos reales juzgando a las doce tribus de un Israel nacional restaurado:

> «Ahora bien, ustedes son los que han estado siempre a mi lado en mis pruebas. Por eso, yo mismo les concedo un reino, así como mi Padre me lo concedió a mí, para que coman y beban a mi mesa en mi reino, y se sienten en tronos para juzgar a las doce tribus de Israel».

En resumen, Lucas 22 revela la importancia de un reino de Dios tangible venidero en el que se comerá y beberá, y en el que los apóstoles juzgarán a las tribus restauradas de Israel.

Hechos 1:6; 3:21

Si hubieras podido preguntarle algo a Jesús antes de que ascendiera al cielo, ¿qué le preguntarías? Los apóstoles tuvieron esta oportunidad. Después de cuarenta días de instrucción acerca del reino de Dios (ver He. 1:3), los discípulos le preguntaron a Jesús: «Señor, ¿es en este tiempo cuando vas a restaurar el reino a Israel?» (1:6). Esta pregunta revelaba la expectación de los discípulos el día de la ascensión de Jesús. Creían que el reino sería restaurado al Israel nacional. No preguntaban *si* el reino sería restaurado a Israel. Eso se daba por sentado. En lugar de eso, preguntaron *cuándo*. Nótese que Jesús no dice que estuvieran equivocados con esta expectativa. Él asume que su suposición era correcta, pero luego les dice que sólo el Padre sabe cuándo ocurrirá la restauración del reino a Israel (ver He. 1:7). Tanto los apóstoles como Jesús asumieron lo que el Antiguo Testamento reveló en muchas ocasiones: un reino restaurado para Israel.

En Hechos 3:19-21, Pedro dijo a Israel que se arrepintiera y regresara. Hacer esto llevaría al perdón de los pecados, tiempos de refrigerio, el regreso de Jesús y la restauración de todas las cosas. La «restauración de todas las cosas» está estrechamente relacionada con la «regeneración» de Mateo 19:28 y la reconciliación de todas las cosas de Colosenses 1:20, y por lo tanto es una expectativa de renovación cósmica. La palabra «restauración» en Hechos 3:21 se utiliza la misma palabra que se refiere a la restauración del reino a Israel en Hechos 1:6. La «restauración venidera de todas las cosas» implica la restauración del reino al Israel nacional y todas las cosas que predijeron los profetas del Antiguo Testamento.

Romanos 8:19-22

Gran parte de Romanos trata de cómo los pecadores pueden estar bien con Dios. Pero en el capítulo 8 Pablo señala que la creación se encamina hacia la restauración. Esto tiene sentido puesto que la condición del hombre afecta a la creación:

La creación aguarda con ansiedad la revelación de los hijos de Dios, porque fue sometida a la frustración. Esto no sucedió por su propia voluntad, sino por la del que así lo dispuso. Pero queda la firme esperanza de que la creación misma ha de ser liberada de la corrupción que la esclaviza, para así alcanzar la gloriosa libertad de los hijos de Dios. Sabemos que toda la creación todavía gime a una, como si tuviera dolores de parto (Rom. 8:19-22).

La creación pasará de la «esclavitud» a la «libertad». Esto coincide con la glorificación del pueblo de Dios (véase Rom. 8:23). La creación sigue el destino del hombre. Cuando ocurrió la caída la tierra fue maldecida. El pecado del hombre condujo a la caída de la creación. Pero no para siempre. Cuando las personas salvas sean glorificadas en el futuro, la creación será liberada y restaurada. Así, Romanos 8 revela que la creación caída dará paso a una tierra renovada.

Colosenses 1:15-20

La cruz de Jesús implica claramente la expiación de los pecados (véase Isa. 53). Pero también tiene implicaciones cósmicas. La cruz de Jesús no sólo aporta expiación por el pecado humano, sino que también tiene como resultado la reconciliación de todas las cosas. Colosenses 1:16-17 afirma que Jesús creó y sustenta todas las cosas, visibles e invisibles:

> Porque por medio de él fueron creadas todas las cosas
> en el cielo y en la tierra, visibles e invisibles,
> sean tronos, poderes, principados o autoridades:
> todo ha sido creado
> por medio de él y para él.
> Él es anterior a todas las cosas,
> que por medio de él forman un todo coherente.

Sin embargo, nótese que este mismo Jesús que creó y sostuvo todas las cosas también reconcilia todas las cosas a través de su cruz:

> Y, por medio de él, reconciliar consigo todas las cosas, tanto las que están en la tierra como las que están en el cielo, haciendo la paz mediante la sangre que derramó en la cruz (Col. 1:20).

Aquí los beneficios de la cruz de Jesús conectan con la reconciliación cósmica de «todas las cosas», que se refiere a todo el ámbito de la creación. Así como el pecado del hombre trajo maldición y devastación a toda la creación, la expiación y la salvación de Jesús traen restauración a toda la creación. Richard Middleton señala acertadamente:

> Colosenses 1 no limita de forma miope la eficacia de la expiación de Cristo al individuo o incluso a la humanidad. Sin negar que la expiación es suficiente para las personas individuales, el texto aplica la reconciliación efectuada por la sangre derramada de Cristo de la forma más amplia posible, a «todas las cosas, tanto las que están en la tierra como las que están en los cielos».[3]

Snyder también capta los aspectos cósmicos de la expiación de Jesús: «la expiación de Jesús mediante su muerte y resurrección triunfante es un acto cósmico-histórico por el que toda la creación es redimida —potencial y parcialmente ahora, y plenamente cuando el reino llegue a su plenitud».[4]

Hebreos 2:5-8

Hebreos 2:5-8 es estratégico para comprender los propósitos de Dios. Las conexiones intertextuales de este pasaje son Génesis 1:26, 28 y el Salmo 8. Ambos pasajes anteriores establecen la importancia de que el hombre algún día tenga un reinado mediador exitoso sobre toda la tierra y las criaturas terrestres. En Hebreos 2:5, el escritor habla del «mundo venidero» y declara que el hombre, y no los ángeles, está destinado a gobernar en este período. En Hebreos 2:5b-8a, el autor cita el Salmo 8:4-6 y su expectativa de que el hombre gobierne la tierra y sus criaturas. Esto muestra que incluso después de la primera venida de Jesús y el comienzo de la iglesia, Dios todavía espera que el hombre sojuzgue la creación en el «mundo venidero». Y en Hebreos 2:8b, el escritor declara que esta expectativa todavía tiene que ocurrir: «si Dios puso bajo él todas las cosas, entonces no hay nada que no le esté sujeto. Ahora bien, es cierto que todavía no vemos que todo le esté sujeto».

Así, Hebreos 2:5-8 revela que el hombre todavía está destinado a gobernar y someter la tierra y sus criaturas, pero este gobierno espera al

---

[3] Middleton, *A New Heaven and a New Earth*, 158.
[4] Snyder, *Salvation Means Creation Healed*, 103.

«mundo venidero», ya que no está ocurriendo en esta época. Hebreos 2:9 presenta a Jesús como aquel que hará que esto suceda. Así, Jesús será quien cumpla el destino del hombre de someter la tierra para gloria de Dios. Este pasaje también muestra una gran continuidad entre las expectativas del Antiguo Testamento sobre la venida del reino terrenal de Dios y lo que el Nuevo Testamento creía acerca de este reino.

Apocalipsis 5:10

Apocalipsis 4-5 describe la escena de la sala del trono celestial más gloriosa de las Escrituras. Representa al Padre en el trono de su reino universal celestial siendo adorado. También presenta al Hijo (Jesús el Cordero) como el digno de tomar el libro de la mano derecha del Padre. Este Jesús es el Cordero que compró a personas de todos los grupos étnicos (5:9). Debido a esto habrá un reino de los santos sobre la tierra: «De ellos hiciste un reino; los hiciste sacerdotes al servicio de nuestro Dios, y reinarán sobre la tierra» (Ap. 5:10).

Significativamente, incluso con esta gloriosa escena celestial, el foco de atención se desplaza a un reinado venidero de los santos con Jesús *en la tierra*. El cielo no es el destino final de Jesús y los santos. Su destino es un reino terrenal. Incluso los santos martirizados de Apocalipsis 6:9-11 en el cielo esperan la venganza de Dios en la tierra: «Cuando el Cordero rompió el quinto sello, vi debajo del altar las almas de los que habían sufrido el martirio por causa de la palabra de Dios y por mantenerse fieles en su testimonio. Gritaban a gran voz: "¿Hasta cuándo, Soberano Señor, santo y veraz, seguirás sin juzgar a los habitantes de la tierra y sin vengar nuestra muerte?" Entonces cada uno de ellos recibió ropas blancas, y se les dijo que esperaran un poco más, hasta que se completara el número de sus consiervos y hermanos que iban a sufrir el martirio como ellos».

Anteriormente mencionamos cómo en Mateo 6:10 Jesús dijo a sus discípulos que oraran para que se hiciera la voluntad de Dios en la tierra. Observando la conexión entre Mateo 6:10 y el libro del Apocalipsis, Christopher Rowland observa: «En Apocalipsis encontramos cómo se cumple la petición del Padre Nuestro, cómo el reino de Dios viene a la tierra como está en el cielo. Aquí, el cielo no es un escape de las cosas de la tierra».[5]

---

[5] Christopher Rowland, «The Eschatology of the New Testament Church», en *The Oxford Handbook of Eschatology*, ed. Jerry L. Walls (New York: Oxford University Press, 2008), 69.

Apocalipsis 20

Apocalipsis 20 describe un reinado de mil años de Jesús y sus santos en la tierra después de su segunda venida a la tierra, pero antes del reino eterno de Apocalipsis 20-22. Este es el reino mesiánico/milenario de Jesús. Este es el reino mesiánico/milenial de Jesús y su pueblo sobre las naciones. Esto también implica la resurrección del cuerpo para los mártires antes de que este reino comenzara (20:4). En otras partes de este libro se habla más acerca de Apocalipsis 20.

Apocalipsis 21:3, 24, 26

Dios se propone una maravillosa diversidad de grupos humanos en la eternidad. Esto incluye etnias y naciones. Las naciones fueron el tema principal en Génesis 10-11 cuando Dios esparció a los descendientes de Noé y sus hijos por toda la tierra. En Hechos 17:16 Pablo declaró que Dios ha establecido el tiempo y los límites de cada nación. Apocalipsis 5:9 dice que Jesús compró personas de toda tribu, lengua, pueblo y nación.

Múltiples grupos de personas y etnias existirán en la tierra nueva. Apocalipsis 21:3 dice, «y ellos serán su pueblo(s)». El término aquí, *laoi*, es plural y significa literalmente «pueblos». Esto recuerda a Isaías 25:6: «el Señor de los ejércitos preparará un banquete espléndido para todos los pueblos en este monte».[6]

Apocalipsis 21:24, 26 menciona específicamente a las naciones en la tierra nueva:

> Las naciones caminarán a su luz, y los reyes de la tierra traerán su gloria a ella (21:24).
>
> Y ellos [las naciones] traerán a ella la gloria y el honor de las naciones (21:26).

Esta mención de las «naciones» es significativa, como observa Middleton: «la referencia a las naciones en la nueva creación es una señal reveladora de que la diversidad cultural, incluso nacional, no queda abrogada por la redención. La salvación no borra las diferencias culturales; más bien, la raza humana, aún distinguida por la

[6] Énfasis añadido.

nacionalidad, camina ahora por la gloria o la luz de la ciudad santa... (Ap. 21:24)».[7] La referencia a los «reyes» también implica a los líderes asociados con las naciones.

Estas naciones y reyes «traen su gloria» a la nueva Jerusalén. Esta «gloria» se refiere a las contribuciones culturales. Las naciones de fuera de la ciudad aportan lo mejor de su cultura a la ciudad, todo para gloria de Dios. Apocalipsis 22:2 también señala que las naciones vivirán en armonía unas con otras. Las hojas del árbol de la vida serán «la sanidad de las naciones». La armonía entre las naciones será la norma en la tierra nueva.

Esto refuta la idea del modelo de la visión espiritual de que la eternidad se refiere únicamente a la contemplación estática de Dios por parte del individuo. Las naciones, los reyes y la cultura revelan interacciones entre los pueblos de Dios. La eternidad no se trata de un grupo genérico sin distinciones de ningún tipo tomados de la mano en las nubes. Se trata de naciones y pueblos sirviendo y trabajando para Dios en una tierra nueva restaurada.

Conclusión

Los textos mencionados anteriormente son sólo algunos que revelan la importancia de la tierra, el territorio, Israel, las naciones, la sociedad, la cultura y muchas otras cosas tangibles tanto ahora como en el futuro. La cosmovisión cristiana da cuenta adecuadamente de estos asuntos. El lugar del hombre en los planes de Dios es multidimensional y abarca toda la creación divina.

[7] J. Richard Middleton, «A New Earth Perspective», en *Four Views on Heaven*, 87.

10

EL MODELO DE LA VISIÓN ESPIRITUAL EXPLICADO CON MAYOR DETALLE

«Muchos de nosotros hemos aceptado inconscientemente una visión del mundo que invierte la dirección de la salvación. Pensamos que la salvación significa subir al cielo en lugar de que el cielo venga a la tierra, como enseña la Biblia. Nos han enseñado que Jesús ascendió al cielo para que nuestros espíritus pudieran unirse allí eternamente —en lugar de lo que dice la Biblia: Jesús vendrá a la tierra para redimir a toda la creación, incluidos nuestros propios cuerpos físicos. En un grado sorprendente, los cristianos contemporáneos son gnósticos modernos».

-Howard Snyder[1]

A continuación, centraremos nuestra atención en el modelo de la visión espiritual. El modelo de la visión espiritual es un paradigma que se centra en las realidades espirituales e individuales excluyendo o restando importancia a los aspectos materiales, físicos, cósmicos, nacionales e internacionales. Existe un fuerte dualismo cósmico entre el espíritu y la materia. Las cosas espirituales se consideran buenas y mejores mientras que las entidades físico-materiales se perciben como malas o inferiores. Asimismo, la naturaleza de la vida eterna se percibe como

[1] Snyder, *Salvation Means Creation Healed,* 61.

predominantemente espiritual. La vida eterna es una existencia espiritual apartada de la tierra y de las interacciones sociales con un único enfoque en lo absoluto o Dios. Una existencia espiritual y/o el cielo es el nivel más alto de la realidad ontológica: el reino del espíritu en oposición a la materia. Como explica Blaising sobre este modelo, «éste es el destino de los salvos, que existirán en ese lugar no terrenal y espiritual como seres espirituales comprometidos eternamente en la actividad espiritual».[2]

El modelo de la visión espiritual también se centra en la salvación humana individual. Se presta poca o ninguna atención a entidades corporativas como Israel o las naciones gentiles. Y se presta poca atención a los acontecimientos proféticos futuros que implican el Día del Señor, un reino terrenal, la nueva tierra, Israel, las naciones y otros asuntos tangibles.

Las formas más fuertes del modelo de la visión espiritual existen con cosmovisiones y religiones no cristianas como el platonismo, el neoplatonismo, el gnosticismo, el hinduismo y el budismo. Dado que el cristianismo ortodoxo afirma la bondad de la creación de Dios y la resurrección del cuerpo, el cristianismo no puede ser una religión completa del modelo de la visión espiritual.

Dentro de la cristiandad, el modelo de la visión espiritual ha estado más presente en la tradición católica romana, sobre todo en la edad media. También existe en la Iglesia Ortodoxa Oriental y en las principales denominaciones protestantes liberales. Las tradiciones teológicas evangélicas se ajustan menos a este modelo, pero aun así contienen a menudo elementos del modelo de la visión espiritual.

Aunque muchos elementos se asocian con un enfoque de visión espiritual en el cristianismo, los siguientes son partes clave de este modelo:

1. La Tierra y las cosas físicas son una forma menor de realidad.
2. La salvación sólo tiene que ver con el perdón de los pecados.
3. El papel de Jesús es sólo el de Salvador del pecado, no el de Rey reinante sobre la tierra y toda la creación.
4. El reino de Dios es la salvación o vivir en el cielo.
5. Las distinciones sociales, culturales, étnicas y nacionales son eliminadas.
6. Esta tierra actual será aniquilada.
7. El cielo, no la tierra, es el destino final del hombre.
8. El cielo eterno sólo implica la contemplación mental de Dios.

---

[2] Blaising, «Premilenialism», en *Three Views on the Millennium and Beyond*, 161.

Blaising señala que el modelo de la visión espiritual está vinculado con ciertos temas bíblicos:

1. La promesa de que los creyentes verán a Dios
2. La promesa de que los creyentes recibirán pleno conocimiento
3. La descripción del cielo como la morada de Dios
4. La descripción del cielo como el destino de los muertos creyentes antes de la resurrección[3]

Aunque ninguno de estos temas mencionados es inadecuado si se interpretan correctamente, a menudo se enfatizan o se enseñan de un modo que excluye otras realidades tangibles de las que habla la Biblia. Además de los elementos bíblicos que acabamos de mencionar, el Modelo de la visión espiritual también se basa en ideas culturales comunes a la tradición filosófica clásica:

1. Un contraste básico entre espíritu y materia
2. Una identificación del espíritu con la mente o el intelecto
3. Una creencia de que la perfección eterna conlleva la ausencia de cambio[4]

El modelo de la visión espiritual presenta un fuerte dualismo entre el espíritu y la materia, siendo el espíritu lo más importante: «un elemento central de los tres es la noción de la tradición clásica de una jerarquía ontológica en la que el espíritu se sitúa en la cima de un orden descendente del ser. La materia elemental ocupa el lugar más bajo».[5] El cielo es un reino del espíritu en oposición a la materia y es un lugar no terrenal y espiritual para seres espirituales que sólo se dedican a la actividad espiritual. Este cielo también está libre de todo cambio. La vida eterna, por lo tanto, se ve principalmente como «cognitiva, meditativa o contemplativa».[6] Blaising señala que este pensamiento del modelo de la visión espiritual hizo que muchos cristianos vieran la vida eterna «como *la visión beatífica* de Dios: una contemplación ininterrumpida e inmutable de la realidad infinita de Dios».[7]

Otro resultado del enfoque de la visión espiritual se refiere a considerar el actual estado intermedio en el cielo como la meta y el

[3] Ibid.
[4] Ibid.
[5] Ibid.
[6] Ibídem, 162.
[7] Ibid.

destino final de los creyentes, en lugar de la tierra nueva. Poythress señala: «En muchos círculos, la gente esperaba principalmente la muerte y el estado intermedio en lugar de la segunda venida, la resurrección del cuerpo y los nuevos cielos y la nueva tierra, que son el foco principal de la esperanza del Nuevo Testamento».[8] Esto es significativo, ya que los cristianos suelen considerar el cielo intermedio como el destino final de una persona en lugar de una futura tierra nueva tangible.

En su libro, *Models of the Kingdom*, Howard A. Snyder señala que una visión puramente espiritual del reino, que él denomina «el modelo del reino como experiencia espiritual interior», «puede remontarse a la influencia de las ideas platonistas y neoplatonistas en el pensamiento cristiano...».[9] Este modelo «se inspira hasta cierto punto en las raíces filosóficas griegas».[10] Afirma que «se puede intuir el platonismo que subyace a este modelo».[11] Snyder afirma que este platonismo estaba vinculado a un desdén por las cosas materiales:

> Históricamente, este modelo se ha visto a menudo contaminado por una especie de desdén platónico hacia las cosas materiales, quizá viendo el cuerpo o la materia como algo malo o, al menos, imperfecto e imperfectible. Por tanto, es dualista y considera el mundo espiritual «superior» como esencialmente separado del mundo material.[12]

Históricamente, el modelo de la visión espiritual está vinculado a métodos alegóricos y espirituales de interpretación de la Biblia. Blaising señala que este modelo «estaba íntimamente relacionado con prácticas de "interpretación espiritual" que se reconocían abiertamente como contrarias al significado literal de las palabras que se interpretaban».[13] Esto tuvo un gran impacto en la forma en que la gente veía lo que Dios está haciendo: «la práctica a largo plazo de leer las Escrituras de este modo condicionó tanto la mente cristiana que, a finales de la edad media, el modelo de la visión espiritual se había convertido en un hecho aceptado de la cosmovisión cristiana».[14]

---

[8] Vern Poythress, «Currents within Amillennialism» 21.
[9] Howard A. Snyder, *Models of the Kingdom* (Eugene, OR: Wipf and Stock, 1991), 42.
[10] Ibídem, 52.
[11] Ibíd.
[12] Ibídem, 54.
[13] Blaising, 165.
[14] Ibid.

Cristoplatonismo

Las ideas del modelo de la visión espiritual en la Iglesia están relacionadas con la filosofía griega, en particular con las ideas procedentes de Platón. Randy Alcorn abordó el impacto de la filosofía griega en el cristianismo en su libro *El cielo.* Aunque no utiliza el concepto de «modelo de la nueva creación», el libro de Alcorn es un sólido alegato a favor de un nuevo enfoque creacionista frente al paradigma de la visión espiritual. Alcorn afirma que la vida eterna implica una tierra restaurada, naciones, cultura, sociedad y un sinfín de otras cuestiones asociadas a un modelo de nueva creación. Y se opone a la espiritualización de las realidades materiales.

Alcorn señala la importancia del filósofo Platón (c. 429-347 a.C.) y cómo las ideas de Platón se fusionaron con las del cristianismo. Llama a esta fusión *cristoplatonismo*, que «ha mezclado elementos del platonismo con el cristianismo».[15] Pero esta unión del platonismo con el cristianismo «ha envenenado al cristianismo y ha enturbiado sus diferencias particulares con las religiones orientales».[16]

Las religiones orientales han presentado las experiencias físicas en la tierra como maya o «ilusión». Así, la búsqueda del hombre de la realidad última implica escapar de la ilusión del mundo físico para fundirse con un absoluto trascendente e impersonal como Brahman. Esta forma de pensar será similar a la de muchos cristianos que creen que el cielo consiste en huir de la tierra para vivir en un cielo espiritual para siempre.

Según Alcorn, la influencia omnipresente del cristoplatonismo hace que muchos cristianos se resistan a las siguientes verdades bíblicas cuando se trata de la eternidad: la vida en la tierra nueva; comer y beber; caminar y hablar; vivir en moradas; viajar por las calles; atravesar puertas de un lugar a otro; gobernar; trabajar; jugar; y participar en la cultura terrenal.[17] Como resultado, el cristoplatonismo ha tenido «un efecto devastador en nuestra capacidad para comprender lo que dicen las Escrituras sobre el cielo, en particular sobre el cielo eterno, la tierra nueva».[18] Alcorn cita una estadística de *Time* que muestra que dos tercios de los estadounidenses que creen en la vida después de la muerte no creen que tendrán cuerpos resucitados.[19] Las ideas predominantes del

---

[15] Alcorn, *Heaven*, 475.
[16] Ibid.
[17] Ibídem, 476.
[18] Ibídem, 52.
[19] Ibídem, 112.

platonismo impuestas a la escatología roban a los cristianos su esperanza: «El corazón humano clama por respuestas sobre la vida después de la muerte», pero las respuestas no aparecen.[20]

Alcorn señala que la esperanza forma parte del cristianismo, pero una esperanza cristoplatonista no es una esperanza bíblica. Los humanos no fueron creados para anhelar una existencia puramente espiritual: «intentar desarrollar un apetito por una existencia incorpórea en un cielo no físico es como intentar desarrollar un apetito por la grava. Por muy sinceros que seamos y por mucho que lo intentemos, no va a funcionar. Ni debería».[21] Alcorn está en lo cierto ya que Dios *no creó a los seres humanos para desear cosas contrarias a su naturaleza.* Los seres humanos fueron creados con un cuerpo físico para habitar en una tierra física. Dios no hace a los humanos con un cuerpo en la tierra y luego espera que anhelen una existencia sin cuerpo en un reino puramente espiritual. Si un verdadero cristiano lucha con el anhelo de eternidad, puede deberse a que se ha creído más la versión de Platón de la vida eterna que la descripción de la Biblia.

Alcorn afirma que los malentendidos sobre la naturaleza del cielo tienen raíces malignas. «Satanás no necesita convencernos de que el cielo no existe. Sólo necesita convencernos de que el cielo es un lugar de existencia indeseable y sobrenatural. Si creemos esa mentira, nos robará la alegría y la ilusión».[22] Investigó más de 150 libros sobre el Cielo, tanto antiguos como nuevos. Pero surgió un tema común: «una cosa que he descubierto es que los libros sobre el cielo tienen fama de decir que no podemos saber cómo es el cielo, pero que será más maravilloso de lo que podemos imaginar», afirma.[23] «Sin embargo, en el momento en que decimos que no podemos imaginar el Cielo, echamos un jarro de agua fría sobre todo lo que Dios nos ha revelado sobre nuestro hogar eterno. Si no podemos imaginarlo, no podemos esperarlo. Si el cielo es inimaginable, ¿por qué querríamos llegar a él en primer lugar?»[24]

Este «cristoplatonismo» que Alcorn explica y critica es consistente con el paradigma del modelo de la visión espiritual que estamos examinando.[25]

---

[20] Ibídem, xiii.
[21] Ibid., 7.
[22] Ibídem, 11.
[23] Ibid., 17.
[24] Ibid.
[25] Para ser claros, Alcorn no está de acuerdo con el cristoplatonismo ni con el modelo de la visión espiritual.

El modelo de la visión espiritual, en resumen

El modelo de la visión espiritual se centra en las realidades espirituales e individuales con exclusión de las entidades materiales y corporativas. Ejemplos del pensamiento de visión espiritual pueden verse con lo siguiente:

- Las entidades espirituales tienen un valor superior y son más importantes que las cosas materiales.
- Los propósitos de Dios sólo implican la salvación de los individuos.
- El objetivo del hombre es escapar de la tierra y de las cosas físicas que son obstáculos para conocer y adorar a Dios.
- La tierra y las criaturas no humanas sólo tienen valor instrumental como telón de fondo de los planes de Dios para salvar a los humanos.
- Dios aniquilará la tierra actual y la sustituirá por un nuevo reino de existencia.
- El papel principal de Jesús es el de salvador de las personas del pecado y su reinado es la salvación humana.
- Las etnias y las naciones no existen en la eternidad.
- Israel es ahora sólo una comunidad espiritual.
- El reino mesiánico/milenario de Jesús es un reino espiritual.
- El descanso en la eternidad significa que no hay actividad.
- Todos los deseos humanos dejarán de existir excepto el deseo de Dios.
- La vida eterna sólo implica adoración directa a Dios, no interacciones sociales, culturales o políticas con la gente.
- Nuestras experiencias en la eternidad serán completamente diferentes a nuestras experiencias en la tierra ahora.
- En la eternidad, los creyentes lo sabrán todo sin necesidad de aprender cosas nuevas.
- Cantar y contemplar mentalmente a Dios es todo lo que la gente hará en la eternidad.
- No hay tiempo ni progresión lineal de los acontecimientos en la eternidad.
- No habrá comer ni beber en la eternidad.
- El pueblo de Dios no tendrá memoria de nada de su vida anterior en la tierra.

- No conoceremos ni tendremos relaciones con las personas que conocemos y amamos en esta era.

11

ISRAEL, EL SUPERSESIONISMO ESTRUCTURAL Y EL MODELO DE LA VISIÓN ESPIRITUAL

La discusión del modelo de la nueva creación debe abordar la controvertida cuestión de Israel. Desde Génesis 12 hasta el último versículo de Malaquías, el Israel corporativo y nacional es un factor importante en los planes de Dios. Malaquías 4 termina con la promesa de un próximo día del Señor que conducirá a la salvación y prosperidad de Israel en la tierra. No existe ningún indicio en el Antiguo Testamento de que la importancia del Israel nacional fuera a cambiar o a terminar.

Sin embargo, muchos cristianos creen que Israel sufrió una transformación con la llegada de Jesús y la era del Nuevo Testamento. Se produjo un cambio en la historia. Supuestamente, Israel pasó de ser una entidad corporativa nacional y territorial a una comunidad espiritual: la iglesia. Se produjo una redefinición de Israel con el resultado de que las promesas del Antiguo Testamento de una restauración del Israel nacional no se producirán. Debido a Jesús, el verdadero Israel, la iglesia en Jesús se convierte en un Israel espiritual que hereda las promesas hechas primero con el Israel nacional. El resultado es que el Israel nacional no verá el cumplimiento de los pactos y promesas hechos con ella en el Antiguo Testamento.

Este punto de vista suele denominarse teología del reemplazo, supersesionismo o, más recientemente, teología del cumplimiento.[1] El título no es tan importante como la idea que subyace tras él. Con él, Jesús es visto como el verdadero Israel y, por tanto, todos en Él, ya sean judíos o gentiles, pasan a formar parte de un Israel espiritualizado y redefinido. Sin embargo, hay una sustracción, puesto que el Israel nacional corporativo ya no es teológicamente significativo y no experimentará la restauración que se predijo para él en el Antiguo Testamento. Maldiciones y dispersión para Israel, ¡sí! Bendiciones y restauración para Israel, ¡no!

Esto nos lleva a la relación del supersesionismo con el modelo de la visión espiritual. Existen diversas formas de supersesionismo. En primer lugar, el supersesionismo punitivo afirma que Dios rechazó permanentemente a Israel y lo sustituyó por la iglesia. Esta forma de supersesionismo fue bastante común en la iglesia hasta los últimos cien años. En segundo lugar, está el supersesionismo económico, que afirma que fue el plan de Dios todo el tiempo pasar finalmente del Israel nacional a un Israel espiritual (la iglesia). La entidad nacional era un tipo inferior que supuestamente dio paso al antitipo superior: Jesús y la iglesia. Se trata de una forma más suave de teología de la sustitución o supersesionismo. En mi libro, *Has the Church Replaced Israel?* analizo en detalle estas dos formas de supersesionismo.[2]

El supersecesionismo estructural

Sin embargo, aquí nos centraremos en un tercer tipo de supersecesionismo: el «supersecesionismo estructural». Esta denominación fue acuñada por R. Kendall Soulen en su libro *The God of Israel and Christian Theology*.[3] Es más profundo que las otras dos formas de supersesionismo. El supersesionismo estructural contiene supuestos y presuposiciones sobre la capacidad (o no capacidad) del

[1] Ligon Duncan afirma: «La teología del pacto no es teología del reemplazo, es teología del cumplimiento. Hay promesa y cumplimiento. Las promesas de Dios a Israel se cumplen en que tanto los judíos como los gentiles forman parte del único pueblo de Dios en los propósitos de la redención de Dios». Ligon Duncan, «What Are Some Misconceptions about Covenant Theology», https://rts.edu/resources/what-are-some- misconceptions-about-covenant-theology/ 13 de octubre del 2020 (consultado el 5 de febrero del 2023).

[2] Michael J. Vlach, *Has the Church Replaced Israel?: A Theological Evaluation* (Nashville, TN: B&H Academic, 2010).

[3] R. Kendall Soulen, *The God of Israel and Christian Theology*, (Minneapolis, MN: Augsburg Fortress, 1996). Soulen también acuñó los títulos «supersesionismo punitivo» y «supersesionismo económico».

Antiguo Testamento para hablar de los temas que aborda. Según Soulen, «el supersesionismo estructural se refiere a la lógica narrativa del modelo estándar por la que hace que las Escrituras hebreas sean en gran medida inciertas para dar forma a las convicciones cristianas sobre cómo las obras de Dios como Consumador y como Redentor comprometen a la humanidad de forma universal e imperecedera».[4]

En pocas palabras, el supersesionismo estructural implica la suposición de que las Escrituras hebreas, en sus propios contextos, no contribuyen al argumento de la Biblia. Sus mensajes no deben interpretarse literalmente. En su lugar, el Nuevo Testamento sustituye al mensaje del Antiguo Testamento. Así pues, por sí solas, las Escrituras hebreas no tienen voz respecto a los propósitos de Dios.

El supersesionismo estructural implica creencias y suposiciones que no permiten que el Antiguo Testamento hable de las cuestiones que aborda, en particular en relación con Israel. Esto ocurre mediante conceptos como «reinterpretación», «redefinición», «transformación», «trascendencia» u otro lenguaje similar que supuestamente demuestra que las profecías del Antiguo Testamento sobre Israel no deben tomarse literalmente. Como observa Blaising, «La opción habitual... es ver al Israel del Tanak [i.e., las escrituras judías] *redefinido, espiritualizado o trascendentalizado como*, o a veces simplemente *sustituido por*, la iglesia del Nuevo Testamento».[5]

El argumento incompleto del supersesionismo estructural

Soulen señala que el supersesionismo estructural está vinculado al modelo narrativo canónico estándar que la iglesia ha aceptado desde el siglo II. Este modelo estándar gira en torno a cuatro episodios clave:

1. La intención de Dios de crear a los primeros padres
2. La caída
3. La encarnación de Cristo y la inauguración de la Iglesia
4. La consumación final[6]

Pocos cristianos, incluidos nosotros, discutirían la importancia de estas cuatro partes de la historia. Pero la gran brecha entre los puntos 2 y 3 (la caída y Cristo) es un problema. Supone un enorme salto sobre las

---

[4] Véase Ibídem, 181, n. 6.

[5] Craig Blaising, «Biblical Hermeneutics», en *The New Christian Zionism: Fresh Perspectives on Israel and the Land,* ed. Gerald R. McDermott (Downers Grove, IL: InterVarsity Press, 2016), 80. Énfasis en el original.

[6] Soulen, 31.

Escrituras hebreas desde la caída hasta Cristo. Así pues, el problema del supersesionismo va más allá de las afirmaciones explícitas de que la Iglesia ha sustituido o cumplido a Israel. Supone que el Antiguo Testamento no puede tener voz en los planes de Dios para Israel. Señala Soulen:

> El problema del supersesionismo en la teología cristiana va más allá de la enseñanza explícita de que la iglesia ha desplazado a Israel como pueblo de Dios en la economía de la salvación. A un nivel más profundo, el problema del supersesionismo coincide con la forma en que los cristianos han entendido tradicionalmente la unidad teológica y narrativa del canon cristiano en su conjunto.[7]

Se descuidan las Escrituras hebreas y el papel del Israel nacional. Soulen señala que este enfoque «¡desatiende por completo las Escrituras hebreas con la excepción de Génesis 1-3!»[8] Los propósitos de Dios como Consumador y Redentor «comprometen a la creación humana de una manera que sencillamente deja de lado la mayor parte de las Escrituras hebreas y, sobre todo, su testimonio de la historia de Dios con el pueblo de Israel».[9] ¿Cuál es el resultado de este salto sobre las Escrituras hebreas? La identidad de Dios como Dios de Israel y su historia con el pueblo judío «se vuelven en gran medida indecisas para la concepción cristiana de Dios».[10] Así, muchos cristianos han adoptado un marco que elimina a las Escrituras hebreas de tener voz en los propósitos de Dios. Blaising afirma que la «naturaleza estructural del supersesionismo» ha establecido «la profunda tradición establecida de excluir al Israel étnico y nacional de la interpretación teológica de las Escrituras».[11]

Gerald McDermott también cree que el supersesionismo estructural ha alterado el argumento de la Biblia. Tras observar que «el pueblo y la tierra de Israel son centrales en la historia de la Biblia», dice a continuación: «Pero Israel no ha sido un punto central en la forma tradicional de la Iglesia de contar la historia de la salvación. Típicamente, la historia se ha movido desde la creación y la caída hasta la muerte y resurrección de Cristo, con Israel como ilustración de

---

[7] Ibídem, 33.
[8] Ibídem, 31.
[9] Ibídem, 32.
[10] Ibídem, 33.
[11] Blaising, «The Future of Israel as a Theological Question», 442.

caminos falsos».[12] Esto contrasta con la mejor opinión de que «el pueblo de Israel y su tierra siguen teniendo un significado teológico».[13]

La prioridad del Nuevo Testamento y el supersesionismo estructural

El supersesionismo estructural está estrechamente vinculado con el concepto de prioridad del Nuevo Testamento sobre el Antiguo Testamento. La prioridad del Nuevo Testamento implica la creencia de que el Antiguo Testamento sólo puede entenderse mediante interpretaciones o reinterpretaciones del Nuevo Testamento. Así, el Antiguo debe interpretarse a través de la rejilla del Nuevo. Por ejemplo, en relación con las profecías del Antiguo Testamento sobre un futuro reino terrenal, Robert Strimple afirma: «[L]a pregunta crucial que el cristiano debe hacerse, por supuesto, es la siguiente: ¿Cómo nos enseña el Nuevo Testamento a interpretar esos pasajes?»[14] Richard Gaffin afirma que, «... la prioridad hermenéutica corresponde a las afirmaciones del Nuevo Testamento, especialmente las generalizaciones globales, sobre el Antiguo».[15] De forma similar, Merkle afirma: «Mejor aún, debemos aprender de la forma en que los propios escritores del Nuevo Testamento interpretaron el Antiguo Testamento. Cuando lo hagamos, veremos que las profecías del Antiguo Testamento relativas a la nación de Israel se cumplen en Cristo y en el Evangelio».[16] Estas citas son coherentes con la idea de la primacía del Nuevo Testamento.

Ejemplos de supersesionismo estructural

Louis Berkhof ofrece un ejemplo de supersesionismo estructural cuando comenta las profecías de restauración del Antiguo Testamento sobre Israel:

> No obstante, es muy cuestionable que las Escrituras justifiquen la expectativa de que Israel será finalmente restablecido como nación,

---

[12] Gerald R. McDermott, «Introduction», en *The New Christian Zionism: Fresh Perspectives on Israel & the Land*, ed. Gerald R. McDermott. (Downers Grove, IL: InterVarsity Press, 2016), 11-12.

[13] Ibid.

[14] Robert B. Strimple, «Amillennialism», en *Three Views on the Millennium and Beyond*, ed., Darrell L. Bock (Grand Rapids: Zondervan, 1999), 84.

[15] Richard B. Gaffin, Jr., «The Redemptive-Historical View», en *Biblical Hermeneutics: Five Views*, eds. Stanley E. Porter y Beth M. Stovell (Downers Grove, IL: IVP Academic, 2012), 98.

[16] Benjamin L. Merkle, «Old Testament Restoration Prophecies Regarding the Nation of Israel: Literal or Symbolic?», *The Southern Baptist Journal of Theology* 14.1 (2010): 21.

y que como tal se volverá al Señor. Algunas profecías del Antiguo Testamento parecen predecirlo, pero éstas deben leerse a la luz del Nuevo Testamento.[17]

Berkhof admite que las profecías del Antiguo Testamento por sí solas «parecen predecir» el restablecimiento y la salvación de Israel como nación. Pero en lugar de aceptar este testimonio, apela al Nuevo Testamento en busca de un significado diferente. Dice que «estas [profecías del Antiguo Testamento] deben interpretarse a la luz del Nuevo Testamento». Así pues, para Berkhof, los pasajes proféticos del Antiguo Testamento no deben entenderse por sí solos. Hay que buscar en el Nuevo Testamento el verdadero significado. Este es un ejemplo de supersesionismo estructural. El Antiguo Testamento afirma algo, pero la presuposición es no aceptar lo que dice. Se apela al Nuevo Testamento para obtener un significado diferente. Los textos del Antiguo Testamento no tienen voz por sí mismos.

El supersesionismo estructural se produce con la respuesta de Bruce Waltke a Bruce Ware en el libro *Dispensationalism, Israel and the Church: The Search for Definition.* Waltke criticó el artículo de Ware, «The New Covenant and the People(s) of God». ¿Por qué? Ware comenzó su discusión sobre el nuevo pacto con Jeremías 31:31-34, el primer texto bíblico que lo menciona explícitamente. Ware también discutió los textos del nuevo pacto en el Nuevo Testamento. Pero según Waltke esto no era suficiente. Waltke dijo: «Ware se burla de la cuestión al comenzar con el Antiguo y utiliza el libro de Hebreos de forma selectiva para fundamentar su interpretación».[18] Waltke criticó a Ware por comenzar su discusión sobre el Nuevo Pacto con el primer pasaje que se refiere explícitamente al «nuevo pacto». Pero para Waltke, Ware debería haber empezado en el Nuevo Testamento, no en Jeremías 31:31-34. Sin embargo, al criticar a Ware, Waltke adoptó un enfoque supersesionista estructural contra Jeremías 31:31-34 al no permitir que este pasaje contribuyera a una comprensión del nuevo pacto en su propio contexto.

---

[17] Louis Berkhof, *Systematic Theology* (Grand Rapids: Eerdmans, 1941; reimpresión de 1991), 699.

[18] Bruce K. Waltke, «A Response», en *Dispensationalism, Israel and the Church: The Search for Definition*, eds. Craig A. Blaising y Darrell L. Bock (Grand Rapids: Zondervan, 1992), 351. Para el artículo de Ware, véase Bruce A. Ware, «The New Covenant and the People(s) of God», en *Dispensationalism, Israel and the Church*, 68-97.

El supersesionismo estructural aplicado al Nuevo Testamento

El supersesionismo estructural suele silenciar la voz del Antiguo Testamento en su propio contexto, en particular los textos proféticos sobre Israel. Pero el supersesionismo estructural no se limita al Antiguo Testamento. *Puede aplicarse incluso a los textos del Nuevo Testamento.* A veces se resta importancia a los pasajes del Nuevo Testamento o no se toman al pie de la letra porque se parecen demasiado al Antiguo Testamento. Robert Strimple, por ejemplo, hace esto con Lucas 1. Los cánticos de María (Lc. 1:46-55) y Zacarías (Lc. 1:67-79) contienen algunos elementos israelitas. María habla de la misericordia de Dios hacia Israel a causa del pacto abrahámico (Lc. 1:46-55). En Lucas 1:70-74, Zacarías, inspirado por el Espíritu, apeló al pacto abrahámico en relación con la liberación nacional de Israel, incluida la liberación de los enemigos:

> «Como habló por boca de sus santos profetas desde antiguo: Salvación de nuestros enemigos, y de la mano de todos los que nos aborrecen; para mostrar misericordia hacia nuestros padres, y recordar su santo pacto, El juramento que hizo a Abraham nuestro padre, Para concedernos que, rescatados de la mano de nuestros enemigos, le sirvamos sin temor».

Pero Strimple piensa que las palabras de María y Zacarías en Lucas 1 «suenan como pasajes de los Salmos o de alguno de los profetas del Antiguo Testamento»,[19] como si eso fuera erróneo. En lugar de aceptar sus mensajes al pie de la letra, Strimple dice que María y Zacarías hablaron como santos del antiguo pacto, pero no como Pablo, ni siquiera como Juan el Bautista:

> María y Zacarías hablan como lo hacen aquí porque son santos del antiguo pacto, y éste es el lenguaje inspirado por el Espíritu de su piedad del antiguo pacto. Son como los profetas anteriores a Juan el Bautista, y no esperaríamos que hablaran en el lenguaje del apóstol Pablo. Aunque existen, por supuesto, similitudes en la imaginería de los apóstoles posteriores, hay un inconfundible tinte vetero-testamentario en los cánticos de Lucas.[20]

---

[19] Strimple, 95.
[20] Ibid.

El supersesionismo estructural es aquí evidente. Strimple dice que María y Zacarías hablaban como santos del Antiguo Testamento y que debemos observar el «tinte veterotestamentario» de sus palabras. ¿Tinte del Antiguo Testamento? Esto revela cómo Strimple visualiza el Antiguo Testamento y a estas personas del Nuevo Testamento que se basan en el Antiguo Testamento. No quiere que interpretemos literalmente lo que afirmaron María y Zacarías porque suenan demasiado al Antiguo Testamento.[21] Esto es supersesionismo estructural aplicado al Antiguo Testamento y, en el caso de María y Zacarías, también al Nuevo Testamento.

Sin embargo, una perspectiva del modelo de la nueva creación afirma que se debe permitir que hablen todos los pasajes bíblicos, incluidos los del Antiguo Testamento. También cree que Israel y las promesas a Israel son partes importantes de los propósitos de Dios. Por otro lado, el supersesionismo estructural contribuye a una comprensión del modelo de la visión espiritual. Elimina la voz del Antiguo Testamento, e incluso del Nuevo Testamento en ocasiones, cuando comentan sobre Israel. Y elimina el lugar de Israel y de la tierra de Israel en la gran narrativa.

Darrell Bock señala acertadamente: «el programa holístico del reino de Dios significa que Israel no puede perderse en la narración de la historia de Cristo».[22] Perder a Israel significa perder una parte importante de los propósitos de Dios. Dado que el modelo de la nueva creación afirma la voz del Antiguo Testamento y la importancia de Israel, no se puede ser un partidario coherente de este modelo y, al mismo tiempo, abrazar el supersesionismo estructural.

---

[21] Strimple afirma que Hechos 2, 13 y 15 mostrarán una comprensión diferente de la que comunicaron María y Zacarías. Las pruebas que Strimple aporta para ello son mínimas. Además, hay pasajes en Hechos que parecen apoyar una comprensión literal de lo que María y Zacarías entendían sobre Israel (véase Hechos 1:6, 3:19-21).

[22] Darrell Bock, «A Progressive Dispensational Response», en *Covenantal and Dispensational Theologies: Four Views on the Continuity of Scripture*, eds. Brent E. Parker y Richard J. Lucas (Downers Grove, IL: IVP Academic), 222.

12

LOS MODELOS: UNO AL LADO DEL OTRO

Este capítulo presenta las creencias clave de los modelos de la nueva creación y de la visión espiritual en un formato breve, uno al lado del otro, para que el lector pueda ver las ideas principales de los modelos. Los puntos de este capítulo se refieren a los modelos dentro del contexto del cristianismo. No abordan los modelos en relación con filosofías y religiones no cristianas que presentarían formas aún más fuertes del modelo de la visión espiritual. Observe que se hace referencia al modelo de la nueva creación como «MNC» y al modelo de la visión espiritual como «MVE».

Realidad/creación

MVE: Las realidades espirituales y materiales son creadas por Dios, pero las entidades espirituales son de mayor valor que las materiales, y deben estar por encima de las materiales (dualismo cósmico).

MNC: Tanto las realidades espirituales, como las materiales, son creadas por Dios, y ambas son partes esenciales de los «muy buenos» propósitos de la creación de Dios; no existe dualismo cósmico.

Alcance de los propósitos de Dios

MVE: Los propósitos de Dios conciernen principalmente a la salvación: salvar al hombre de su pecado.

MNC: Los propósitos de Dios involucran la salvación del hombre de su pecado y la restauración de todos los aspectos de la creación.

El propósito último de Dios

MVE: El propósito último de Dios es la salvación de algunos seres humanos individuales para que puedan adorarle y disfrutar de Él para siempre en el cielo.

MNC: El propósito último de Dios es establecer un reino de Dios multiétnico, plurinacional y justo en la tierra, en su presencia, que dure para siempre.

La relación del hombre con la tierra

MVE: El objetivo del hombre es escapar de la tierra y de las cosas físicas que son obstáculos para conocer y adorar a Dios.

MNC: El hombre y la tierra están inseparablemente unidos desde la creación hasta la nueva creación; el hombre ha sido creado para vivir y gobernar la tierra como mediador de Dios.

Valor de la creación no-humana

MVE: Los animales y la creación inanimada tienen un valor instrumental como telón de fondo de los planes de Dios para salvar a los humanos; una vez perfeccionado el hombre no tienen existencia en la eternidad.

MNC: Los animales y la creación inanimada tienen un valor inherente para Dios, no sólo un valor instrumental; serán restaurados y existirán durante toda la eternidad.

El destino de la tierra

MVE: Dios aniquilará la tierra actual y la sustituirá por una totalmente nueva. O Dios aniquilará la tierra actual y no la reemplazará.
MNC: Dios está trabajando para traer la restauración y renovación de la tierra actual y de toda la creación.

El propósito del día del fuego del Señor

MVE: El propósito del fuego del día del Señor es aniquilar la tierra actual.
MNC: El propósito del fuego del día del Señor es purgar y refinar la tierra actual.

Extensión de la salvación

MVE: La salvación de Jesús se extiende principalmente a los individuos para que puedan estar en una relación correcta con Dios.

MNC: La salvación de Jesús se extiende a los individuos, Israel, las naciones y la creación. La salvación de Jesús invierte la naturaleza multidimensional del pecado mediante: (1) sanando la enemistad entre el hombre y Dios; (2) trayendo amor y sanidad a las relaciones humanas; (3) trayendo una conciencia limpia y sanidad interior a la persona individual; (4) eliminando la maldición y trayendo armonía entre el hombre y la creación.

El papel de Jesús

MVE: El papel principal de Jesús es el de salvador del pecado.

MNC: El papel de Jesús implica ser: (1) Salvador del pecado; (2) Gobernante de las naciones geopolíticas; y (3) Restaurador de toda la creación.

Los propósitos de Dios para las etnias y naciones

MVE: Dios salva a las personas que proceden de etnias y naciones al convertirse en una comunidad espiritual que trasciende la etnia o la nación.

MNC: Dios salva a personas de todos los grupos étnicos y naciones por igual y de la misma manera, y las identidades étnicas y nacionales continúan en la eternidad; el pueblo de Dios evidencia la unidad salvífica y la diversidad étnica/nacional.

Importancia del Israel corporativo y nacional

MVE: El Israel nacional corporativo es un tipo de Jesús y la iglesia que pierde importancia teológica una vez que llegan Jesús y la iglesia; Israel pasa de ser una entidad nacional a una comunidad espiritual de todos los creyentes en Jesús, independientemente de su origen étnico.

MNC: El Israel corporativo y nacional es elegido y objeto de los pactos eternos de la promesa de Dios, por lo que el Israel corporativo y nacional sigue siendo significativo en los propósitos de Dios ahora y en la eternidad.

El reino mesiánico/milenario de Jesús

MVE: El reino mesiánico/milenial de Jesús es un reino espiritual en esta era sobre los individuos salvados.

MNC: El reino mesiánico/milenial de Jesús tiene lugar en la tierra con cualificaciones espirituales (nacer de nuevo) y características como la rectitud, la justicia y la equidad; implica a individuos salvados, naciones y la transformación de toda la creación.

Naturaleza del estado eterno

MVE: El estado eterno es principalmente una existencia espiritual en el cielo aparte de la tierra donde los santos se centran únicamente en Dios.

MNC: El estado eterno tiene lugar en una tierra restaurada donde los creyentes en cuerpos resucitados viven, adoran a Dios e interactúan social y culturalmente con otros creyentes.

Descanso y actividad en la eternidad

MVE: El descanso en la eternidad significa no tener actividad y sólo contemplación mental y adoración a Dios.

MNC: En la eternidad habrá descanso de las experiencias negativas de un mundo caído, pero el pueblo o pueblos de Dios estarán activos con sus dones y talentos; las naciones y sus reyes llevarán su trabajo a la nueva Jerusalén.

Los deseos humanos en la eternidad

MVE: Todos los deseos humanos cesarán excepto el deseo de estar en la presencia de Dios y adorarle.

MNC: Los deseos humanos sanos existirán; esto incluye el deseo de relacionarse con Dios y con los seres humanos. Los deseos de comer, aprender y trabajar seguirán existiendo. Todos los deseos negativos o egoístas estarán ausentes.

Interacciones sociales, políticas y culturales en la eternidad

MVE: La vida eterna sólo incluye la adoración directa a Dios; no habrá interacciones sociales, culturales o políticas, ya que éstas restarían valor a la adoración a Dios.

MNC: La vida eterna incluye interacciones sociales, políticas y culturales entre el pueblo de Dios.

Unidad-diversidad entre el pueblo de dios en la eternidad

MVE: La salvación significa unidad en el único pueblo de Dios, la iglesia, que es una entidad transétnica y transnacional de todos los creyentes de todas las edades.

MNC: En cuanto a la salvación, hay un solo pueblo de Dios (unidad), pero como la salvación se extiende a varias etnias y naciones, también hay «pueblos de Dios» (diversidad).

Conexión de las experiencias presentes y futuras

MVE: Las experiencias del estado eterno son radicalmente diferentes de las experiencias que tenemos en esta época.

MNC: Las experiencias del estado eterno son comparables a nuestras experiencias actuales en esta era (excepto el matrimonio), pero sin los efectos negativos del pecado, la maldición, la decadencia y la muerte; esto incluye vivir, respirar, caminar, hablar, habitar casas, música, arte, tecnología, etc.

Conocimiento y aprendizaje en la eternidad

MVE: El conocimiento es completo en la eternidad; no hay necesidad de aprender cosas nuevas.

MNC: En la eternidad, el pueblo de Dios crece en conocimiento y aprende más sobre Dios, sus caminos y el universo.

TERCERA PARTE

LOS MODELOS EN LA HISTORIA

13

RAÍCES HISTÓRICAS DEL MODELO DE LA VISIÓN ESPIRITUAL

¿Cómo es que tantas personas adoptaron una visión excesivamente espiritualizada de los propósitos de Dios? Para comprender el modelo de la visión espiritual y su impacto en el cristianismo en la historia, es necesario examinar tres áreas: (1) las influencias no cristianas — religiones orientales, platonismo y neoplatonismo; (2) el gnosticismo y Marción; y (3) Agustín. La primera explica las raíces no cristianas de la visión espiritual del mundo. La segunda explica cómo las ideas de la visión espiritual se infiltraron en el cristianismo. La tercera destaca la importante influencia de la visión espiritual de Agustín en el cristianismo tradicional. Este capítulo se centrará en los dos primeros, mientras que el próximo capítulo se ocupará de la influencia de Agustín.

Raíces no cristianas del modelo de la visión espiritual

Religiones orientales

Las religiones orientales del hinduismo y el budismo presentan un enfoque de la realidad basado en la visión espiritual fuerte y no diluido. La antigua religión del hinduismo lo ha hecho durante miles de años. También lo ha hecho el budismo, una rama del hinduismo del siglo VI a.C. Un dualismo espíritu-materia está en el corazón de estas religiones orientales.

Las religiones orientales ven el mundo material como *maya*, que significa «ilusión». La *Enciclopedia Británica* explica cómo *maya* niega la realidad del mundo fenoménico o físico:

> Maya se refería originalmente el poder mágico con el que un dios puede hacer creer a los seres humanos en lo que resulta ser una ilusión. Por extensión, más tarde pasó a significar la poderosa fuerza que crea la ilusión cósmica de que el mundo fenoménico es real.[1]

En el hinduismo y el budismo, el problema central de las personas son las confusiones con la ilusión del mundo material. Los anhelos y deseos vinculados al cuerpo y al mundo atrapan a las personas en un ciclo de renacimientos (*samsara*). La forma de escapar de este ciclo es que el alma o el yo real (*atman*) se una con la realidad impersonal última: Brahman.

En el hinduismo y el budismo, el objetivo último es la huida espiritual del reino fenoménico/físico a una existencia espiritual impersonal. Esto se conoce como *nirvana*, que es el estado más elevado que una persona puede alcanzar. Esta huida al *nirvana* está relacionada a *moksha*, que significa «liberación» o «libertad». *Moksha* se produce cuando el yo real se libera de la ilusión y la confusión del mundo físico y se funde con el absoluto eterno. Algunos comparan a *moksha* con una gota de agua que se encuentra con el océano. La propia persona se disuelve en una realidad impersonal infinita. Horton se refiere a esta idea como «monismo ontológico» y afirma que «destruye la existencia personal».[2]

Las principales religiones orientales afirman que la persona debe iluminarse y huir de las ilusiones del universo tangible para unirse a una existencia impersonal, no física. Esta perspectiva es la forma más fuerte del modelo de la visión espiritual.

Platón y platonismo

La influencia más significativa del modelo de la visión espiritual en el cristianismo provino del filósofo griego Platón (c. 429-347 a.C.). Sus ideas influyeron enormemente en la civilización occidental y en la

---

[1] Véase Matt Stefon, «Maya», https://www.britannica.com/topic/maya-Indian-philosophy (consultado el 10 de septiembre de 2019).

[2] Michael Horton, *The Christian Faith: A Systematic Theology for Pilgrims On the Way* (Grand Rapids: Zondervan, 2011), 907.

iglesia cristiana. Middleton señala: «La idea de un reino trascendente no terrenal como meta de la salvación se remonta a las innovadoras enseñanzas de Platón a finales del siglo V y principios del IV».[3]

Hubo dos creencias clave de Platón que influyeron en la iglesia cristiana hacia una perspectiva de visión espiritual: (1) un fuerte dualismo cósmico entre los reinos material e inmaterial, valorándose más este último; y (2) un dualismo antropológico entre el cuerpo y el alma.

Dualismo cósmico

En primer lugar, Platón creía que existe un dualismo entre los reinos material e inmaterial.[4] Existe el reino terrenal-material en el que las personas viven y actúan. Pero las experiencias en la tierra no son todo lo que hay. También existe un reino trascendente e intemporal de «ideas» o «formas».

Con su «teoría de las formas», Platón afirmaba que la realidad última no se encuentra en los objetos y conceptos terrestres. En su lugar, la verdadera realidad existe con formas o ideas que trascienden nuestro mundo físico y existen en otra dimensión. Estas formas funcionan como plantillas universales perfectas para todas las cosas del mundo. Por ejemplo, todos los caballos de la tierra son réplicas imperfectas del «caballo» o «caballería» universal perfecta que existe en otro reino. A continuación, existe un reino material sensorial que cambia. Ésta es una forma menor de realidad.[5] El objetivo de la persona es escapar del reino físico transitorio a la forma no física superior de la realidad.[6] Las ideas de Platón condujeron a la creencia de que las personas se convierten en estrellas en el reino astral después de la muerte.[7]

---

[3] Middleton, *A New Heaven and a New Earth*, 31.
[4] Diógenes Allen pide equilibrio en este punto: «El punto de vista de Platón no es en absoluto el de Génesis, pero no es el rechazo total del mundo de los gnósticos y maniqueos. No debemos confundir la actitud de Platón ante el universo físico, por mucho que insista en la necesidad de trascenderlo y trascender el cuerpo, con puntos de vista que lo rechazan totalmente, como hacen tan a menudo los escritores cristianos superficiales». Diógenes Allen, *Philosophy for Understanding Theology* (Atlanta: John Knox, 1985), 9.
[5] Middleton, 31.
[6] Ibid.
[7] Ibídem, 32.

Dualismo antropológico

Antes de Platón, los griegos consideraban trágica la existencia después de la muerte. La vida en el presente, en la tierra, se percibía como la más real y donde se encontraban la gloria y el honor. La muerte, sin embargo, conduce a una existencia menor y sombría en el Hades. En la *Odisea* de Homero, Aquiles el asesinado declaró desde el inframundo: «Prefiero servir como jornalero a un siervo, a un hombre sin tierra que no tiene gran sustento, que gobernar a todos los muertos perecidos».[8]

Aquí es donde Platón adquirió relevancia, sobre todo en lo referente a la gran importancia del alma. Platón estaba «influido por los mitos órficos sobre la preexistencia del alma entre las estrellas y su posterior sepultura en la tierra».[9] También sostenía que la persona humana estaba compuesta de dos partes: un alma inmortal, que era el verdadero yo, y un cuerpo cambiante y corruptible.[10] Ésta era una visión negativa del cuerpo físico. Para Platón, el cuerpo humano es como una prisión y una tumba para el alma.[11] La afirmación de Platón «*Soma sema*», que significa «un cuerpo, una tumba», ejemplifica esta idea. Esto revela un fuerte dualismo antropológico. El alma inmaterial es buena, pero está atrapada en el cuerpo inferior. El objetivo es liberar el alma del cuerpo para que pueda vivir en el reino de las realidades espirituales e inmateriales.

En el relato de Platón sobre el juicio de Sócrates, el gran filósofo, Sócrates, se negó a escapar de una sentencia de muerte. ¿Por qué? El verdadero filósofo debe buscar la liberación del alma del cuerpo. Para Sócrates (y Platón) la muerte física era buena ya que el alma podía liberarse del cuerpo.

Gary Habermas observa que el concepto de las formas de Platón, junto con su cosmología y sus puntos de vista sobre la inmortalidad del alma, «tiene probablemente la mayor influencia en la filosofía de la religión».[12] Las ideas de Platón influirían en otros. Según Middleton, lo que Platón legó a épocas posteriores «implicaba la asunción radicalmente nueva de un alma inmortal e inmaterial y la aspiración a

---

[8] Véase Caroline Alexander, «How the Greeks Changed the Idea of the Afterlife», https://www.national- geographic.com/magazine/2016/07/greek-gods-ancient-greece-afterlife/. Consultado el 9/4/2019.

[9] Middleton, 31.

[10] Ibid.

[11] Véase, «Phaedo», en *Classics of Western Philosophy,* ed. Steven M. Cahn (Indianápolis, IN: Hackett Publishing, 2002), 49-81. Fedón 65-68; 91-94.

[12] Gary R. Habermas, «Plato, Platonism», *Evangelical Dictionary of Theology*, ed., Walter A. Elwell (Grand Rapids: Baker, 1984), 859.

trascender este mundo presente de materia, sensación y cambio para alcanzar una realidad superior y divina».[13] Esto incluía la purificación de la persona interior de la contaminación que proviene del contacto con el cuerpo. Estas ideas influyeron en la forma en que muchos verían la existencia después de la muerte. Poythress señala que:

> la influencia del platonismo y la concentración de algunas personas en la esperanza del estado intermedio ha fomentado un pensamiento sobre el futuro que, por lo demás, es unilateral. Al volver la mente hacia nuestras esperanzas en el futuro, podemos imaginarnos una especie de existencia etérea, de almas vaporosas tocando el arpa sobre las nubes.[14]

Las ideas de Platón influyeron en teólogos cristianos como Clemente, Orígenes y Agustín. El impacto de Platón en Agustín será especialmente significativo, ya que éste influirá tanto en las teologías católicas romanas como en las protestantes en la dirección del modelo de la visión espiritual.

Filón

La filosofía de Platón se trasladó al judaísmo en los escritos del judío Filón de Alejandría (20 a.C. —50 d.C.).[15] Filón armonizó las escrituras judías con la filosofía griega, abandonando un método interpretativo literal para entender el Antiguo Testamento. Fue un puente para fusionar a Moisés con Platón.

Con el propósito de hacer el Antiguo Testamento más atractivo para los griegos, Filón alegorizó pasajes del Antiguo Testamento que consideraba demasiado burdos e indignos de Dios. Las afirmaciones sobre la ira de Dios o sobre Dios cambiando de opinión necesitaban ser alegorizadas. Según Burge, «Filón se inspira en su deseo de adaptar el judaísmo al pensamiento helenístico y lo hace alegorizando su Biblia».[16] Esto tenía implicaciones en el modelo de la visión espiritual. Para Filón, esto significaba que «la tierra se reinterpreta como el conocimiento de Dios y la sabiduría».[17] Además, «Filón no visualiza una reunión *literal*

---

[13] Middleton, 31.
[14] Poythress, «Currents within Amillennialism," 23.
[15] Habermas, 859-60.
[16] Gary M. Burge, *Jesus and the Land*, 22.
[17] Ibid.

del Israel exiliado en una tierra prometida literal».[18] Para Filón, como observa Burge, la teología de la tierra del judaísmo «se ha redefinido por completo. Y será una redefinición que influirá profundamente en la formación del pensamiento cristiano en el Nuevo Testamento».[19]

La alegorización y espiritualización de las Escrituras hebreas por parte de Filón influyó en muchos teólogos cristianos. Contribuyó a un enfoque del modelo de la visión espiritual en la iglesia.

Neoplatonismo

Siglos después de Platón, el platonismo influyó en su homólogo religioso, el neoplatonismo.[20] El neoplatonismo fue un complejo sistema de comprensión de la realidad vinculado al filósofo romano Plotino (aD 204-70). Plotino, nacido en Egipto, adoptó algunas ideas clave de Platón como:

1. Existe una realidad inmaterial aparte del mundo físico.
2. Existe una fuerte distinción de valores entre el alma inmaterial y el cuerpo físico.
3. El alma inmortal encuentra su realización última cuando se hace una con un reino eterno y trascendente.

Plotino plasmó estas ideas en una forma más religiosa. La base de toda realidad es una realidad inmaterial e indescriptible llamada «el Uno» o «el Bien». Algunos niveles de realidad emanan de este Uno como ondas en un estanque. El segundo nivel es la mente o intelecto (*nous*). La mente resulta de la reflexión del Uno sobre sí mismo. El nivel inferior a la mente es el alma. El alma opera en el tiempo y el espacio y es la creadora del tiempo y el espacio. El Alma mira en dos direcciones: hacia arriba, a la Mente, y hacia abajo, a la Naturaleza, que creó el mundo físico. Para Plotino, el nivel más bajo de la realidad es la materia.[21] Así pues, existe un fuerte dualismo entre la mente y la materia. Plotino sentía tal repugnancia por las cosas físicas que incluso despreciaba su propio cuerpo y descuidaba su higiene.

Plotino consideraba los deleites terrenales como distracciones de aquello en lo que la gente debería centrarse: la contemplación de la

---

[18] Ibídem, 22. Énfasis en el original.
[19] Ibídem, 24.
[20] El «neoplatonismo» no se identificó específicamente como tal hasta el siglo XIX.
[21] Véase Christopher Kirwan, «Plotinus», en *The Oxford Companion to Philosophy*, ed., Ted Honderich (Nueva York, NY: Oxford University Press, 1995), 689-90.

verdadera belleza que sólo podía encontrarse «en el mundo trascendente de las ideas eternas e inmateriales».[22] McDannell y Lang señalan que para Plotino el propósito de la filosofía «era desprender el alma del cuerpo, fortalecer su poder espiritual y prepararla para su eventual ascenso celestial tras la muerte del cuerpo».[23] Además, este propósito era un asunto individual. Es «a través de la concentración personal en lo divino» como el alma podía intentar «ascender a su verdadero hogar».[24]

Plotino influyó mucho en los teólogos cristianos. Middleton señala que Plotino «renovó el marco conceptual de Platón... para promulgar una visión de la realidad que influyó profundamente en los teólogos cristianos desde Agustín hasta Pseudo-Dionisio y más allá. Conocida hoy como neoplatonismo, la visión de Plotino fue considerada durante siglos simplemente como una articulación de los puntos de vista del propio Platón».[25]

Resultará especialmente significativa la influencia de Plotino y del neoplatonismo sobre Agustín. Agustín hizo suyas muchas de sus ideas principales y las incorporó a su comprensión de la esperanza cristiana, lo que podría denominarse una esperanza cristo-platonista.

Modelo no cristiano de la visión espiritual

A continuación, encontrará un resumen de la cosmovisión no cristiana del modelo de la visión espiritual:

Dualismo cósmico: El espíritu es bueno; la materia es mala/maligna/menor; el cuerpo es una tumba para el alma.

Dualismo antropológico: El alma de una persona es buena/divina; el cuerpo de una persona es malo.

El problema: Las cosas materiales, los cuerpos físicos y los deseos son malos; el mundo material es una ilusión que engaña a las personas.

La solución: El alma necesita escapar del mundo material y del cuerpo físico para unirse con el absoluto espiritual.

---

[22] McDannell y Lang, *Heaven*, 56.
[23] Ibídem, 56-57.
[24] Ibídem, 57.
[25] Middleton, 33.

La experiencia suprema: Una existencia espiritual en un reino espiritual sin mácula de nada físico.

Gnosticismo y Marción

Gnosticismo

El gnosticismo se hizo influyente en el siglo II d.C. El gnosticismo no era una religión formal, pero fusionaba ideas clave del platonismo con la doctrina cristiana. Fue la amenaza más grave para el cristianismo en aquella época.

Al igual que el platonismo, el gnosticismo afirmaba una cosmología dualista en la que el espíritu es bueno y la materia es mala. Esto se derivaba de un dualismo teísta en el que hay un Dios espíritu verdadero y luego una deidad menor, nefasta, que creó el mundo físico. El verdadero Dios espíritu no crea nada físico, pero de este Dios fluyen emanaciones espirituales.

Esto incluye a Sofía (que significa «sabiduría»). De Sofía, surgió el Demiurgo también conocido como Yahvé. Este Demiurgo es una deidad rebelde que creó el mundo y a las personas. También exige egoístamente la adoración de sus criaturas. Cuando las personas adoran al Demiurgo son engañadas y adoran a una deidad corrupta.

Aunque las personas tengan cuerpos físicos corruptos, siguen teniendo almas que contienen chispas de divinidad. Pero esta chispa divina en el alma es sofocada por el cuerpo físico y las interacciones con el mundo físico. Si una persona muere en este estado, su alma será arrojada de nuevo al reino físico de forma similar a la reencarnación oriental. Este ciclo negativo sólo puede romperse mediante el conocimiento secreto. (Gnosticismo viene de *gnosis* que significa «saber»). La salvación del reino físico a la unión con el verdadero Dios-espíritu viene a través del conocimiento, no de la fe en Yahvé.

Aquí es donde entra Jesús. Jesús era sólo un hombre, no había nacido de una virgen. En el bautismo de Jesús, Sofía lo poseyó y Jesús se convirtió en el Cristo. Los evangelios canónicos contienen algunas verdades sobre Jesús, pero el conocimiento salvador procede de verdades secretas que reveló a los apóstoles en el Cenáculo antes de su muerte. Jesús también dio un conocimiento secreto a Pablo antes de que éste comenzara su ministerio público. Cuando Jesús estaba en la cruz,

Sofía le abandonó y el hombre Jesús despertó a la agonía de su situación. Así, Jesús fue utilizado y luego desechado por Sofía.[26]

El gnosticismo amenazó a la Iglesia primitiva con sus opiniones antimateriales y heréticas sobre Jesús. Como vástago del gnosticismo, el docetismo afirmaba que el cuerpo humano era malo. El término griego, *dokeō*, significa «aparecer» y el docetismo creía que Jesús sólo aparentaba ser humano. Puesto que el mundo y el cuerpo humano eran malos, Jesús no podía tomar forma humana física. Sin embargo, es esencial para el cristianismo la opinión de que Jesús se hizo humano para salvar a los humanos. Como afirma Juan 1:14a: «Y el Verbo se hizo carne y habitó entre nosotros». Si se niega la humanidad de Jesús no hay salvación para los humanos. Afortunadamente, los teólogos de la Iglesia primitiva, especialmente Ireneo, combatieron el gnosticismo. El gnosticismo amenazaba las realidades creadoras y la persona y obra de Cristo. Fue una importante amenaza del modelo de la visión espiritual para el cristianismo.

Marción

Marción (c. a.D. 85-c. 160) promovió ideas gnósticas clave. Estuvo muy influido por Cerdo, un cristiano gnóstico. Los seguidores de Marción, conocidos como marcionitas, eran considerados el más peligroso de los grupos gnósticos por los primeros cristianos. Los seguidores de Marción podrían haber superado en número a los cristianos ortodoxos en algunos lugares.[27]

Marción sostenía un dualismo teísta entre el dios inferior del Antiguo Testamento y el Dios superior de Jesús y Pablo. El dios del Antiguo Testamento está involucrado en asuntos menores como la creación, la ley, el juicio e Israel. En cambio, el Dios del Nuevo Testamento es un ser espiritual bueno que no crea. Es un Dios de amor, gracia y misericordia. Este Dios envió a Jesucristo para liberar a la gente del Dios creador del Antiguo Testamento al Dios de la gracia del Nuevo Testamento. Marción estableció un fuerte dualismo entre las historias del Antiguo y del Nuevo Testamento. Como señala Tyson, «nuestras fuentes antiguas coinciden en que Marción hizo una separación total

---

[26] Mientras que el conocimiento secreto llega a través de la tradición oral secreta, las enseñanzas secretas de Jesús se encuentran en Nag Hammadi, una colección de escritos gnósticos descubiertos en Egipto en 1945.

[27] Joseph B. Tyson, «Anti-Judaism in Marcion and His Opponents», *Studies in Christian-Jewish Relations*, 1 (2005-06): 198.

entre la religión que Jesús y Pablo propugnaban y la de las Escrituras hebreas».[28]

Marción elaboró un canon bíblico que incluía sólo partes del evangelio de Lucas y diez de las epístolas de Pablo. Marción excluyó intencionadamente las Escrituras hebreas y los elementos judíos de la Biblia. Creía que el Antiguo Testamento revelaba verdades literales y exactas en ocasiones, e incluso predecía la venida de un Mesías. Tyson señala que «Marción creía evidentemente en la autoridad de las Escrituras hebreas y aceptaba a Isaías y a los demás profetas como predictores fidedignos del futuro».[29] Pero también sostenía que las Escrituras hebreas presentaban al dios creador menor. Y al igual que los gnósticos, Marción no creía que el dios de la ley, el juicio e Israel de las Escrituras hebreas pudiera ser el Dios de la gracia y la misericordia que se encuentra en el Nuevo Testamento. Además, la calidad del Nuevo Testamento es tanto mejor que la del Antiguo, que Marción no podía incluir el Antiguo Testamento en su canon. Marción rechazó el Antiguo Testamento porque era de menor calidad y era irrelevante para lo que el Dios del Nuevo Testamento estaba haciendo en Jesús.

El cristianismo rechazó con razón el canon de Marción y reconoció las Escrituras hebreas, una victoria contra el modelo de la visión espiritual. Pero tres ideas clave de Marción, procedentes de supuestos gnósticos, se han manifestado en la historia cristiana. La primera es que las Escrituras hebreas, aun siendo exactas, son cualitativamente inferiores a los escritos del Nuevo Testamento y no tienen relevancia continua por sí mismas. Tyson señala: «Él [Marción] es ciertamente el primero que conocemos que propuso una solución simple, aunque draconiana a los problemas: considerar las Escrituras hebreas como válidas, exactas, autoritativas y divinamente inspiradas, pero irrelevantes para la fe cristiana».[30]

Aunque pocos cristianos después de Marción llamaron explícitamente irrelevante al Antiguo Testamento, las Escrituras hebreas fueron en gran medida ignoradas y tratadas como inferiores al Nuevo Testamento por muchos cristianos. Incluso hoy en día muchos ven el Antiguo Testamento como un vasto paisaje de tipos y sombras inferiores y sostienen que su contenido no es relevante de forma literal. Esta no era la perspectiva de Jesús, que dijo que todas las cosas del Antiguo Testamento debían cumplirse (véase Mt. 5:17-18). Pablo también dijo

[28] Ibídem, 200.
[29] Ibídem, 201.
[30] Ibídem, 207.

que su mensaje consistía en «no diciendo nada fuera de las cosas que los profetas y Moisés dijeron que habían de suceder» (He. 26:22).

Otro concepto heredado de Marción era la suposición de que el esquema del Antiguo Testamento es inferior y discontinuo con el del Nuevo Testamento. Marción creía que el Antiguo Testamento trataba de la ley, el juicio y cosas físicas como la tierra, los templos e Israel. Pero el Nuevo Testamento se ocupaba de verdades espirituales más importantes. Así que en lugar de ver la historia del Antiguo Testamento continuando en el Nuevo Testamento, el Antiguo Testamento no era visto como coherente con la historia del Nuevo Testamento. Esta idea, también, permanece con muchos en el cristianismo de hoy y permite una conexión con el modelo de la visión espiritual.

Hay otro aspecto que tiene que ver con Israel. La teología de Marción «separaba completamente al Dios de Jesús del Dios de Israel».[31] Para Marción, el Dios creador menor del Antiguo Testamento estaba inseparablemente ligado a Israel. Pero el Dios de Jesús no se preocupaba por Israel. Así pues, una tercera implicación de Marción era que el Israel étnico/nacional perdía su significado teológico. Israel puede existir, pero ya no es relevante ni una parte significativa de los planes de Dios. Esta es una fuerte posición de la teología del reemplazo que se haría popular en la historia de la Iglesia.

En abril de 2020, la Sociedad Bíblica Danesa publicó una nueva edición de la Biblia llamada «Biblia 2020». Sorprendentemente, esta edición eliminó todas las referencias a «Israel» en el Nuevo Testamento, excepto una.[32] Marción se habría alegrado.

Tanto el gnosticismo como el canon herético de Marción fueron rechazados formalmente por la Iglesia. Sin embargo, sus ideas nunca han perdido influencia en la iglesia. Siempre que se presenta una visión altamente espiritualizada del cristianismo o se resta importancia a las Escrituras hebreas, a las bendiciones físicas o a Israel, pueden detectarse ecos de esas dos herejías.

---

[31] Ibídem, 198.

[32] De las 73 referencias a «Israel» sólo 1 permaneció en esta traducción. El término se sustituye por «judíos», «tierra de los judíos» o ninguna alternativa. Véase, Adam Eliyahu Berkowitz, «Lutherans Publish New Version of Bible Without the Word "Israel" In It». https://www.breakingisraelnews.com/148885/ lutherans-publish-new-version-of-bible-without-the-word-israel-in-it/. 20 de abril de 2020. Consultado el 24 de abril de 2020.

La influencia del gnosticismo y Marción en el modelo de la visión espiritual

A continuación, se presenta un resumen de la influencia del gnosticismo y Marción en el modelo de la visión espiritual:

Dualismo cósmico:

- El espíritu es bueno/mejor
- La materia es mala/malvada/menor

Dualismo teísta:

- El dios del Antiguo Testamento es el dios creador menor conocido como el Demiurgo/Yahvé; es una emanación rebelde y egoísta (vía Sofía) del verdadero dios-espíritu
- El verdadero Dios es el Dios no creador y espiritual de Jesús y Pablo

Dualismo antropológico:

- El alma de una persona es buena/divina
- El cuerpo de una persona es malo/menor

El problema: las almas están atrapadas en el mundo físico. El mundo material es un acto rebelde del dios creador del Antiguo Testamento; las almas divinas de las personas están atrapadas en cuerpos físicos y en el mundo; la muerte en esta vida lleva a Jesús a reencarnarse de nuevo en el mundo físico.

Jesús: Antes de su bautismo Jesús es sólo un hombre. Jesús fue poseído por Sofía desde su bautismo hasta su crucifixión. Jesús revela verdades secretas para lograr la unión con el espíritu-Dios; el verdadero espíritu-Dios envió a Jesús

La solución: El conocimiento oral secreto de Jesús permite escapar del mundo material y del cuerpo físico hacia la unión con el absoluto espiritual; el ideal son las almas sin carne Experiencia definitiva: Una existencia puramente espiritual y la unión con el espíritu-Dios sin mácula de nada físico

La Biblia: Fuerte contraste de valores entre el Antiguo y el Nuevo Testamento:

- El Antiguo Testamento es una revelación exacta pero inferior en lo que respecta a la deidad menor (Demiurgo/Yahvé) y a asuntos como Israel, la tierra y las entidades físicas
- Marción creía que sólo partes del Evangelio de Lucas y diez de las epístolas de Pablo eran Escrituras
- El gnosticismo sostenía que sólo el conocimiento secreto puede dar el conocimiento necesario para escapar del mundo físico y de los cuerpos

14

LOS MODELOS EN LA IGLESIA PRIMITIVA

Este capítulo inicia un estudio de los modelos de la nueva creación y de la visión espiritual en la historia de la Iglesia. No se trata de un estudio exhaustivo. Otros libros como *Heaven: A History,* de Colleen McDannell y Bernhard Lang ofrecen más detalles sobre este tema. Pero aquí destacamos personas importantes y acontecimientos relacionados con los dos modelos en la historia de la Iglesia.

En resumen, el modelo de la nueva creación estuvo bien representado en la época del Nuevo Testamento y en la Iglesia primitiva. Pero con la influencia de Orígenes, la cristianización del Imperio romano bajo Constantino y Agustín, el modelo de la visión espiritual se arraigó y se hizo dominante en la Edad Media. Los reformadores aportarían una mezcla entre los dos modelos, pero las tendencias procedentes de la Reforma permitieron un serio desafío al modelo de la visión espiritual. Tras la Reforma, la batalla entre las perspectivas de la visión espiritual y de la nueva creación continúa incluso hasta nuestros días. Pero primero, empecemos con la Iglesia primitiva.

El neocreacionismo en los dos primeros siglos

La iglesia de los dos primeros siglos afirmó en gran medida una concepción del modelo de la nueva creación. Enseñaba un reino terrenal venidero de Jesús que incluía a Israel, prosperidad agrícola, celebraciones, interacciones sociales y armonía en el reino animal.

Gabriel le dijo a María que su Hijo, Jesús, se sentaría en el trono de David y gobernaría sobre Israel para siempre (véase Lc. 1:32-33). Jesús dijo que los humildes heredarían la tierra (véase Mt. 5:5). También dijo que una renovación venidera de la tierra traería la restauración de las doce tribus de Israel y recompensas como casas, terrenos y relaciones (véase Mt. 19:28-30). Jesús habló de comer y celebrar en el reino de Dios (Mt. 8:11; Lc. 22:30). Los discípulos y Jesús aseguraron una próxima restauración del reino al Israel nacional (véase He. 1:6-7). Pablo afirmó que la muerte de Jesús traerá una reconciliación de todas las cosas materiales e inmateriales (véase Col. 1:15-20). Pablo también dijo que la creación sería restaurada en relación con la resurrección del cuerpo (véase Rom. 8:19-23). Juan habló de un reino venidero sobre la tierra (Ap. 5:10) y de un tiempo en el que las naciones y los reyes traerían sus contribuciones culturales a la nueva Jerusalén (véase Ap. 21:1-2, 24, 26). Estas son ideas neocreacionistas.

El modelo de la nueva creación fue el enfoque principal de la iglesia inmediatamente después de la era apostólica. Christopher Rowland señala que «los primeros cristianos esperaban la reordenación del mundo y sus instituciones».[1] También explica que los escritores cristianos de «la última parte del siglo cristiano... incluye evocaciones explícitas de un reinado de Dios de este mundo».[2] Por ejemplo, Papías (aD 60-130) fue obispo de Hierápolis en Frigia, Asia Menor. Fue contemporáneo de Policarpo, discípulo del apóstol Juan. Afirmó un reino terrenal venidero de Jesús. Según Martin Erdman, Papías «representaba una tradición quiliástica [premilenial] que tenía sus antecedentes en Palestina».[3]

En el siglo II, Ireneo (aD 130-202) expuso nuevas expectativas creacionistas. Creía que el mundo había sido creado bueno por Dios y que había que disfrutar de las cosas buenas que había en él. Ireneo también creía que el reino de Jesús era un futuro reinado terrenal en el que la creación sería restaurada y los cristianos disfrutarían de relaciones, moradas, comida y bebida, etc. Habló de una gran prosperidad en «los tiempos del reino». En esta época habrá comida en abundancia:

> los justos reinarán al resucitar de entre los muertos; entonces la creación, habiendo sido renovada y liberada, fructificará con

[1] Christopher Rowland, «The Eschatology of the New Testament Church», en *The Oxford Handbook of Eschatology*, ed. Jerry L. Walls (Nueva York: Oxford University Press, 2008), 57.
[2] Ibídem, 59.
[3] Martin Erdmann, *The Millennial Controversy in the Early Church* (Eugene, OR: Wipf and Stock Publishers, 2005), 107.

> abundancia de toda clase de alimentos, del rocío del cielo y de la fertilidad de la tierra; como relataron los ancianos que vieron a Juan, el discípulo del Señor...[4]

Ireneo describió además una gran prosperidad agrícola en el reino:

> Vendrán días en que crecerán vides cada una con diez mil pámpanos, y en cada pámpano diez mil ramitas, y en cada ramita diez mil sarmientos, y en cada uno de los sarmientos, diez mil racimos, y en cada uva cuando sea exprimida dará cinco y veinte medidas de vino. Y cuando alguno de los santos se apodere de un racimo, otro gritará: «Yo soy un racimo mejor, tómenme; bendigan al Señor a través de mí».[5]

En cuanto a la futura restauración de los animales, Ireneo dijo: «todos los animales que se alimentan [sólo] de los productos de la tierra, deberían [en aquellos días] volverse pacífica y armoniosamente entre sí, y estar en perfecta sujeción con el hombre».[6] Ireneo señaló que estas creencias eran sostenidas por Papías: «Y estas cosas las atestigua por escrito Papías, oyente de Juan y compañero de Policarpo».[7]

En cuanto a la promesa de Jesús en Mateo 19:29 de que sus seguidores recibirán relaciones, moradas y granjas, Ireneo dice: «Esto [tendrá lugar] en los tiempos del reino».[8] Resumiendo los puntos de vista de Ireneo sobre la nueva creación, Erdmann afirma:

> La bendición de Isaac será un tiempo en que la creación, habiendo sido hecha nueva y liberada del cautiverio del pecado, producirá una abundancia de toda clase de alimentos. Esta abundancia provendrá simplemente del rocío del cielo y de la fertilidad de la tierra. Ireneo relata además que los animales en aquellos días, obteniendo su alimento únicamente de los productos de la tierra, vivirán en pacífica armonía entre sí y con la humanidad.[9]

Comentando también las opiniones escatológicas de Ireneo orientadas a la tierra, Rowland observa que ésta fue la visión más antigua de la Iglesia: «este tipo de creencia fue la fase más temprana de

---

[4] Ireneo, *Against Heresies*, 5.33.3.
[5] Ibíd.
[6] Ibíd.
[7] Ibídem, 5.33.4.
[8] Ibídem, 5.33.2.
[9] Erdmann, 112.

la doctrina cristiana de la esperanza en la que se esperaba fervientemente un reino terrenal de Dios».[10] También vincula la creencia de Ireneo con el Padre Nuestro de Jesús y los capítulos finales de Apocalipsis:

> [La creencia de Ireneo] es un eco de la versión mateana de la oración del Señor en la que se anhela fervientemente que el reino de Dios «venga a la tierra como en el cielo». Es exactamente este punto de vista el que se expone en los capítulos finales de Apocalipsis, donde la nueva Jerusalén desciende del cielo a una tierra restaurada.[11]

El resumen de Brian Daley de la teología de Ireneo se parece mucho a un resumen del modelo de la nueva creación:

> La teología de Ireneo es esencialmente un alegato a favor de la relevancia religiosa de las cosas ordinarias: del mundo material, como lugar de la creación y la redención de Dios; de toda la narrativa bíblica de Israel, interpretada y «resumida» en Cristo; de la realidad de la carne humana de Cristo, como el instrumento por el que reveló en el mundo la gloria vivificadora de Dios; del cumplimiento histórico venidero de la fe en un milenio literal de bienaventuranza para los justos y una resurrección corporal —ambos de los cuales Ireneo ve como la etapa final del largo crecimiento de la humanidad hacia la madurez, desde el pecado y la alienación hacia la unión con Dios y una «nueva creación» inimaginable.[12]

Erdmann también habló de los cristianos asiáticos que recibieron la influencia del apóstol Juan en Asia Menor. Además de creer en un futuro reino terrenal de Jesús (premilenialismo), creían en actividades humanas como comer alimentos: «Abrazaban, por ejemplo, la idea judía de que los justos, incluso después de su resurrección, tendrán que comer alimentos».[13]

También había expectativas respecto a un rey terrenal venidero: Jesús, la restauración de Israel y Jerusalén. Justino Mártir (aD 100-165), por ejemplo, dijo:

---

[10] Rowland, 68-69.
[11] Ibídem, 69.
[12] Brian Daley, «Eschatology in the Early Church Fathers», en *The Oxford Handbook of Eschatology*, 95.
[13] Erdmann, 114.

> Y lo que el pueblo de los judíos dirá y hará, cuando lo vean venir en gloria, ha sido así predicho por el profeta Zacarías: «Ordenaré a los cuatro vientos que reúnan a los hijos dispersos; ordenaré al viento del norte que los traiga, y al viento del sur que no los retenga. Y entonces en Jerusalén habrá gran lamentación, no lamentación de bocas ni de labios, sino lamentación del corazón; y no rasgarán sus vestiduras, sino su corazón. Tribu por tribu se lamentarán, y entonces mirarán a Aquel a quien traspasaron; y dirán: "¿Por qué, Señor, nos has hecho errar de tu camino? La gloria que bendijeron nuestros padres, se ha convertido para nosotros en vergüenza"».[14]

Justino Mártir también creía en un reino venidero de mil años en Jerusalén en relación con los profetas del Antiguo Testamento:

> Yo y otros, que somos cristianos rectos en todo, estamos seguros de que habrá una resurrección de los muertos y mil años en Jerusalén, que entonces será construida, adornada y ampliada, según declaran los profetas Ezequiel e Isaías y otros.[15]

Metodio (c. 260-311), obispo de Olimpo y Patara, promovió varias ideas del Modelo de la Nueva Creación. Se opuso a la idea de que la tierra sería aniquilada por el fuego. En su lugar, la tierra sería purificada y renovada por el fuego para que el mundo existiera y continuara. Este destino significa que el trabajo de Dios con la creación no fue en vano:

> Pero no es satisfactorio decir que el universo será destruido por completo, y el mar, el aire y el cielo dejarán de existir. Porque el mundo entero será inundado con fuego del cielo, y quemado con el propósito de purificación y renovación; sin embargo, no llegará a la ruina y corrupción completas. Porque si fuera mejor para el mundo no ser que ser, ¿por qué Dios, al hacer el mundo, tomó el peor curso? Pero Dios no obró en vano, ni hizo lo que era peor. Por lo tanto, Dios ordenó la creación con vistas a su existencia y permanencia ...[16]

Metodio también se opuso al uso que Orígenes hacía de la alegoría y a la creencia de Orígenes de que el cuerpo de la resurrección no es el

---

[14] Justino, *First Apology*, 52.
[15] Justino Mártir, *Dialogue with Trypho*, 80.
[16] Metodio, From the Discourse on Revelation, 1.8.

mismo que una persona posee en esta vida. También era premilenialista y relacionaba la venida del reino terrenal de Jesús con la fiesta de los tabernáculos.[17]

En resumen, los primeros cristianos consideraban el reino de Dios primordialmente como una esperanza terrenal futura. Comentando esto, Snyder señala que el reino «apuntaba más allá de esta vida hacia algo más último y completo —no la mera supervivencia espiritual, sino una reconciliación cósmica final».[18] Este reino futuro era visto como «la reconciliación cósmica final en sí misma o como un reinado milenario que precede a la suma final de todas las cosas».[19] La llegada de este futuro reino terrenal anticipado era «una reconciliación cósmica» y «un ajuste de cuentas final con respecto a todos los males e injusticias de la historia».[20] La escatología de la iglesia primitiva implicaba una «nueva creación» y algo «mayor o más glorioso que el estado del cosmos antes de la caída».[21] Esta escatología también era pesimista con respecto a la visión de este mundo caído y arruinado, el cual sólo podría ser redimido por la segunda venida de Cristo.[22]

La Iglesia primitiva no siempre fue coherente con las ideas del modelo de la nueva creación.[23] Pero, en general, el neocreacionismo era una enseñanza habitual. Sin embargo, lamentablemente la esperanza tangible en la iglesia primitiva pronto cambiaría. Como señala Rowland, «la esperanza cristiana primitiva difiere bastante de cómo apareció en la tradición cristiana posterior».[24] Pero, ¿por qué? La respuesta se encuentra en gran medida en la influencia del platonismo en la iglesia.

La influencia del platonismo en la iglesia primitiva

La perspectiva de la nueva creación de la Iglesia primitiva pronto cambió. Según Viviano, a medida que el Evangelio se extendía por el Imperio romano, la esperanza de la escatología cristiana cambió de una

---

[17] Véase Matthew Ervin, «The Premillennialism of Methodius», https://appleeye.org/2015/01/17/the-premillennialism-of-methodius/, 17 de enero de 2015 (consultado el 18 de marzo de 2023). De acuerdo con el modelo de la visión espiritual, Metodio creía que los santos entrarían en el cielo como su hogar definitivo.
[18] Snyder, *Models of the Kingdom*, 25.
[19] Ibid.
[20] Ibídem, 26.
[21] Ibid.
[22] Ibid.
[23] La Epístola de Bernabé utilizaba la alegoría, y Justino Mártir fue el primero en espiritualizar Israel para referirse a la iglesia.
[24] Rowland, 70.

renovación cósmica a una visión verticalista que hacía hincapié en el individuo en el cielo:

> La principal pérdida fue la de la dimensión apocalíptica de la esperanza cristiana. La doble esperanza del cristiano, el reino de Dios y la resurrección de los muertos, (o al menos de los santos), se redujo a la resurrección del individuo a la vida eterna en el cielo. Se perdieron las dimensiones sociales e históricas de este mundo de la esperanza.[25]

Esta pérdida de una esperanza tangible se debió en gran medida a una «mente filosófica helenística» que «se interesaba principalmente por lo universal, lo necesario, lo eterno» y al «sesgo matemático de Platón».[26] Como resultado, se socavó un propósito específico para la historia. Las ideas de la visión espiritual echaron raíces.

La Iglesia primitiva promovió un nuevo enfoque creacionista. ¿Qué ocurrió? Middleton plantea dos preguntas importantes: A la luz de «la visión holística de la Biblia sobre la redención de la creación terrenal... ¿Cómo es que tantos en la iglesia actual parecen desconocer la intención de Dios de redimir este mundo? ¿Cómo es que la idea de un destino ultraterreno en el cielo desplazó a la enseñanza bíblica de la renovación de la tierra y terminó dominando la escatología cristiana?»[27]

La transición hacia una comprensión de la visión espiritual coincidió con la influencia del platonismo en la Iglesia, que condujo a interpretaciones no literales de la Biblia y a la espiritualización del reino de Jesús. A finales del siglo II, las ideas de Platón comenzaron a infiltrarse en el cristianismo. Randy Alcorn explica que la escatología bíblica fue sustituida en gran medida por el «cristoplatonismo», que es una fusión del cristianismo y las ideas de Platón.[28]

Los puntos de vista antimateriales del platonismo y el neoplatonismo eran contrarios a la cosmovisión bíblica que afirmaba la bondad de la creación de Dios (véase Gén. 1:31) y la creencia de que el destino del hombre involucra a la tierra (Ap. 5:10; 21:1). Se podría suponer que los cristianos se resistirían instintivamente a las ideas de Platón, ya que éste es una fuente pagana. Pero muchos de los primeros cristianos abrazaron

---

[25] Benedict T. Viviano, O.P. *The Kingdom of God in History* (Eugene, OR: Wipf and Stock, 1988), 38.
[26] Ibid.
[27] Middleton, *A New Heaven and a New Earth*, 283.
[28] Véase Alcorn, *Heaven*. Alcorn dedica un apéndice al tema, «Christoplatonism's False Assumptions», 475-82.

a Platón. Diógenes Allen señala que Platón «asombró a los apologistas y a los primeros padres de la Iglesia».[29] Por ejemplo, cuando los primeros cristianos se encontraron con la historia de la creación de Platón en su obra *Timeo*, algunos creyeron que había leído a Moisés o que había recibido sus ideas por revelación divina.[30] La supuesta similitud de las ideas de Platón con el cristianismo se consideraba una prueba de por qué los paganos debían abrirse al cristianismo.[31]

Clemente de Alejandría (AD 150-215)

El platonismo influyó en importantes teólogos cristianos. Esto fue cierto en el caso de la Iglesia oriental, en particular en el de aquellos asociados con Alejandría, Egipto, y la tradición alejandrina, como Clemente de Alejandría y Orígenes. Como afirma Jeffrey Burton Russell, «los grandes padres griegos de Alejandría, Clemente y Orígenes, firmemente asentados en las Escrituras, también se vieron influenciados por el platonismo y el estoicismo».[32]

Los teólogos alejandrinos valoraban mucho la filosofía griega y creían que el cristianismo era coherente con lo mejor del pensamiento filosófico griego. Viviano señala que Clemente de Alejandría siguió a su predecesor, Filón, al adoptar una «preferencia por un significado alegórico de la historia que resulta, al conocerla más de cerca, que transforma gran parte de la historia bíblica en verdades morales generales de tinte filosófico».[33] Clemente creía que Dios utilizó la filosofía para preparar a los griegos para Cristo del mismo modo que Dios utilizó la ley de Moisés para preparar a los hebreos para Cristo. Clemente tenía en alta estima tanto a Sócrates como a Platón. De acuerdo con la filosofía griega, Clemente consideraba que el cuerpo y la materia eran de naturaleza inferior al espíritu (aunque no consideraba que el cuerpo fuera malo).

---

[29] Allen, *Philosophy for Understanding Theology*, 15.

[30] Véase Allen, 15. Los cristianos negaban el punto de vista de Platón sobre el uso de materiales preexistentes para la creación. Los cristianos afirmaban la «creación de la nada».

[31] Ibid.

[32] Jeffrey Burton Russell, *A History of Heaven: The Singing Silence* (Princeton, NJ: Princeton University Press, 1997), 69.

[33] Viviano, 39.

Orígenes de Alejandría (C. AD 185-254)

Orígenes de Alejandría fue significativo en la transición hacia un enfoque de visión espiritual, ya que fusionó el platonismo con el cristianismo. McGrath observa que Orígenes «fue un teólogo altamente creativo con una inclinación fuertemente platonista».[34] Ilaria Ramelli observa: «Orígenes puede ser descrito como un platonista cristiano».[35]

Orígenes influyó en la sistematización y promoción de la interpretación alegórica de la Biblia. Consideraba que 2 Corintios 3:6 sancionaba un método alegórico, ya que Pablo mencionaba tanto la «letra» como el «Espíritu». Pero, en realidad, Pablo no se refería aquí a la interpretación alegórica. Contrastó la Ley mosaica («letra») con el nuevo pacto («Espíritu») en este versículo. Orígenes entendió erróneamente la relación «letra»-«espíritu» en el sentido de que hay interpretaciones literales y espirituales de las Escrituras, siendo la espiritual mejor. La influencia de la alegorización sería grande a la hora de eliminar una nueva comprensión creacionista de los propósitos de Dios. Como Snyder señala:

> La cuestión es que la interpretación alegórica desarraigó y suplantó la interpretación histórica más literal y de sentido llano, dando a la historia bíblica un significado teológico diferente, más «espiritual». La interpretación y la visión del mundo eran más platónicas que hebraicas, distanciando así aún más la tierra del cielo.[36]

Orígenes también vinculó sus puntos de vista de la «letra» y el «espíritu» con la visión tripartita (triple) platónica de la persona humana: cuerpo, alma y espíritu. La «letra» de las Escrituras se refiere al cuerpo y a la interpretación literal de un pasaje. Luego, el «Espíritu» de 2 Corintios 3:6 incluye las dos partes inmateriales de la persona: el alma y el espíritu. El alma se relaciona con las cuestiones morales; el espíritu, con la alegoría. Los puntos de vista de Orígenes sobre la alegoría fueron seguidos por escritores patrísticos posteriores, incluido Agustín, y luego por muchos eruditos medievales. Las ideas de Orígenes se relacionarían estrechamente con el cuádruple sentido de las Escrituras (i.e., la

---

[34] Alister E. McGrath, *A Brief History of Heaven* (Malden, MA: Blackwell, 2003), 33.

[35] Ilaria L.E. Ramelli, «Origen and the Platonic Tradition», *Religions* 8, 21 (febrero de 2017): 1. www. mdpi.com/journal/religions.

[36] Snyder, *Salvation Means Creation Healed*, 23.

cuadriga) que dominó la hermenéutica de la Edad Media.[37] Esto llevó a inventar significados que no existían y a descuidar las realidades corporativas y tangibles. La comprensión exacta de asuntos como Israel, la tierra, las naciones, los templos, etc., se olvida cuando prospera la alegoría. Viviano afirma que Orígenes «introdujo algunos cambios audaces en la escatología cristiana».[38] Esto ocurriría especialmente con la espiritualización del reino de Dios por Orígenes.

Positivamente, la iglesia primitiva abrazó dos creencias principales como apoyo contra el platonismo invasor: (1) la resurrección del cuerpo, y (2) un futuro reino milenario terrenal (i.e., el premilenialismo).[39] La primera afirma la bondad del cuerpo humano puesto que se dirige a la restauración. El segundo —un reino milenario terrenal— afirma que el reino de Dios incluye al planeta Tierra y la restauración de la «muy buena» creación de Dios (Gén. 1:31). Ireneo, por ejemplo, utilizó el premilenialismo como arma contra el gnosticismo.

Sin embargo, la visión de Orígenes era débil en cuanto a la resurrección del cuerpo y se oponía a un reino milenario terrenal. «Disolvió la expectativa cristiana de la resurrección del cuerpo en la inmortalidad del alma, ya que la perfección cristiana consiste, según este punto de vista platonizante, en una desmaterialización progresiva».[40] Y Orígenes llegó a afirmar que «el cuerpo de la resurrección era puramente espiritual».[41] Orígenes también despreciaba la idea de un reino milenario venidero de Jesús (i.e., el premilenialismo). Como Middleton observa:

> Aunque algunos escritores cristianos de los siglos II y III afirman el milenio y le conceden un papel importante en su escatología, Orígenes (en el siglo III) lo rechaza con gran desprecio por considerarlo una interpretación judía y excesivamente literal de las Escrituras, y Eusebio (en el siglo IV), en su célebre *Historia eclesiástica*, se refiere a él como «materialista».[42]

Orígenes desaprobaba el énfasis del premilenialismo en las realidades físicas. «El platonismo de Orígenes le llevó a criticar los

---

[37] Véase Keith D. Stanglin, *The Letter and Spirit of Biblical Interpretation: From the Early Church to Modern Practice* (Grand Rapids: Baker, 2018), Kindle Locations 1332.
[38] Viviano, 39.
[39] Middleton, 284.
[40] Viviano, 39-40.
[41] McGrath, 34.
[42] Middleton, 286.

elementos terrenales y fisicalistas de la esperanza milenaria» porque «el reino de Dios se establece progresivamente en el alma del creyente...»[43]

Juntos, Clemente y Orígenes contribuyeron en gran medida a un enfoque de la visión espiritual. Erdmann señala: «Orígenes y Clemente de Alejandría dominaban las mentes de los obispos y catecúmenos de la metrópoli egipcia, utilizando principalmente las categorías filosóficas del platonismo para interpretar la Biblia».[44]

Eusebio de Cesarea (AD C. 260-340)

Blaising señala que el modelo de la visión espiritual acabó convirtiéndose en «la visión dominante de la vida eterna desde aproximadamente el siglo III hasta principios del periodo moderno».[45] Eusebio fue otro contribuyente al modelo de la visión espiritual. Eusebio (c. 260-340) fue teólogo, historiador y estrecho colaborador del emperador Constantino durante una época estratégica en la que el Imperio romano abrazó el cristianismo. El cristianismo pasó de ser una minoría perseguida a ser la religión del imperio. Esta fusión constantiniana de la Iglesia y el Estado tuvo un gran impacto en los puntos de vista escatológicos de la Iglesia. Con el imperio político como aliado de la iglesia, la esperanza de un reino terrenal venidero de Jesús disminuyó. ¿Por qué buscar un futuro reino terrenal cuando el imperio de Constantino podía ser visto como el reino de Jesús?

Eusebio era antagónico al premilenialismo. Criticó a Papías por sostener un reino terrenal venidero de Jesús después de la resurrección. Para Eusebio, Papías era demasiado literal sobre el reino de Jesús cuando debería haber entendido el reino «místicamente»:

> A esto pertenece su afirmación [de Papías] de que habrá un período de unos mil años después de la resurrección de los muertos, y que el reino de Cristo se establecerá en forma material en esta misma tierra. Supongo que obtuvo estas ideas a través de un malentendido de los relatos apostólicos, al no percibir que las cosas dichas por ellos fueron habladas místicamente en figuras.[46]

[43] Ibíd. Orígenes también entendía los textos del reino en la Biblia «en un sentido puramente espiritual, interior, privado y realizado». Viviano, 41.
[44] Erdmann, xviii.
[45] Blaising, «Premilenialism» en *Three Views on the Millennium and Beyond*, 164.
[46] Eusebio, *Ecclesiastical History*, Libro 3, 39:12.

Eusebio dijo que Papías «parece haber tenido una comprensión muy limitada» sobre esta cuestión y llevó por mal camino a muchos otros Padres de la Iglesia como Ireneo respecto a un reino terrenal literal de Jesús.[47] También consideraba el reinado de Constantino como el banquete mesiánico asociado con el reino de Dios. Middleton señala: «Eusebio basó su rechazo del milenio en su reinterpretación del reino, viéndolo no como un acontecimiento cósmico futuro escatológico, sino más bien como el crecimiento providencial de la Iglesia en el Imperio romano que estaba teniendo lugar bajo Constantino».[48] Eusebio y su comprensión del reinado de Constantino actuaron como un puente entre la comprensión premilenial sostenida durante mucho tiempo y la visión de reciente desarrollo del amilenialismo. En este punto es donde la influencia de Agustín resulta significativa, hacia allá nos referiremos ahora.

---

[47] Ibídem, 39:13.

[48] Middleton, 286. Snyder también señala: «Desde Constantino, las cosas espirituales se han visto cada vez más como sagradas y de otro mundo, mientras que el mundo material y sus asuntos son seculares y "mundanos" —no se espera realmente que funcionen según la ética de Jesús» (Snyder, 19).

15

AGUSTÍN Y EL MODELO DE LA VISIÓN ESPIRITUAL

Agustín de Hipona (AD 354-430) fue el más famoso de los padres de la iglesia latina y uno de los teólogos más influyentes de la historia de la iglesia. Su obra ejerció una gran influencia en la Iglesia católica romana de la Edad Media y más allá. También predominó en el protestantismo, incluidos los grandes reformadores: Martín Lutero y Juan Calvino.

Agustín contribuyó en gran medida a un fuerte enfoque de visión espiritual en el cristianismo que continúa hasta nuestros días. Sus ideas condujeron a un cambio significativo en la forma de entender el argumento de la Biblia. En resumen, Agustín hizo tres cosas. Él: (1) fusionó las ideas platonistas con el cristianismo (i.e., el «cristoplatonismo»); (2) presentó una comprensión neoplatonista del cielo; y (3) engendró una visión milenaria en la que el reino de Jesús se interpretaba como un reino espiritual en esta era presente. Snyder señala que «fue Agustín de Hipona (354-430) quien remodeló la línea argumental».[1] A continuación, examinamos el impacto de Agustín, especialmente en lo que se refiere al modelo de la visión espiritual. Tenga en cuenta que los escritos de Agustín son increíblemente vastos y complejos. Agustín no fue un teólogo sistemático que compartimentara ordenadamente todos sus puntos de vista. A veces sus escritos parecen contradecirse. Además, algunos de los puntos de vista de Agustín evolucionaron con el tiempo.

[1] Snyder, *Salvation Means Creation Healed*, 13.

La inclinación de Agustín hacia lo espiritual

Agustín tenía una fuerte inclinación hacia las experiencias espirituales y místicas. En sus *Confesiones*, admitió que sus años anteriores a la conversión estuvieron llenos de lujurias carnales y de interés por las cosas de este mundo. Le atraía el teatro y mantuvo relaciones con muchas mujeres.

También sentía curiosidad intelectual. Agustín se sintió atraído por la filosofía pagana y finalmente por el maniqueísmo con su fuerte dualismo cósmico entre carne y espíritu. Agustín también tuvo experiencias místicas antes y después de su conversión al cristianismo. Thomas Williams señala que existe consenso en que «Agustín tuvo varias experiencias místicas de tipo aproximadamente plotiniano antes de su conversión al cristianismo».[2]

Alentado por su madre, Mónica, Agustín se convirtió al cristianismo en 387. En las *Confesiones*, Agustín relata cómo él y Mónica pasaron por alto un jardín de Ostia donde tuvieron juntos un encuentro místico.[3] Éste consistió en escapar de este mundo al gozo de un reino espiritual trascendente. Mónica murió poco después de esta experiencia, pero el impacto de la misma permaneció en Agustín. Los eruditos debaten sobre la similitud de las experiencias místicas precristianas y postcristianas de Agustín, pero tales experiencias fueron importantes para él. McDannell y Lang señalan: «el cielo del que Agustín tuvo un anticipo en el jardín de Ostia era el más allá de la filosofía griega platonizante».[4]

Influencias espirituales en Agustín

El platonismo y el neoplatonismo influyeron fuertemente en Agustín. Diógenes Allen identifica a Agustín como «uno de los grandes platonistas cristianos».[5]

McDannell y Lang señalan que Agustín «adoptó... una mezcla de platonismo y cristianismo».[6] El mentor de Agustín, Ambrosio de Milán (c. 339-97), enseñó las ideas de Platón a Agustín. Alister McGrath observa que Ambrosio «se basó en las ideas del escritor platonista judío Filón de Alejandría» al promover «un mundo platónico de ideas y

---

[2] Thomas Williams, «Augustine vs. Plotinus: The Uniqueness of the Vision at Ostia», http://shell.cas. usf.edu/~thomasw/ascent.pdf. (Consultado el 8 de junio de 2020).
[3] Véase Agustín, *Confessions*, libro IX, capítulo 10.
[4] McDannell and Lang, *Heaven*, 56.
[5] Allen, *Philosophy for Understanding Theology*, 82.
[6] McDannell and Lang, 57.

valores, más que una entidad física o geográfica».[7] Según Gary Habermas, la influencia de Platón sobre Agustín tendría un gran impacto durante los siguientes mil años: «En particular, la interpretación que Agustín hizo de Platón dominó el pensamiento cristiano durante los mil años siguientes a su muerte en el siglo V».[8]

Agustín también estudió y adoptó las ideas de Plotino (205-70) y del neoplatonismo.[9] Viviano señala que «Agustín recibió una fuerte influencia de la filosofía neoplatónica», una filosofía «altamente espiritual y del otro mundo, centrada en lo uno y lo eterno, que trataba lo material y lo históricamente contingente como etapas inferiores en el ascenso del alma hacia la unión con lo uno».[10]

Por supuesto, Agustín era cristiano y utilizaba la Biblia. Sin embargo, sus descubrimientos a menudo eran coherentes con sus supuestos neoplatónicos. Blaising toma nota de ello y conecta las ideas y visiones de Agustín con el modelo de la visión espiritual:

> El modelo de visión espiritual de la vida eterna que él [Agustín] contemplaba a través de la interpretación espiritual estaba, según creía, confirmado en sus propias visiones místicas típicamente neoplatónicas. Tras convertirse en obispo, sus escritos afirmaron el modelo de visión espiritual, y sus homilías y comentarios promovieron la práctica de la interpretación alegórica.[11]

El cielo como ideal místico y ascético

McDannell y Lang observan que las opiniones de Agustín sobre el cielo pueden clasificarse en dos categorías: el «Agustín primitivo» y el «Agustín más antiguo».[12] Las opiniones del Agustín primitivo sobre el cielo estaban muy en consonancia con un enfoque del modelo de la visión espiritual. Promovía una fuerte inclinación neoplatonista que incluía los ideales del espíritu sobre la materia, el misticismo y el ascetismo. Las ideas de Agustín también conectaban con un estilo de vida monástico: «junto con este misticismo, Agustín adoptó el estilo de

---

[7] McGrath, *A Brief History of Heaven*, 51.

[8] Gary R. Habermas, «Plato, Platonism», *Evangelical Dictionary of Theology*, ed., Walter A. Elwell (Grand Rapids: Baker, 1984), 860. Allen afirma: «Los Padres griegos y Agustín se basaron sobre todo en la filosofía de Platón y los platonistas». Allen, *Philosophy for Understanding Theology*, 91.

[9] «Agustín y muchos de sus contemporáneos veneraban la obra de Plotino (205-70)». McDannell y Lang, 56.

[10] Viviano, O.P. *The Kingdom of God in History*, 52.

[11] Blaising, «Premillennialism» en *Three Views on the Millennium and Beyond*, 168.

[12] McDannell and Lang, 54–68.

vida ascético recomendado por el neoplatonismo y firmemente establecido en el monacato».[13] McDannell y Lang denominan a la visión de principios de Agustín sobre el cielo, «la promesa ascética: un cielo para las almas».

En consonancia con el neoplatonismo, Agustín creía que la experiencia última era la contemplación mística de lo divino por parte del alma en un reino espiritual tras la muerte, aparte del mundo físico. Era la unión mental y espiritual con Dios: «decidió que una unión mental y espiritual con Dios significaba la felicidad humana definitiva, una decisión de trascendentales consecuencias para la historia cristiana».[14] El cielo de Agustín era una huida del alma del mundo físico hacia la comunión individual con Dios en un reino espiritual.

Mientras que el cielo de Ireneo involucraba recompensas en una tierra restaurada, el cielo del primer Agustín «era la continuación de una vida ascética retirada. Era un mundo de almas inmateriales, sin carne, que encontraban descanso y placer en Dios».[15] Esta concepción era el sueño ascético supremo. Mientras que el Agustín mayor enseñaba claramente la resurrección del cuerpo, el Agustín primitivo no lo tenía tan claro.[16]

Este énfasis altamente espiritualizado y ascético de Agustín encajaba con la época en la que vivió. En el siglo IV, el cristianismo fue adoptado por el imperio político gracias a Constantino y al Edicto de Milán. La persecución y el martirio ya no eran amenazas. La negación de las comodidades mundanas y de los deleites de la sociedad se convirtió en la nueva forma de mostrar el compromiso con Dios. Para Agustín, el ascetismo era el camino a seguir, y el cielo sería la realización del ideal ascético.

A continuación, analizaremos las opiniones de Agustín sobre el reino milenario. Pero para Agustín, la vida eterna es una experiencia espiritual para siempre. Como afirma Viviano: «En efecto, en última instancia para Agustín, el reino de Dios consiste en la vida eterna con Dios en el cielo. Ésa es la *civitas dei*, la ciudad de Dios, por oposición a la *civitas terrena*».[17] Esto es coherente con el ideal del modelo de la visión espiritual.

[13] Ibídem, 57.
[14] Ibídem, 57.
[15] Ibídem, 59.
[16] Independientemente de que el Agustín primitivo lo hiciera o no, el Agustín mayor dejó claro que la eternidad implicaba la resurrección del cuerpo.
[17] Viviano, 52-53.

La espiritualización del reino milenario de Jesús

Apocalipsis 20 habla de un reinado de mil años de Jesús y los santos tras su segunda venida al que seguirá el Estado Eterno (véase Ap. 21-22). Este reinado de mil años de Apocalipsis 20 se llama a menudo «el Milenio», que en latín significa «mil años». ¿Cómo veía Agustín el reino milenario de Apocalipsis 20? Como se demostrará, promovió una visión del reino milenario de Jesús basada en el modelo de la visión espiritual.

En el Libro 20 de *La Ciudad de Dios*, Agustín presentó sus puntos de vista sobre el Milenio. Antes creía que el reino milenario de Jesús era un reino terrenal futuro, como la mayoría de los teólogos anteriores a él. Pero Agustín llegó a rechazar esta visión premilenial. Criticó a los «chiliastas» que creían que el Milenio incluiría «las fiestas materiales más desenfrenadas, en las que habrá mucho que comer y beber».[18]

Reaccionando contra lo que consideraba excesos carnales de esta visión, Agustín rechazó el premilenialismo. Orígenes y Eusebio, antes que él, también lo hicieron. Pero Agustín hizo algo más que rechazar el premilenialismo: introdujo una visión milenarista alternativa. Agustín postuló que el reino milenario de Jesús ya estaba ocurriendo espiritualmente en la era presente entre las dos venidas de Jesús. El reino, para Agustín, no es futuro y terrenal, sino presente y espiritual. Jesús gobierna ahora y Satanás está atado, no personalmente en una prisión, sino de engañar a las naciones. Al explicar la transición de Agustín del premilenialismo al amilenialismo, Middleton señala que Agustín «se desvinculó de las visiones milenaristas de un futuro reinado de Cristo en la tierra y afirmó que "la iglesia incluso ahora es el reino de Cristo, y el reino de los cielos"».[19] Esta separación del reino de Jesús de la tierra fue un movimiento hacia el modelo de la visión espiritual. Middleton señala cómo el milenio de Agustín es «acósmico» y «atemporal»:

> Es cierto que la concepción de Agustín del reinado de Cristo con los santos que se desarrolla a lo largo de la historia de la Iglesia (una visión que en el siglo XX llegó a denominarse «amilenialismo») podría sugerir una valoración positiva de la realidad histórica. Sin embargo, esta afirmación del proceso histórico se encuentra en significativa discontinuidad con su opinión de que el objetivo último de la historia terrenal es un reino celestial más allá de la historia. La

[18] Agustín, *La Ciudad de Dios*, libro 20, cap. 7.
[19] Middleton, *A New Heaven and a New Earth*, 292.

redención final, para Agustín, era fundamentalmente acósmica y atemporal.[20]

McDannell y Lang también observan que la adopción del ascetismo por parte de Agustín contribuyó a las visiones negativas de un reino terrenal venidero: «en un entorno dominado por los ideales ascéticos, las imágenes tradicionales de un milenio de este mundo eran demasiado materialistas, demasiado carnales, para ser compatibles con el nuevo espíritu».[21] Así pues, el paso de Agustín al amilenialismo estaba vinculado a los supuestos del modelo de la visión espiritual. Un reino terrenal de Jesús no era suficientemente espiritual para Agustín. Middleton señala que la visión del reino milenario de Agustín operaba bajo un «marco neoplatónico»:

> Al interpretar el milenio como equivalente a toda la historia de la Iglesia, Agustín no sólo amplió la visión de Eusebio, sino que también asimiló de forma significativa un marco neoplatónico para la teología, primero a través de la predicación del obispo Ambrosio de Milán (que vinculó la filosofía plotiniana con la enseñanza del Logos del Evangelio de Juan) y después a través de su lectura de las *Enéadas* de Plotino en la traducción latina de Marius Victorinus.[22]

En años posteriores, Agustín se apartó de algunas de sus ideas neoplatonistas anteriores y afirmó una tierra renovada venidera en la eternidad tras el milenio.[23] También enseñó un cuerpo resucitado tangible y la comunión entre los redimidos en el cielo. Pero Agustín introdujo en la iglesia un importante movimiento del modelo de la visión espiritual cuando afirmó que el reino de Jesús, el milenio, era sólo un reino espiritual.

---

[20] Ibídem, 292-93.

[21] McDannell y Lang, 54.

[22] Middleton, 291.

[23] Agustín, *La Ciudad de Dios,* Libro 20, cap. 16: «entonces la figura de este mundo desaparecerá en una conflagración de fuego universal, como una vez antes el mundo fue inundado por un diluvio de agua universal. Y por esta conflagración universal, las cualidades de los elementos corruptibles que convenían a nuestros cuerpos corruptibles perecerán por completo, y nuestra sustancia recibirá tales cualidades que, por una maravillosa transmutación, armonizarán con nuestros cuerpos inmortales, de modo que, como el mundo mismo se renueva a alguna cosa mejor, se acomoda convenientemente a los hombres, ellos mismos renovados en su carne a alguna cosa mejor».

La escatología verticalista de Agustín

En su comparación del amilenialismo agustiniano y el amilenialismo moderno, Michael Williams señala el concepto de «escatología verticalista». Esto se refiere a un fuerte énfasis en la búsqueda del cielo por parte del alma individual con exclusión de otras áreas más amplias relacionadas con la escatología. Williams identifica a Agustín con la «escatología verticalista» y señala cómo Agustín ha influido en la escatología reformada hacia este enfoque:

> Él [Agustín] aportó una cosmovisión neoplatónica a la consideración de la escatología, una cosmovisión que ha tenido implicaciones duraderas y desafortunadas para la teología cristiana en su conjunto. La escatología reformada ha tendido a seguir a Agustín en su escatología verticalista.[24]

En consecuencia, con una comprensión de la visión espiritual cristiana, Agustín hizo hincapié en la escatología individual, no en la escatología cósmica.[25] Para él, la escatología es primordialmente privada, individual, y la meta del hombre es el cielo, no la tierra. Agustín «sustituye así la escatología cósmica, o simplemente la hace superflua, por la escatología individual. El cristiano realiza el *escatón* al entrar en el cielo al morir».[26]

Esto era diferente de la iglesia primitiva, que creía que el reino venidero de Dios restauraría toda la creación. Pero, como observa Williams, «a Agustín le escandalizaba cualquier idea de la gracia como restauradora».[27] Williams observa que Agustín eliminó el reino de Dios de la historia y del reino físico: «en última instancia, para Agustín, el reino de Dios está por encima de la historia y de la realidad fenoménica».[28] Y es que, con Agustín, se elimina el aspecto terrenal del

---

[24] Michael Williams, «una alternativa restauracionista a la escatología verticalista agustiniana», Pro Rege 20,
11. Por «verticalista» Williams se refiere a la idea de que la salvación consiste principalmente en que el individuo vaya al cielo para siempre, sin ninguna consideración seria de la vida en la tierra nueva.

[25] En *La ciudad de Dios*, Agustín sí aborda temas como el anticristo, el día del Señor y otras cuestiones. Pero su énfasis no estaba en la escatología cósmica.

[26] Williams, 13. Énfasis en el original.

[27] Ibídem, 13.

[28] Ibídem, 12.

destino del hombre: «el destino humano, pues, sólo se cumple en una dimensión celestial más allá del espacio y del tiempo».[29]

El término neotestamentario para «regeneración» es *paliggenesia* y se utiliza dos veces. La primera aparece en Mateo 19:28 en relación con la regeneración cósmica y la renovación de la tierra cuando las tribus de Israel sean restauradas en el reino de Dios. La segunda en Tito 3:5 relativa a la regeneración personal. Ambas dimensiones de la regeneración son verdaderas: la personal y la cósmica. Pero como señala Williams, para Agustín, «el aspecto cósmico de la regeneración queda eclipsado por el personalista».[30]

Además, al igual que el neoplatonismo, Agustín consideraba la redención como un movimiento de la historia: «Agustín entendía la redención como un rescate del alma del mundo. La redención tiene lugar en la historia, pero su movimiento es siempre fuera de la historia».[31] Al dar un título a este punto de vista, Williams señala que Agustín era un «personalista escatológico», y la meta para la persona individual era el «descanso beatífico en el cielo».[32]

A continuación, presentamos un resumen de las ideas de la visión espiritual de Agustín:

- Existe un fuerte dualismo entre espíritu y materia
- La experiencia última es la huida del alma del mundo a un cielo espiritual
- El reino de Dios está más allá de la historia y del reino físico
- El reino milenario de Jesús es sólo un reino espiritual
- La escatología es ante todo individual: la búsqueda del cielo por el alma

El uso de la interpretación alegórica por parte de Agustín

La influencia de la visión espiritual de Agustín no fue sólo teológica, sino también hermenéutica. Agustín aplicó a veces la interpretación alegórica a las Escrituras, en particular al Antiguo Testamento. En Milán, su mentor, Ambrosio, le enseñó la interpretación alegórica y le presentó a los grandes alegoristas Filón y Orígenes.[33] Agustín interpretó

[29] Ibídem.
[30] Ibídem, 14.
[31] Ibídem, 13.
[32] Ibídem., 14.
[33] «En Milán sufrió la influencia del obispo Ambrosio (339-397), que le enseñó el método alegórico de la exégesis de las Escrituras, y de algunos cristianos de inclinación neoplatónica...» «San

el Génesis 1 de forma alegórica. Su uso más famoso de la alegoría se refiere a la parábola del buen samaritano en Lucas 10:25-37.

Viviano observa que la interpretación espiritual de Agustín era similar a la del gran alegorista Orígenes: «Así, Agustín se sintió atraído por la interpretación espiritual del reino que ya hemos visto en Orígenes».[34] Los criterios de Agustín para utilizar la interpretación alegórica involucraban asuntos no relacionados con la moral o la fe. Decía: «cualquier cosa en el discurso divino que no pueda relacionarse ni con la buena moral ni con la verdadera fe debe tomarse como figurativa».[35] Agustín también creía que había cuatro sentidos de las Escrituras, uno de los cuales era «el camino de la alegoría».[36] El cuádruple sentido de las Escrituras (*cuadriga*) se convirtió en una parte importante de la interpretación para la Iglesia católica romana de la Edad Media. El uso de la alegoría por parte de Agustín también se extendió al Libro del Apocalipsis. Eamon señala: «Según Agustín, el Libro del Apocalipsis debía entenderse como una alegoría espiritual, y el milenio, iniciado en la Iglesia. En 431, el Concilio de Éfeso condenó la creencia en el milenio como una aberración supersticiosa».[37]

Agustín no abandonó todo contexto histórico. Abogó por comprender la intención autoral de los escritores del Antiguo Testamento, aunque también se podía captar «otro significado».[38] Además, Agustín no creía que todos los pasajes bíblicos tuvieran múltiples significados alegóricos. Decía que «es igualmente precipitado sostener que cada una de las afirmaciones de esos libros es un complejo de significados alegóricos».[39] Pero sí elogiaba a quienes encontraban significados extraespirituales de cada acontecimiento de las narraciones:

Agustín», *Enciclopedia Stanford de Filosofía*; https://plato.stanford.edu/entries/augustine/Sept 25, 2019. (consultado el 9 de junio de 2020).

[34] Viviano, *The Kingdom of God in History*, 52.

[35] Agustín, *On Christian Teaching*, 3.10.14.

[36] «Algunos comentaristas de las Escrituras han establecido cuatro maneras de exponer la ley, que pueden nombrarse con palabras derivadas del griego, mientras que necesitan una mayor definición y explicación en latín llano; son la vía de la historia, la vía de la alegoría, la vía de la analogía, la vía de la etiología». Comentario literal inacabado sobre el Génesis, 116.

[37] William C. Eamon, «Kingdom and Church in New England: Puritan Eschatology from John Cotton to Jonathan Edwards», (1970) *Graduate Student Theses, Dissertations, & Professional Papers*, 7.

[38] Agustín dijo: «La persona que examina las expresiones divinas debe, por supuesto, hacer todo lo posible para llegar a la intención del escritor a través del cual el Espíritu Santo produjo esa parte de la Escritura; puede llegar a ese significado o esculpir a partir de las palabras *otro significado* que no vaya en contra de la fe, utilizando la evidencia de cualquier otro pasaje de las expresiones divinas. Tal vez el autor también vio ese mismo significado en las palabras que intentamos comprender». *On Christian Teaching*, 3.27.38. Énfasis mío.

[39] *La Ciudad de Dios*, 17.4.

A pesar de ello, no censuro a quienes han logrado esculpir un significado espiritual de todos y cada uno de los acontecimientos de la narración, siempre que hayan mantenido su base original de verdad historica.[40]

La influencia continua de Agustín

La «escatología verticalista» de Agustín y las ideas del modelo de la visión espiritual serían aceptadas y asumidas durante toda la Edad Media y más allá. Viviano observa que «la visión de Agustín [del reino] dominaría y se convertiría en la visión católica romana normal hasta nuestros días».[41] Frank James señala que «hasta el siglo XVII prácticamente todos los líderes ortodoxos de la cristiandad sostenían una visión agustiniana del milenio. Y hoy, numerosos postmilenialistas y amilenialistas siguen mirando a Agustín como su antepasado».[42]

El título «agustinismo» está estrechamente asociado al enfoque cristiano del modelo de la visión espiritual. Aunque no originó este modelo, Agustín lo solidificó e impulsó.

[40] Agustín, *La Ciudad de Dios*, 17.4.

[41] Viviano, 54. Daley señala que cerca del cambio del siglo VI Eneas de Gaza escribió la «primera obra cristiana que desafió los supuestos platónicos aceptados durante mucho tiempo...» Brian E. Daley, S. J. *The Hope of the Early Church* (Nueva York, NY: Cambridge University Press, 1991), 191. Las doctrinas platonistas que fueron cuestionadas incluían la reencarnación, la eternidad de la creación y la preexistencia de las almas antes de su existencia corporal. Daley señala que estas opiniones fueron «consideradas favorablemente como posibilidades por Orígenes y Evagrio».

[42] Frank A. James III, «Augustine's Millennial Views», https://christianhistoryinstitute.org/magazine/ article/augustines-millenial-views

16

LOS MODELOS EN LA EDAD MEDIA

Agustín es un eslabón de unión en la transición de la era de la Iglesia primitiva a la Edad Media. La Iglesia católica romana de la Edad Media adoptó la versión de Agustín del amilenialismo y una escatología espiritualizada. Éstas fueron dominantes durante esa época.[1] La expectativa anterior de la nueva creación de un reino terrenal venidero se perdió. La desaparición del premilenialismo y de una cosmovisión del modelo de la nueva creación condujo a un modelo de la visión espiritual dominante. Blaising señala:

> El antiguo premilenialismo cristiano se debilitó hasta el punto de desaparecer cuando *el modelo de la visión espiritual* de la eternidad se hizo dominante en la iglesia. Un reino futuro en la tierra simplemente no encajaba adecuadamente en una escatología que hacía hincapié en el ascenso personal a un reino espiritual.[2]

Christopher Rowland señala que a medida que avanzaba el tiempo en la iglesia «se produjo una disminución de la esperanza del

---

[1] Como señala McDermott, «el amilenialismo agustiniano dominó el período medieval». Gerald R. McDermott, «A History of Christian Zionism», en *The New Christian Zionism: Fresh Perspectives on Israel and the Land*, ed. Gerald R. McDermott. Gerald R. McDermott (Downers Grove, IL: InterVarsity Press, 2016), 74.

[2] Blaising, «Premillennialism», en *Three Views on the Millennium and Beyond*, 170. Énfasis añadido.

establecimiento del reino de Dios en la tierra y un mayor énfasis en el reino trascendente como meta del alma cristiana».[3]

El paso del relato al credo

La historia es una parte importante de la cosmovisión bíblica. En múltiples ocasiones, en las Escrituras se cuentan una y otra vez las obras de Dios en la historia. Josué relató las acciones de Dios al traer a Israel a la tierra (véase Josué 24). En Hechos 7, Esteban explicó las obras de Abraham, Isaac, Jacob, los hijos de Jacob (especialmente José), Moisés, Aarón, Josué, Faraón, David, Salomón y los profetas. Esteban también habló de la vida en Mesopotamia, Harán, Canaán, Egipto, el desierto y el monte Sinaí. También detalló la desobediencia y la idolatría de Israel en la tierra de Israel. La historia también es una parte importante de los sermones de Hechos 2-3 y Hechos 26. Los primeros cristianos discutían las acciones de Dios en el pasado, el presente y el futuro por medio de la narración.

Sin embargo, tras la aceptación del cristianismo en el Imperio Romano, se produjo un cambio del relato al credo. Los siglos IV y V fueron la era de los credos: Niceno (325); Nicea-Constantinopolitano (381); Calcedonia (451); y Atanasio (500). Se trataba de encapsulaciones sucintas de la verdad cristiana, especialmente en lo referente a Cristo y la Trinidad.

Los credos son importantes para el cristianismo y su formato es muy útil. Resumen la verdad cristiana esencial y refutan graves errores doctrinales. Sin embargo, la era de los credos coincidió con un menor énfasis en la gran historia de las Escrituras. En gran medida, el credo sustituyó a la historia. Howard Snyder señala que la iglesia de esta época se estaba «alejando de una narrativa exhaustiva hacia formulaciones doctrinales abreviadas. El enfoque teológico comenzó a desplazarse del relato al credo».[4]

Los credos captan fragmentos de la historia de la Biblia, pero también pueden dejar fuera partes esenciales de la misma. Snyder señala: «Por un lado, estos [credos] sirvieron (y siguen sirviendo) como anclajes extremadamente importantes de la gran tradición de la creencia cristiana. Por otro lado, tal concentración en los credos comenzó a eclipsar la historia más amplia de la iglesia sobre la redención y la

---

[3] Rowland, «The Eschatology of the New Testament Church», en *The Oxford Handbook of Eschatology*, 69.
[4] Snyder, *Salvation Means Creation Healed*, 7.

misión y tendió a desplazar a la iglesia hacia una excesiva dependencia de la propia doctrina formal».[5]

Los credos también dejan de lado a un actor importante en el argumento bíblico: Israel. Si se compara el gran énfasis que las Escrituras dedican a Israel con lo que los credos dicen sobre dicha nación, el contraste es sorprendente. Tras señalar que los credos «son dones preciosos para la Iglesia»,[6] McDermott observa la ausencia de Israel en ellos: «pero el papel de Israel como vehículo esencial para la salvación del mundo está ausente de ellos. Israel ni siquiera se menciona en los Credos de los Apóstoles y de Nicea. Nos conducen de la creación directamente a la redención».[7] Esta realidad contribuyó al supersesionismo estructural en el que Israel queda excluido de ser un actor principal en la historia de la Biblia.

En principio, tanto el credo como la historia deberían funcionar juntos como las dos alas de un avión. Sin embargo, y por desgracia, el credo eclipsó la historia y partes clave de la narración bíblica. El interés por asuntos como la tierra, la tierra, Israel, el día del Señor y una creación restaurada desapareció en gran medida. Cuando se ignoran o pasan por alto estas importantes áreas de la Escritura en la historia, pueden surgir ideas del modelo de la visión espiritual.

Los escolásticos

Al comenzar la Edad Media, los puntos de vista escatológicos de Agustín eran prominentes en la iglesia. Esto incluía la perspectiva amilenial de Agustín. Como observa William C. Watson «mientras que la Iglesia primitiva era premilenial, esperando el milenio en el futuro, para el siglo V el punto de vista dominante se había convertido en amilenial, una creencia de que el milenio estaba ahora en vigor en el gobierno del vicario de Cristo en la tierra, el papa. Esto se debió sobre todo a la influencia de Agustín y al crecimiento del poder papal...»[8] Así pues, apenas se discutía la importancia de la tierra, el reino terrenal, Israel y las naciones.

Pero los eruditos de la Edad Media no se limitaron a mantener la escatología de la visión espiritual de Agustín. La fomentaron. Entre estos eruditos se encontraban Pedro Abelardo, Pedro Lombardo y,

[5] Ibid., 8.
[6] McDermott, *Israel Matters*, 111.
[7] Ibid.
[8] William C. Watson, *Dispensationalism Before Darby: Seventeenth-Century and Eighteenth-Century English Apocalypticism* (Silverton, OR: Lampion Press, 2015), 224.

especialmente, Tomás de Aquino. En referencia a estos tres teólogos, Alcorn dice que «en última instancia, tomaron como rehén la doctrina del cielo».[9] «Abrazaron un cielo totalmente intangible, inmaterial y, por tanto, ... más espiritual».[10]

Agustín espiritualizó el reino milenario de Jesús. Pero aún mantenía la fisicalidad del estado eterno más allá del milenio. Sin embargo, a Agustín no le preocupaba mucho la localización geográfica del cielo. Como señalan McDannell y Lang, «Agustín no intentó explicar la dimensión espacial de la vida eterna ni localizar el cielo dentro de la estructura del universo. Todo esto era teológicamente irrelevante».[11]

Los escolásticos de los siglos XII y XIII se interesaron por la localización del cielo, aunque sus descubrimientos no se basaban en la Biblia. Con el redescubrimiento de Aristóteles, los escolásticos coincidieron con los filósofos griegos en que el universo constaba de esferas concéntricas y niveles que comenzaban con el interior de la Tierra y ascendían a través de los cuerpos cósmicos y luego el cielo y finalmente Dios mismo. La calidad y luminosidad de las esferas y niveles aumentaba cuanto más se ascendía.[12] La tierra interior era el nivel más bajo. Pero el movimiento hacia arriba a través de la luna, el sol, las estrellas y los planetas tenía una calidad, una luminosidad y una luz crecientes. Más allá del borde del universo estaba el empíreo o cielo lleno de luz donde residían las almas de los santos y los ángeles. Justo más allá o en el centro del empíreo estaba los «cielos de los cielos» donde sólo residía la Trinidad. Ésa era la cosmología de esta época. Tomás de Aquino tomó esta comprensión y profundizó en la idea de un modelo de visión espiritual del cielo.

Tomás de Aquino y el cielo empíreo

El filósofo y teólogo más significativo de la Edad Media, Tomás de Aquino (1225-74), promovió una forma fuerte del modelo de visión espiritual. Podría decirse que su visión de la eternidad podría ser la más parecida al modelo de la visión espiritual dentro de la historia del cristianismo. Esto se ve particularmente con su comprensión del cielo empíreo. Tras la muerte y el juicio final, Aquino creía que los santos ascenderían a un cielo empíreo lleno de luz más allá del universo

[9] Alcorn, *Heaven*, 485.
[10] Ibid.
[11] McDannell y Lang, *Heaven*, 81.
[12] Véase Ibídem, 82.

físico.[13] El cielo empíreo existe fuera del universo y trasciende el espacio y el tiempo. Los santos rodean a Dios, deleitándose en su gloria y presencia en lo que algunos han llamado «el alma deslumbrada por la luz». Los aspectos clave del cielo empíreo de Aquino son el conocimiento y la luz. La experiencia empírea implica una «visión de Dios» o «visión beatífica» en la que el santo se centra únicamente en Dios en su gloria, lo que significa la dicha última. Se dirá más sobre la visión beatífica en un capítulo posterior.

El cielo empíreo de Aquino es una experiencia radicalmente distinta de la vida presente: un divorcio total entre el cielo y la tierra. En primer lugar, el cielo empíreo existe más allá de la tierra y del universo. Está desprovisto de cualquiera de los elementos naturales: tierra, fuego, agua y aire. La luz los trasciende.

En segundo lugar, no hay movimiento ni cambio en el empíreo. Este debe ser el caso para Aquino ya que el movimiento y el cambio implican falta de perfección. Las cosas están en movimiento porque están en camino hacia un estado o situación mejor, o algo negativo ha causado que un objeto esté en movimiento. Estas condiciones no pueden darse en el empíreo ya que el empíreo es perfección. Así pues, el cielo empíreo es un estado estático inmutable. «En el cielo, según de Aquino, ya no habrá vida activa; sólo continuará la contemplación».[14]

En tercer lugar, no hay tiempo en el cielo empíreo, ya que el tiempo también está relacionado con la imperfección. La idea común de que el cielo carece de tiempo está relacionada con la idea del cielo empíreo de Aquino.

En cuarto lugar, no hay animales ni plantas en el empíreo ya que éstos existieron para ayudar al hombre. Una vez que el hombre se encuentra en su estado perfecto, no existe necesidad de animales y plantas. Para Aquino, los animales y las plantas tienen un valor instrumental ya que ayudan y sirven a la humanidad. Pero no tienen valor inherente. Una vez que el hombre alcanza su estado perfecto en el empíreo los animales y las plantas no tienen ningún propósito.

---

[13] Además de Aquino, entre los teólogos que aceptaron la idea del cielo empíreo por esta época se encontraban Guillermo de Auvernia, Alejandro de Hales, Alberto Magno, San Buenaventura, Duns Escoto y Ricardo de Middleton. Véase Edward Grant, *Planets, Stars, and Orbs: The Medieval Cosmos*, 1200-1687 (Cambridge University Press, 1994), 372. Para Aquino, se puede acceder al cielo empíreo tras la muerte en esta era, pero tras el juicio final el santo recibirá un cuerpo resucitado que se sumará a la experiencia en el cielo.

[14] McDannell y Lang, 89.

Quinto, no habrá interacciones sociales entre los santos en el cielo empíreo. Cualquier situación social o cultural entorpecería la contemplación de Dios.

Sexto, el universo bajo el empíreo no es aniquilado, pero es llevado a un punto muerto. Está congelado, sin movimiento. El universo no está habitado, quizá salvo la parte interior de la tierra donde existe el infierno para los condenados. El universo estático se llenará de la luz de Dios. La tierra tendrá una superficie brillante, como el cristal, y será semitransparente. El agua será cristalina y sólida.[15] El universo, incluidos los cuerpos cósmicos, no tendrá ningún movimiento. Estará perfectamente quieto, ya que el movimiento está relacionado con la decadencia y la imperfección.[16]

Tomás de Aquino promovió una de las versiones del modelo de la visión espiritual de la vida eterna más sólidas hasta la fecha. Superó a Agustín, que sostenía una visión más tangible de la eternidad. Sin embargo, los puntos de vista de Aquino siguen siendo mejores que los de las religiones orientales como el hinduismo y el budismo. A diferencia de esas religiones, Aquino creía que la persona individual existe en la eternidad y tiene autoconciencia y capacidad de razonar. Aunque no se comunica con otros santos en el empíreo, Aquino pensaba que era posible que los santos tuvieran conciencia de otros santos allí. Aquino también afirmaba la resurrección del cuerpo que contribuía a la experiencia de Dios en la eternidad. Aquino no creía que este cuerpo comiera, bebiera, socializara o estuviera activo, pero los santos poseerían un cuerpo. Esto es coherente con el modelo de la nueva creación. Así, incluso las versiones cristianas extremas del modelo de la visión espiritual, como las que encontramos con Aquino y los escolásticos, contenían diferencias significativas con las versiones no cristianas del modelo de la visión espiritual.

Dante y la divina comedia

El cielo empíreo de Aquino y los escolásticos fue representado en la tercera y última parte de la *Divina Comedia* de Dante llamada *Paradiso*. *Paradiso* es una alegoría de la ascensión del alma hacia Dios en el reino de la luz. Tras visitar diversas esferas del cielo, Dante es escoltado al empíreo por su guía, Beatriz, donde se ve envuelto en luz y ve tres círculos que representan la Trinidad. Con un destello de comprensión

---

[15] Véase Ibídem, 84-85.

[16] Para más información sobre esta idea, véase McDannell y Lang, 84.

que no podía expresarse con palabras, Dante experimentó la unión con Dios. Su composición terminó abruptamente.[17] Nada más podía afirmarse tras esta experiencia. Para Dante, alcanzar el empíreo celestial es el destino último y final para el santo. Snyder observa que «Dante veía la realidad más elevada y última como pura luz no material» y que la experiencia última es el alma deslumbrada por la luz.[18]

La *Divina Comedia* de Dante, escrita a principios del siglo XIV, ofrecía un sólido concepto de modelo de visión espiritual cristiana del cielo. Sus ideas del cielo y la eternidad se afianzaron en el cristianismo incluso con la próxima desaparición de la cosmología medieval. Incluso hoy en día, muchas representaciones culturales del cielo siguen la idea del cielo empíreo fuertemente espiritualizado de Aquino y Dante. Anteriormente, en la introducción de este libro, mencioné que mi madre, entonces católica, describía el cielo como algo envuelto en luz pura para siempre. Su descripción era coherente con el cielo de Aquino y Dante. Sin embargo, esta idea del cielo empíreo no es bíblica. Se basa más en el platonismo y en conexiones lógicas. No presenta la situación de la tierra nueva de los profetas y del libro del Apocalipsis, que revelan interacciones sociales y culturales entre grupos étnicos y naciones en el estado eterno. Al escribir sobre el daño duradero causado por los escolásticos en relación con el cielo empíreo, Alcorn observa:

> La pérdida fue incalculable. La iglesia hasta el día de hoy nunca se ha recuperado de la teología del cielo no terrenal —y antiterrenal— construida por teólogos escolásticos bien intencionados pero equivocados. Estos hombres interpretaron la revelación bíblica no de forma directa, sino a la luz de las nociones intelectualmente seductoras del platonismo, el estoicismo y el gnosticismo.[19]

Resumen de las expectativas del modelo de visión en la Edad Media

Las expectativas sobre el cielo y la eternidad dieron un giro dramático al modelo de la visión espiritual en la Edad Media. Como señala Carolyn Walker Bynum, las expectativas de los primeros cristianos diferían de las de la Edad Media: «los primeros cristianos esperaban que el cuerpo

[17] Asimismo, parte de la experiencia de Dante en *Paradiso* fue encontrarse con Tomás de Aquino en la cuarta esfera del cielo: el sol.
[18] Snyder, 24. «... Dante veía la realidad más elevada y última como pura luz no material; "para él la verdad última es que el alma está deslumbrada por la luz"».
[19] Alcorn, 485.

resucitara en un paraíso terrenal restaurado, cuya llegada era inminente. La mayoría de los cristianos bajomedievales pensaban que la resurrección y la llegada del reino esperaban lejos, en otro espacio y tiempo».[20] En consecuencia, «el anhelo escatológico se centraba cada vez más en el cielo, al que el alma podría ir mientras los huesos aún reposaban bajo tierra».[21] Middleton observa que «de hecho, la redención del cosmos desaparece por completo de la vista en la Edad Media».[22] Así pues, con la Edad Media se asumieron los supuestos de la visión espiritual.

Eran precomprensiones arraigadas. Como señala Snyder, «hacia el año 800, la espiritualidad cristiana ideal había llegado a significar un ascenso al reino del espíritu, un viaje al mundo espiritual; disfrutar de una "visión beatífica" atemporal que se consideraba la esencia de la vida eterna».[23] La Reforma protestante que se avecina pondrá en tela de juicio la idea del modelo de la visión espiritual del cielo de la Edad Media, pero la batalla con el concepto medieval del mismo continuará hasta el presente.

---

[20] Carolyn Walker Bynum, *The Resurrection of the Body in Western Christianity*, 200-1336 (New York: Columbia University Press, 1995), 14.
[21] Ibídem, 13.
[22] Middleton, *A New Heaven and a New Earth*, 293.
[23] Snyder, 14-15.

17

LOS MODELOS EN LA REFORMA Y MÁS ALLÁ

Martín Lutero y Juan Calvino

La Reforma protestante del siglo XVI fue un terremoto teológico y político para el mundo occidental. Martín Lutero y Juan Calvino fueron sus figuras dominantes. Sus aportaciones teológicas son duraderas y numerosas. Pero, ¿dónde encajan con respecto a los modelos? La respuesta está en el medio. McDannell y Lang creen que Lutero y Calvino se alinearon más con el modelo teocéntrico (visión espiritual). Nuestra opinión es que Lutero y Calvino se encuentran en el medio, sosteniendo partes significativas de ambos modelos. Lutero y Calvino supusieron una mejora con respecto a los escolásticos católicos romanos de la Edad Media que promovían un fuerte modelo de visión espiritual. Sin embargo, aún conservaban creencias significativas del modelo de la visión espiritual.

Es necesario hacer algunas matizaciones. Lutero, Calvino y otros reformadores primitivos se centraron en cuestiones de salvación, la justificación, los sacramentos, la iglesia y la autoridad de la Biblia. Comprensiblemente, la escatología y la tierra no eran preocupaciones importantes para ellos. Los reformadores no se centraron en las áreas asociadas con el modelo de la nueva creación. Alguien podría confundirse con respecto a la tierra nueva y salvarse, pero no podría equivocarse con respecto a la naturaleza del Evangelio. Como resultado, la escatología católica romana se mantuvo en gran medida. No se producirían rupturas importantes con la escatología católica hasta los siglos XVII y XVIII.

En lo que respecta a Lutero, Calvino y la Reforma, McDannell y Lang señalan que «Dios el Salvador, en lugar de Dios el Creador, sirvió como centro de la literatura devocional y la espiritualidad».[1] Cuando los reformadores crearon la Confesión de Augsburgo de 1530, «no incluía ninguna discusión sobre el cielo».[2] Es fácil comprenderlo, ya que las doctrinas de la salvación y la Iglesia eran de lo más esencial en esa época. No todos los movimientos o sistemas deben abordar todas las cuestiones doctrinales con el mismo énfasis. Sin embargo, la escatología y las cuestiones del modelo de la nueva creación no eran puntos fuertes de Lutero, Calvino y la tradición de la Reforma temprana.

En cuanto a la interpretación de la Biblia, al igual que Agustín, Lutero vinculó sus expectativas de futuro con la interpretación alegórica. Esto es algo sorprendente, ya que Lutero condenó la interpretación alegórica. Pero aun así cayó presa de su uso. Winfried Vogel señala: «lo que también pertenece más bien típicamente a la escatología de Lutero es su aplicación alegórica a la época actual de ciertas expresiones bien conocidas de las Escrituras sobre el final de los tiempos».[3] Las influencias de la visión espiritual de Agustín y la interpretación alegórica coincidieron con la espiritualización de Lutero del reino milenario de Jesús a esta época actual:

> Naturalmente, él [Lutero] tomó algunas de las enseñanzas de Agustín en este sentido —así, por ejemplo, la alegorización de este último de los acontecimientos de los últimos días y la creencia de que el milenio de Apocalipsis 20 ya se estaba cumpliendo en la era presente (comúnmente llamada «visión amilenial»).[4]

Calvino también consideraba el reino milenario de Jesús como un reino sólo espiritual. Como David Engelsma resume:

> Para Calvino, «el reino de los mil años (de Apocalipsis 20...) es entonces el gobierno espiritual de Cristo sobre las almas individuales en su vida terrenal hasta la finalización de su curso en la muerte y la resurrección general». El hecho es que Calvino enseñó que el

[1] McDannell and Lang, *Heaven,* 168.

[2] Ibídem, 150.

[3] Winfried Vogel, «The Eschatological Theology of Martin Luther Part I: Luther's Basic Concepts», *Andrews University Seminary Studies*, 24.3 (Autumn 1986): 255.

[4] Ibídem, 255-56. La grafía «amilenial» está en el original.

gobierno de Cristo en la historia presente es únicamente espiritual a través del evangelio...[5]

Según Calvino, no habría un gobierno político de los santos sobre un reino terrenal. Engelsma señala: «junto con los reformadores, Calvino repudió explícitamente el sueño milenarista de un reino terrenal en el que los santos ejercieran el poder político».[6] Así pues, en lo que se refiere a la espiritualización del reino milenario de Jesús, tal como se encuentra con el amilenialismo, Lutero y Calvino estaban firmemente en el campo del modelo de la visión espiritual.

Sin embargo, tanto Lutero como Calvino sostenían algunos elementos del modelo de la nueva creación, incluida la futura renovación de la creación. McDannell y Lang observan que Lutero sostuvo la «renovación» del universo: «en lugar de anticipar la eliminación del universo, Lutero supuso su renovación».[7] Por ejemplo, Lutero dijo: «las flores, las hojas y la hierba serán tan bellas, agradables y deliciosas como una esmeralda, y todas las hermosísimas criaturas».[8] En cuanto a si habrá animales en el paraíso, Lutero afirmó: «no deben pensar que el cielo y la tierra no estarán hechos más que de aire y arena, sino que habrá todo lo que les pertenece: ovejas, bueyes, bestias, peces, sin los cuales la tierra, el cielo o el aire no pueden ser».[9] Lutero creía que las hormigas, los bichos y las «criaturas apestosas» serán deliciosas y desprenderán una fragancia maravillosa. Incluso el río Elba y los cielos serán restaurados.[10] Las afirmaciones de Lutero difieren significativamente de las de Aquino, que no creía que los animales existieran en el cielo eterno.

Calvino también creía en una tierra «renovada» y en la restauración de todas las cosas.[11] Con respecto a 2 Pedro 3:10 dijo: «De los elementos del mundo sólo diré esto: que han de consumirse, únicamente para que sean renovados, permaneciendo su sustancia igual, como puede deducirse fácilmente de Romanos 8:21 y de otros pasajes».[12]

---

[5] David Engelsma, «Amillennialism», http://www.onthewing.org/user/Esc_Amillennialism%20-%20 Engelsma.pdf., 31. Consultado el 3 de julio de 2020.
[6] Engelsma, 31.
[7] McDannell y Lang, 152.
[8] Citado en Karen L. Bloomquist y John R. Stumme, eds. *The Promise of Lutheran Ethics* (Minneapolis, MN: Fortress Press, 1998), 139.
[9] McDannell y Lang, 152-53.
[10] Ibídem, 153.
[11] Para más información al respecto, véase Matthew J. Tuininga, *Calvin's Political Theology and the Public Engagement of the Church* (Nueva York, NY: Cambridge University Press, 2017), 112 y ss.
[12] Juan Calvino, *Commentary on 2 Peter* 3:10; CO 55:476.

Resumiendo las opiniones de Lutero y Calvino con respecto a una tierra renovada, McDannell y Lang afirman: «tanto Lutero como Calvino sostenían que Dios renovaría la tierra y purificaría el universo. Los animales y las plantas continuarían por eternidad en su nuevo estado perfeccionado».[13]

Sin embargo, aunque Lutero y Calvino afirmaban una tierra renovada, no creían que los santos se comprometerían con esta tierra: «para Lutero, los santos podrían visitar la tierra nueva, pero no sería su hogar».[14] Asimismo, para Calvino la tierra nueva no era una preocupación importante: «Para Calvino, ellos [los santos] ni siquiera desearían conocer el nuevo mundo. Dios rehabilitó el mundo sólo para hacerlo parte de la visión de lo divino».[15] La tierra nueva era para la contemplación, no para el uso.[16] Resumiendo los puntos de vista de Lutero y Calvino sobre los santos en la eternidad, McDannell y Lang señalan: «aunque habría una tierra nueva, los reformadores se negaron a permitir que los bienaventurados vivieran una vida terrenal en ella».[17] La idea de que los santos no estarían activos en la tierra nueva es contraria a Apocalipsis 21-22 y es coherente con el modelo de la visión espiritual.

Otra idea clave del modelo de la visión espiritual es que el cielo consiste únicamente en experimentar a Dios y no en la comunión con otros santos. Éste parecía ser el enfoque tanto de Lutero como de Calvino: «de acuerdo con su perspectiva teocéntrica, los reformadores veían la vida eterna principalmente como la comunión insuperable del individuo con Dios».[18] Al discutir la idea de las reuniones sociales, Calvino dijo que los santos no interactuarán entre sí porque se centran únicamente en Dios:

Si en este punto replican que tienen en su poder hacer lo mismo, si (como creemos) están con Dios en el paraíso, yo respondo que estar en el paraíso, y vivir con Dios, no es hablar unos con otros, y ser escuchados unos por otros, sino que es sólo disfrutar de Dios, sentir su buena voluntad, y descansar en él.[19]

---

[13] McDannell y Lang, 154.

[14] Ibid.

[15] Ibid.

[16] «De acuerdo con el pensamiento escolástico, Calvino no predijo que los bienaventurados vivirían en la tierra renovada. Habría una cierta distancia de los santos con respecto a la tierra nueva. La finalidad de la tierra nueva era la contemplación, no el uso». McDannell y Lang, 154.

[17] Ibid.

[18] Ibídem, 148.

[19] Juan Calvino, *Psychopannychia; or, The Soul's Imaginary Sleep* https://www.monergism.com/thethreshold/sdg/calvin_psychopannychia.html. Véase también McDannell y Lang, 155.

En esta cuestión, Calvino era similar a Aquino en este punto, ya que no veía interacciones sociales entre los redimidos en la eternidad.

En resumen, las opiniones de Lutero y Calvino sobre la eternidad coincidían en gran medida con el cielo empíreo de Aquino y los escolásticos. Pero una diferencia es que Lutero y Calvino permitían la presencia de animales y plantas en la tierra nueva, mientras que Aquino no.

Otro elemento del modelo de la visión espiritual de Lutero y Calvino tenía que ver con su creencia en la eliminación de todas las distinciones funcionales en el cielo:

> Según Lutero, aunque los bienaventurados conservarán su género, perderán sus identidades de rango y profesión. Lutero y Calvino estaban de acuerdo en que no habrá príncipes ni campesinos, magistrados ni predicadores, pues todos serán iguales.[20]

Lutero y Calvino tampoco creían que existieran gobiernos o leyes en el cielo futuro.[21] Esto queda refutado por Apocalipsis 21:24, 26, que habla de naciones y reyes en la tierra nueva.

McDannell y Lang resumen las opiniones encontradas de Lutero y Calvino sobre la eternidad:

> La primera visión de la Reforma sobre la vida eterna combinaba las características de un mundo renovado con el gobierno absoluto de Dios. Lutero y Calvino continuaron la perspectiva escolástica sobre el empíreo celestial, pero la suavizaron introduciendo animales y plantas en una tierra perfeccionada... su preocupación no radicaba en el fin de la historia, sino en la vida celestial del individuo tras su muerte.[22]

Sin embargo, la trayectoria procedente de los reformadores era positiva. Adoptaron una comprensión más literal de las Escrituras y, al menos en principio, cuestionaron la interpretación alegórica. Esto dio lugar a un pensamiento más creacionista. Como señala Blaising, «aunque los propios reformadores no desafiaron directamente el modelo de la visión espiritual, sí desataron poderosas corrientes de pensamiento

---

[20] McDannell y Lang, 154.

[21] Véase Ibid.

[22] Ibídem, 156. También dicen: «Debido a su aprecio por el mundo, los reformadores atemperaron su cielo teocéntrico con una vida eterna que reconocía la importancia de la tierra», 152.

que condujeron tanto al resurgimiento de la escatología de la nueva creación como a la consideración del milenarismo».[23]

Los puritanos

Los puritanos ingleses llevaron la tradición de la Reforma hasta el siglo XVII y más allá, con implicaciones contradictorias para los dos modelos. Con respecto al reino milenario de Jesús, tal como se describe en Apocalipsis 20, los puritanos adoptaron una visión del milenio más tangible y orientada a la tierra que Lutero y Calvino. Así, los puritanos creían en una comprensión del reino de Jesús más parecida al modelo de la nueva creación. Sin embargo, respecto al cielo final o la eternidad, estaban muy en línea con Aquino y los escolásticos de la Edad Media. Y en algunos casos fueron más allá de Aquino en el aspecto del modelo de la visión espiritual.

Señalamos que Lutero y Calvino creían en el amilenialismo agustiniano. Algunos puritanos también eran amilenialistas. Pero otros puritanos eran postmilenialistas, creyendo que el reino milenario de Jesús comenzaría en la tierra en esta era con «la conversión de los judíos y florecerá rápidamente después, prevaleciendo sobre la tierra durante mil años literales».[24] El reino de Jesús no sólo implicará la salvación espiritual de muchos, sino que también transformará el mundo en los ámbitos social, político, cultural y económico. Para los postmilenialistas, el reino de Jesús tiene resultados tangibles en la tierra. Esta transformación del mundo, para los postmilenialistas puritanos, debe ocurrir antes de la segunda venida de Jesús. Jesús, que reina desde el cielo en esta era, regresará a un mundo ganado por el Evangelio.

Tal comprensión orientada a la tierra del reino milenario de Jesús es coherente con el modelo de la nueva creación. Así que los postmilenialistas puritanos estaban más cerca del modelo de la nueva creación en lo que respecta al reino milenario de Jesús que los amilenialistas que espiritualizaron el reino de Jesús. Citando a Donald Bloesch, Kenneth Gentry enumera seis «luces directrices» del postmilenialismo de los siglos XVII y XVIII: «Samuel Rutherford (1600-1661), John Owen (1616-1683), Philip Spener (1635-1705),

[23] Blaising, «Premillennialism», en *Three View of the Millennium and Beyond,* 174.
[24] Kenneth L. Gentry, Jr., «Reformed Postmillennialism», https://postmillennialworldview.com/2019/12/03/reformation-postmillennialism/ 3 de diciembre de 2019. Consultado el 12 de diciembre de 2022.

Daniel Whitby (1638-1726), Isaac Watts (1674-1748), los hermanos Wesley (1700) y Jonathan Edwards (1703-1758)».[25]

Sin embargo, algunos puritanos adoptaron el premilenialismo y su visión de que un reino terrenal de Jesús sigue a la segunda venida de Jesús. Entre los puritanos premilenialistas significativos del siglo XVII se encontraban Thomas Brightman (1562-1607) y Joseph Mede (1586-1639). William Hooke (1600- 77), pastor puritano inglés en New Haven, también era premilenialista.[26] Observando que algunos defendían una visión amilenial, Hooke expresó un nuevo enfoque creacionista respecto a un reino político terrenal de Cristo:

> Sin embargo, con respecto a su *segunda venida*, para establecer su Reino en la tierra, algunos no reconocen ningún reino de Cristo en la tierra, sino espiritual e invisible en los corazones de los elegidos... Pero hay otro, un reino político de Cristo que se establecerá en los últimos tiempos, predicho por Daniel en el capítulo 2... y por el ángel Gabriel a la virgen María, Lucas 1:32-33. Y por el Apóstol Juan, en Apocalipsis 19 y 20.[27]

Para Hooke, el reino de Jesús era más que un reino espiritual e invisible; era un reino terrenal. La influencia del premilenialismo en esta época fue significativa. William Eamon señala que «la escatología puritana durante el siglo XVII, y de hecho hasta bien entrado el siglo XVIII, fue característicamente premilenarista».[28]

Iain Murray señala la esperanza del modelo de la nueva creación de algunos puritanos que sostenían un futuro reino terrenal de Jesús que implicaba a Israel basado en las profecías del Antiguo Testamento y en Apocalipsis 20:

> La atención prestada por escritores como Mede y Alsted al milenio de Apocalipsis 20, y a las profecías del Antiguo Testamento que parecen hablar de una conversión general de las naciones, condujo a una reavivada expectativa de una aparición premilenial de Cristo,

---

[25] Ibid. Un error aquí es que Isaac Watts era premilenialista.

[26] Watson, *Dispensationalism Before Darby*, 188-89.

[27] W[illiam] H[ooke], «An Epistle to the Reader» prefacio a *Increase Mather, The Mystery of Israel's Salvation* (n.p. [Boston], 1669), sin paginación. Como se cita en Watson, *Dispensationalism before Darby*, 189.

[28] William C. Eamon, «Kingdom and Church in New England: Puritan Eschatology from John Cotton to Jonathan Edwards», (1970) *Graduate Student Theses, Dissertations, & Professional Papers*, 136.

> cuando Israel se convertiría y el reino de Cristo se establecería en la tierra durante al menos mil años antes del día del juicio.[29]

Murray también señala que «esta creencia contó con el apoyo de algunos de los divinos de Westminster (en particular, William Twisse, Thomas Goodwin, William Bridge y Jeremiah Burroughs)».[30]

Los puritanos postmileniales y premileniales adoptaron una visión del modelo de la nueva creación sobre el reino milenario de Jesús, más que Lutero, Calvino o los puritanos amileniales. Sin embargo, respecto al estado eterno, los puritanos adoptaron un cielo puramente espiritual sin espacio para la tierra. McDannell y Lang señalan:

> Mientras que Lutero permitió que una tierra purificada proporcionara una diversión lúdica a los santos, los puritanos negaron a la tierra una existencia eterna. Puede haber un reino milenario de Cristo en este mundo, pero sostenían que cuando llegara el tiempo final, la tierra junto con todos los asuntos mundanos se desvanecerían.[31]
>
> Las meditaciones devotas de los puritanos y otros reformadores ascéticos anticipaban una realidad celestial espiritual más que material. El cielo para los piadosos nunca podría ser una réplica del mundo existente. Se abandonó la antigua doctrina de la Reforma sobre el mundo renovado como un lugar de vida siempre duradera. Incluso los que predijeron una tierra fructífera durante el milenio devolvieron a los justos su existencia celestial propia tras el fin de los tiempos.[32]

Una visión tan espiritual del cielo eterno podría parecer sorprendente, ya que los puritanos creían que el reino de Jesús transformaría la sociedad. Y los puritanos apreciaban los asuntos terrenales como el compañerismo humano, la cultura y el trabajo. Además, sus contribuciones a la sociedad fueron muchas. Sin embargo, su esperanza en el futuro cielo después del milenio era predominantemente espiritual. En lo que respecta al milenio, los puritanos abrazaron en gran medida una comprensión del modelo de la

---

[29] Iain H. Murray, *The Puritan Hope: Revival and the Interpretation of Prophecy* (Carlisle, PA: Banner of Truth Trust, 1991), 52.
[30] Ibídem, 53.
[31] McDannell y Lang, 177.
[32] Ibídem, 172.

nueva creación. El reino milenario de Jesús transformaría la tierra y la sociedad. Sin embargo, en lo que respecta al reino eterno, adoptaron plenamente el modelo de la visión espiritual. La tierra desaparecerá para dar paso a una existencia puramente celestial.

Richard Baxter

El líder de la iglesia puritana y teólogo, Richard Baxter (1615-91), presentó una visión espiritual del cielo futuro. En su obra, *The Saint's Everlasting Rest*, Baxter ofreció un mensaje alentador de que la gloria del cielo supera con creces las pruebas a las que nos enfrentamos en esta época. Pero Baxter presentó una visión espiritual de la eternidad que no tiene lugar en una tierra restaurada.

El capítulo 10 se titula: «el descanso del santo no debe esperarse en la Tierra».[33] La idea común de que el cielo será un coro celestial en el cielo está relacionada con Baxter, quien «redescubrió el énfasis agustiniano en la alabanza eterna».[34] Cantar alabanzas a Dios le preparaba a uno para un destino eterno de estar ante Dios y alabarle para siempre en el cielo. Baxter sí menciona que los creyentes tendrán cuerpos físicos reales en el cielo con sentidos físicos que funcionan. Y los santos se conocerán entre sí, también una idea del modelo de la nueva creación. Pero la idea de que los creyentes escaparán de la tierra para adorar a Dios en el cielo para siempre fue enfatizada por Baxter.

Jonathan Edwards

Jonathan Edwards (1703-58), un postmilenialista, creía que el reino milenario transformaría este mundo antes de la segunda venida de Jesús. Como afirma Eamon, «su milenio [el de Edwards] era un paraíso terrenal, no traído ni por la aparición personal de Cristo ni por un cataclismo, sino como la etapa culminante en la marcha progresiva de la historia».[35] Edwards también creía en una salvación y restauración venideras de Israel, una idea creacionista nueva.[36]

---

[33] Richard Baxter, *The Saint's Everlasting Rest*, 170.

[34] Ibíd., McDannell y Lang, 173.

[35] Eamon, 147.

[36] «Nada se predice con mayor certeza que esta conversión nacional de los judíos en el undécimo capítulo de Romanos. Y también hay muchos pasajes del Antiguo Testamento que no pueden interpretarse en otro sentido, que ahora no puedo soportar mencionar. Además de las profecías del llamamiento de los judíos, tenemos un sello notable del cumplimiento de este gran acontecimiento de la providencia por una cosa que es una especie de milagro continuo, a saber, la preservación de ellos como una [nación] distinta cuando se encontraban en tal condición de dispersión durante más

Sin embargo, Edwards poseía fuertes creencias del modelo de la visión espiritual con respecto al cielo final en la eternidad, opiniones que podían ser incluso más extremas que las de Tomás de Aquino. Para Edwards, tras la segunda venida de Jesús a la tierra y el juicio final, Jesús y su iglesia viajarán al cielo donde vivirán para siempre:

> así volverá Cristo triunfante al cielo, siguiéndole todos sus ejércitos, y entregará allí su autoridad delegada al Padre. Así como Cristo regresó al cielo después de su primera victoria, tras la resurrección de su cuerpo natural, así regresará allí de nuevo después de su segunda victoria, tras la resurrección de su cuerpo místico.[37]

El modelo de la visión espiritual de Edwards sobre el cielo también se expresa en su sección «El Juicio Final» de *The History of the Work of Redemption*.[38] Edwards creía que en el juicio final todas las personas de todos los tiempos, creyentes y malvados, se reunirían en la tierra para la resurrección y el juicio. Entonces los santos serán llevados al cielo, apartados de la tierra, para siempre:

> la Iglesia entera será completamente y para siempre liberada de este presente mundo malvado. Se despedirá para siempre de la tierra donde era extranjera:[39]

> Después de eso [el juicio final], Cristo y todos sus santos, y todos los santos ángeles que les sirven, abandonarán el mundo inferior y ascenderán a los cielos más altos.[40]

---

de mil seiscientos años. El mundo no ofrece otra cosa igual: una notable mano de la providencia. Cuando sean llamados, entonces el antiguo pueblo que fue solo pueblo de Dios durante tanto tiempo volverá a ser llamado pueblo de Dios, para no ser rechazado nunca más, un rebaño con los gentiles; y entonces también los restos de las diez tribus dondequiera que estén, y aunque hayan sido rechazados mucho más tiempo que [los judíos], serán reunidos con sus hermanos, los judíos. Las profecías de Oseas especialmente parecen sostener esto, y que en los futuros tiempos gloriosos de la iglesia tanto Judá como Efraín, o Judá y las diez tribus, serán traídos juntos, y serán unidos como un solo pueblo como lo fueron anteriormente bajo David y Salomón (Os.1:1), y así en el último capítulo de Oseas, y otras partes de su profecía». Jonathan Edwards, *Works, A History of the Works of Redemption*, vol. 9, ed. John F. Wilson (New Haven: Yale University Press, 1989), 469-70.

[37] *The Works of Jonathan Edwards*, Vols. 2-4, Revisado, ed. Anthony Uyl (Carlisle, PA: The Banner of Truth Trust, 2019), 279. Sección 743.

[38] Jonathan Edwards, «The History of the Work of Redemption», en https://www.preachershelp.net/wp-content/uploads/2014/11/redemption-edwards-481.pdf. (Consultado el 12 de marzo de 2023).

[39] Ibídem, 174.

[40] Ibídem, 176.

> Así es como la Iglesia de Cristo dejará para siempre este mundo maldito y entrará en los cielos más altos, el paraíso de Dios, el reino preparado para ellos desde la fundación del mundo.[41]
>
> Toda la gloria de la Iglesia en la tierra es sólo una débil sombra de ésta, su gloriosa consumación en el cielo.[42]

Con los santos en el cielo, la tierra se convierte entonces en el escenario del ardiente castigo eterno de los malvados:

> Cuando se hayan ido, el mundo será incendiado. Todos los enemigos de Cristo y de su Iglesia se encontrarán en un gran horno donde serán atormentados para siempre jamás.[43]
>
> Este mundo, que solía ser el lugar de su reino [de Satanás], y donde se erigió como Dios, será ahora el lugar de su castigo lleno de tormento eterno.[44]

Así, para Edwards, la tierra no sólo no es el hogar de los santos para siempre, sino que se convierte en el lugar de la destrucción ardiente de los malvados para siempre. Estas dos ideas de: (1) los santos son llevados al cielo para siempre; y (2) la tierra se convierte en el lugar del tormento ardiente eterno son resumidas por Edwards:

> Al mismo tiempo, toda la Iglesia entrará con Cristo su glorioso Señor en los cielos más altos, y allí llegarán a su más alta y eterna bienaventuranza y gloria. Mientras el mundo inferior, que dejaron bajo sus pies, es presa del fuego de la venganza de Dios, con llamas encendidas sobre él, y los malvados entran en el fuego eterno, toda la Iglesia entrará en el cielo llena de gozo con su gloriosa cabeza con todos los santos ángeles que la asisten, llegando al paraíso eterno de Dios, el palacio del gran Jehová su Padre celestial.[45]

En contra de la visión del modelo de la nueva creación de la tierra como morada eterna de los santos, Edwards rechazó explícitamente la idea de una tierra purificada y refinada como residencia de Jesús y su

[41] Ibídem, 177.
[42] Ibídem, 178.
[43] Ibídem, 177.
[44] Ibid.
[45] Ibid.

pueblo: «el lugar de la residencia eterna de Dios y el lugar de la residencia y reinado eternos de Cristo y su iglesia será el cielo, y no este mundo inferior, purificado y refinado».[46]

Según Willem van Vlastuin, Edwards sostuvo una vez una tierra nueva material, pero luego cambió de opinión:

> Parece ser que, cuando era un joven preceptor, creía en una tierra nueva material, pero más tarde, durante su ministerio, se convenció de que el cielo nuevo y la tierra nueva debían interpretarse espiritualmente. Así pues, en opinión de Edwards, no hay ninguna expectativa de una recreación de la tierra. El futuro de los santos resucitados no estará en una tierra nueva, sino en el cielo. Pero Edwards habla de la destrucción del viejo cielo y de la renovación del cielo.[47]

Mientras que Apocalipsis 5:10 declara que los santos «reinarán sobre la tierra», Edwards creía que el reinado de los santos sería sobre el cielo. Como señala Caldwell respecto a Edwards: «En él [Jesús], heredan todas las cosas y se sientan en el trono con Cristo para reinar sobre el cielo».[48]

Para Edwards, Jesús y los santos entrarían en el cielo para siempre mientras que el universo sería incinerado: «tras el justo juicio de Dios, Cristo, los santos y los ángeles elegidos entrarán en el cielo dejando el mundo inferior junto con sus habitantes réprobos, tras lo cual Dios, en su ira, convertirá "el universo visible... en un gran horno"».[49] En esta cuestión, Edwards fue incluso más lejos que Aquino y los escolásticos medievales, que creían que la tierra física existiría hasta la eternidad aunque no estuviera habitada.

A principios del siglo XIX, el postmilenialista David Bogue no podía comprender cómo alguien podía creer que los santos podrían volver a vivir en la tierra después de que sus almas residieran en el cielo: «¿cómo podrían suponer los hombres sabios y piadosos que los santos, cuyas almas están ahora en el cielo, deberían, tras la resurrección del cuerpo de la tumba, descender a vivir de nuevo en la tierra?».[50]

---

[46] Jonathan Edwards, *The Works of Jonathan Edwards*, Vols. 2-4, Revisado, 275. Sección 743.

[47] Willem van Vlastuin, «One of the most difficult points in the bible: An analysis of the development of Jonathan Edwards' understanding of the new heaven and new earth», *Church History and Religious Culture* 98:2 (julio de 2018): 225.

[48] Robert Caldwell, «A Brief History of Heaven in the Writings of Jonathan Edwards», en *Calvin Theological Journal* 46 (2011): 70.

[49] Ibídem, 66. Edwards, «Miscellanies» n.º 952, en *WJE*, 20:218.

[50] David Bogue, *Discourses on the Millennium* (Londres: Hamilton, 1818), 17.

Así pues, con el postmilenialismo puritano existía un enfoque del milenio basado en el modelo de la nueva creación. Esto involucraba una tierra restaurada y la salvación para el Israel étnico. Sin embargo, en lo que respecta al estado eterno, el postmilenialismo puritano promovía una visión antiterrenal coherente con el modelo de la visión espiritual. McDannell y Lang resumen los supuestos predominantes del modelo de la visión espiritual de esta época:

> Si eliminamos los elementos diversos y únicos que marcan el cielo de Lutero, Calvino, Polti, de sales, Nicole y Baxter, y nos concentramos en lo que tienen en común, surge un modelo teocéntrico. Según este modelo, el cielo es para Dios, y la vida eterna de los santos gira en torno a un centro divino. Los santos pueden participar en una eterna liturgia de alabanza, pueden meditar en soledad o pueden estar atrapados en una relación íntima con lo divino. Las actividades mundanas no tienen cabida en el cielo. Al final de los tiempos, la tierra es destruida o desempeña un papel secundario en la vida eterna. El cielo es fundamentalmente un lugar religioso, un centro de culto, de revelación divina y de conversaciones piadosas con personajes sagrados.[51]

La Era Moderna

La Era Moderna, que comenzó en el siglo XVII, es conocida por su énfasis en los estudios empíricos y el escepticismo de los puntos de vista filosóficos y religiosos tradicionales. Esto incluía las creencias sobre el cielo y la naturaleza de la vida eterna. McDannell y Lang señalan: «Desde la filosofía de René Descartes (1596-1650), los pensadores críticos han rehuido hacer afirmaciones sobre la vida celestial».[52] Immanuel Kant (1724-1804), por ejemplo, no negó la inmortalidad del alma ni la vida eterna, pero sostuvo que el conocimiento sobre estos temas no podía ser discernido por la razón. Como mucho podemos especular sobre el cielo y la eternidad, pero no podemos tener un conocimiento real sobre estos asuntos. Las ideas teológicas eran incognoscibles.

El padre del liberalismo protestante, Friedrich Schleiermacher (1768-1834), era escéptico sobre la vida después de la muerte. En una carta de consuelo a una viuda que también había perdido a su hijo, no

---

[51] McDannell y Lang, 178.
[52] Ibídem, 323.

ofreció ninguna esperanza de vida después de la muerte ni de reunirse con su hijo.[53] Los teólogos liberales protestantes continuaron el escepticismo de Schleiermacher sobre la vida eterna, afirmando que no podemos tener un conocimiento seguro de ella, o convirtiéndola en una cuestión puramente simbólica. Paul Tillich (1886-1965) era escéptico sobre si la vida eterna existía siquiera: «Paul Tillich no podía aceptar ninguna de las opiniones cristianas estándar sobre el cielo, la vida después de la muerte o la inmortalidad. Para él, no existía la visión beatífica, ni reunirse con los miembros de la familia, ni abrazar a Jesús, ni el coro angélico de alabanza eterna».[54]

Conclusión

La historia de la Iglesia revela una batalla entre los modelos de la visión espiritual y de la nueva creación. Sin embargo, el enfoque de la visión espiritual ha sido el dominante. Ganó fuerza en el siglo III y se convirtió en la visión reinante en el siglo IV, en gran parte debido a la fusión constantiniana de la Iglesia y el Estado y a la teología de Agustín. El modelo de la visión espiritual fue adoptado en la Edad Media y encontró su máxima expresión en las enseñanzas de Tomás de Aquino. El período inicial de la Reforma continuó con las ideas del modelo de la visión espiritual, ya que su enfoque se centraba principalmente en la salvación humana individual. Pero con el tiempo la Reforma conduciría a un pensamiento más del modelo de la nueva creación.

El modelo de la visión espiritual ha sido cuestionado pero sigue siendo dominante. Como señala Steven James, «Aún así, existe un consenso generalizado de que la historia de la iglesia ha estado dominada por concepciones que podrían clasificarse dentro del primer modelo de Blaising, la visión espiritual, y que los énfasis del modelo de la nueva creación generalmente han sido ignorados o rechazados».[55]

[53] Véase Ibíd., 324.
[54] Ibídem, 330.
[55] James, *New Creation Eschatology and the Land,* 2.

18

LA VISIÓN BEATÍFICA Y LOS MODELOS

Los modelos de la nueva creación y de la visión espiritual se cruzan con lo que a menudo se denomina la visión beatífica. Esto se refiere a la visión y experiencia de Dios por parte del creyente y a lo que esto significa. Existen dos interpretaciones principales de la visión beatífica: la interpretación *tradicional*, que está estrechamente vinculada con el modelo de la visión espiritual, y una versión *neocreacionista*. Aunque la comprensión tradicional ha sido dominante en la historia de la Iglesia, la visión neocreacionista es la más acertada.

Definición de la visión beatífica

La visión beatífica se refiere a la contemplación eterna directa de Dios como meta y experiencia última del hombre. Según J. Van Engen, «la visión beatífica (*visio Dei*) se refiere al conocimiento directo e intuitivo del Dios trino que disfrutarán las almas perfeccionadas por medio de su intelecto; es decir, la fruición final de la vida cristiana, en la que verán a Dios tal como es en sí mismo».[1] Monseñor Edward A. Pace, en la *Enciclopedia Católica* (1907), definió la visión beatífica como:

> El conocimiento inmediato de Dios del que gozan en el cielo los espíritus angélicos y las almas de los justos. Se llama «visión» para distinguirla del conocimiento mediato de Dios que la mente humana

[1] J. Van Engen, «Beatific Vision», en *Evangelical Theological Dictionary of Theology*, ed., Walter A. Elwell (Grand Rapids: Baker Academic, 2001), 146.

puede alcanzar en la vida presente. Y puesto que al contemplar a Dios cara a cara la inteligencia creada encuentra la felicidad perfecta, la visión se denomina «beatífica».[2]

Así pues, la visión beatífica implica el conocimiento directo e inmediato de Dios y ver su rostro que da como resultado la felicidad perfecta. Esta visión no se produce en esta vida, en la que tenemos un conocimiento indirecto y mediato de Dios. Espera en la otra vida.

Hay tres elementos de la idea de la visión beatífica que tienen sustento bíblico. Primero, Dios es santo e inaccesible al hombre en su estado caído. 1 Timoteo 6:15b-16a afirma: «Al único y bendito Soberano, Rey de reyes y Señor de señores, al único inmortal, que vive en luz inaccesible, a quien nadie ha visto ni puede ver». Además, en Éxodo 33:20 Dios le dijo a Moisés: «no podrás ver mi rostro, porque nadie puede verme y seguir con vida».

En segundo lugar, la mayor felicidad es ver a Dios y estar en su presencia. Como David declaró: «Una sola cosa le pido al Señor, y es lo único que persigo: habitar en la casa del Señor todos los días de mi vida, para contemplar la hermosura del Señor...»

En tercer lugar, ver a Dios es una esperanza futura. Observe lo siguiente:

> «Dichosos los de corazón limpio, porque ellos verán a Dios» (Mt. 5:8).
> Ahora vemos de manera indirecta y velada, como en un espejo; pero entonces veremos cara a cara. Ahora conozco de manera imperfecta, pero entonces conoceré tal y como soy conocido (1 Cor. 13:12).
>
> Sabemos, sin embargo, que cuando Cristo venga seremos semejantes a él, porque lo veremos tal como él es (1 Jn. 3:2b).
>
> Verán su rostro y su nombre estará en sus frentes (Ap. 22:4).

Por tanto, hay una visión de Dios en el futuro que no es posible ahora. La esperanza del creyente implica estar con Dios y verle. Esta es la experiencia suprema. Lo que significa ver a Dios, que es espíritu, es difícil de explicar. Pero ocurrirá. Así, diversos pasajes enseñan un

---

[2] Edward Pace, «Beatific Vision». *The Catholic Encyclopedia*. Vol. 2. (Nueva York: Robert Appleton Company, 1907; 5 ene. 2011).

concepto de visión de Dios. La mayoría de los cristianos afirman alguna forma de «visión beatífica».

Pero hay diferencias en cuanto a cómo y cuándo se produce esta visión. A partir del siglo III, la visión beatífica se espiritualizó mucho, se individualizó y se divorció de la creación y de las interacciones sociales. Se consideraba individualista, contemplativa, estática y que ocurría más allá del universo. Esta concepción tradicional no incluye un componente terrenal o físico. Ocurre en el momento de la muerte, cuando el alma del creyente pasa directamente a la presencia de Dios en el cielo, y se intensifica aún más tras el juicio final.

Conexiones paganas

Los cristianos que afirman la visión beatífica tradicional suelen pensar que se enseña en la Biblia. Pero la visión tradicional tomó prestadas ideas paganas. Como observa Andrew Louth, «las tradiciones cristianas de la visión beatífica deben algo a los antecedentes paganos, en particular a la tradición pagana».[3] La idea del «alma deslumbrada por la luz» en otro reino es coherente con la escatología del platonismo. Como defensor del punto de vista tradicional, Boersma admite la conexión con el platonismo: «en particular, la tradición platónica ha influido en el desarrollo de la doctrina de la visión beatífica».[4] También conecta la idea de la visión beatífica cristiana, de larga tradición, con el «platonismo cristiano»:

> Los teólogos recurrían una y otra vez a Platón y Plotino en busca de inspiración sobre cómo articular la verdad bíblica de que anhelamos ver a Dios cara a cara. De hecho, probablemente sea justo sugerir que fue el platonismo cristiano el que sostuvo la enseñanza bíblica de la visión beatífica en la doctrina y la espiritualidad cristianas a lo largo de los siglos.[5]

Así pues, la visión beatífica tradicional tiene conexiones con el modelo de la visión espiritual a través de su relación con el platonismo.

---

[3] Andrew Louth, «Foreword», en Hans Boersma, *Seeing God: The Beatific Vision in Christian Tradition* (Grand Rapids: Eerdmans, 2018), xiii.

[4] Hans Boersma, *Seeing God: The Beatific Vision in Christian Tradition* (Grand Rapids: Eerdmans, 2018), 45.

[5] Ibídem, 47.

Tomás de Aquino

La concepción tradicional de la visión beatífica se expresó más claramente con Tomás de Aquino en el siglo XIII. Promovió un enfoque espiritual extremo de la visión beatífica. Vinculó la imagen de Dios con el intelecto y el componente racional del hombre e hizo así de la visión beatífica una contemplación mental de Dios. Lo explica Jerry Walls:

> El relato de Aquino sobre la visión beatífica es una versión extrema de este punto de vista, muy significativa e influyente en la historia de la teología. Puesto que somos criaturas racionales, nuestra felicidad consiste en la actividad del intelecto, y puesto que el conocimiento de Dios es el fin último de nuestra búsqueda intelectual, nuestra felicidad perfecta consiste en la contemplación de Dios. Aunque afirmaba que el cuerpo contribuía a nuestra felicidad individual, era reacio a admitir que el compañerismo humano aportara algo esencial a la felicidad celestial. Aquino creía tan firmemente que sólo Dios es la fuente de nuestra felicidad eterna, que incluso veía la sociedad humana como una posible distracción de nuestra verdadera bienaventuranza.[6]

Como se ha dicho antes en este libro, la visión del cielo de Aquino fue representada en el *Paradiso* de Dante en *La Divina Comedia*. Aquí, el cielo empíreo (de luz ardiente) es la experiencia final, última e indescriptible de deleitarse en la luz y la presencia de Dios. Esta comprensión de la visión beatífica está fuertemente asociada con el modelo de la visión espiritual. Elimina de la visión los componentes creacional, físico y social, ya que supuestamente serían distracciones de la experiencia última de Dios. Pero como argumentaremos a continuación, existe una visión mejor de la visión beatífica: la perspectiva del modelo de la nueva creación.

La visión beatífica y el modelo de la nueva creación

La perspectiva de la nueva creación adopta un enfoque holístico de la visión de Dios. Y no es una amenaza para que los creyentes vean el rostro de Dios. Como señala Blaising, «el modelo de la nueva creación no debe interpretarse como una negación de la esperanza de que los

---

[6] Jerry L. Walls, «Heaven», en *The Oxford Handbook of Eschatology*, ed. Jerry L. Walls (Nueva York: Oxford University Press, 2008), 402.

salvos verán a Dios».[7] La mejor parte de la eternidad implicará estar en la presencia de Dios y ver su rostro. Pero la verdadera experiencia de la visión de Dios no está más allá del universo, el espacio y el tiempo. La verdadera visión beatífica no es el cielo empíreo de Aquino y Dante. No es una absorción estática de rayos de luz en otra dimensión divorciada de la tierra. Implica una nueva tierra, espacio y tiempo. Incluye interacciones sociales con otros creyentes.

Las Escrituras deben informar la experiencia de la visión beatífica, no lo que los teólogos y filósofos piensan que debería ser. La visión beatífica bíblica se describe en Apocalipsis 21:1-22:5 con una nueva Jerusalén tangible que reside en una tierra nueva mientras las naciones de la tierra sirven a Dios e interactúan social y culturalmente entre sí.

Conocer la visión correcta de la experiencia de Dios significa comprender el contexto de la misma. En primer lugar, Dios morará entre su pueblo o literalmente «pueblos» (véase Ap. 21:3) y verán su rostro (véase Ap. 22:4). Y también habrá muchas bendiciones y dones en la tierra nueva. Ninguno de estos dones se disfrutará aparte de una relación con el Dador de los dones. «Toda buena dádiva y todo don perfecto» proviene de Dios (véase Sant. 1:17). A medida que uno participa con los deleites de la nueva tierra Dios se complace. Mientras uno disfruta de la comunión con otros creyentes, Dios es honrado. Y a medida que uno disfruta de la belleza de la tierra nueva, esto trae gloria a Dios. Contrariamente a la visión tradicional, participar en actividades e interactuar con la gente no significa idolatría. Disfrutar de los buenos regalos de Dios no es una amenaza para Dios. Este es el sentido de 1 Timoteo 4. En referencia a los que prohíben el matrimonio y el disfrute de la comida, Pablo afirma: «Todo lo que Dios ha creado es bueno, y nada es despreciable si se recibe con acción de gracias» (1 Tim. 4:4).

En segundo lugar, la visión beatífica se produce en el contexto de un «cielo nuevo y una tierra nueva». E implica una nueva Jerusalén (véase Ap. 21:1-3). Al igual que los primeros cielos y tierra de Génesis 1:1 eran tangibles, también lo son el cielo nuevo y la tierra nueva. Así pues, existe una plataforma terrestre tangible para la visión. Abarca espacio y no está en un cielo inmaterial.

Aquí es donde la protología (las primeras cosas) nos ayuda con la escatología (las últimas cosas). La primera persona que experimentó una visión de Dios fue Adán. Adán caminó con Dios en el jardín. Sin embargo, la experiencia de Adán antes de la caída no fue separada de la tierra, el espacio y el tiempo. Adán fue creado el último en el sexto día

[7] Blaising, «Premillennialism», en *Three Views on the Millennium and Beyond*, 163.

en el contexto de un mundo hermoso. Y las primeras bendiciones y mandatos que se le dieron fueron llenar, gobernar y someter la tierra (véase Gén. 1:26- 28). Todo ello debía ocurrir en conexión con la relación de Adán con Dios. Dios no veía la creación como una amenaza para la experiencia que Adán tenía de Él. En tercer lugar, la experiencia de la visión beatífica es societal. La palabra «ellos» aparece cinco veces en Apocalipsis 21:1-22:5. Esta experiencia incluye «pueblos» (véase Ap. 21:3) y «naciones» que aportan contribuciones cultuales (véase Ap. 21:24, 26). La adoración a Dios no será sólo individual, sino también corporativa. La verdadera visión beatífica tendrá interacciones sociales entre el pueblo de Dios. Estar en la presencia de Dios y disfrutar de Él no es contrario a que el pueblo de Dios disfrute de la comunión entre sí. Dios quiere que haya interacciones sociales. El amor al prójimo es el segundo mandamiento más grande y existe con el primer mandamiento más grande: amar a Dios con todo el ser. Vivir estos dos grandes mandamientos tendrá lugar en la eternidad.

En cuarto lugar, la visión beatífica tiene lugar para los que están en cuerpos resucitados (véase Ap. 20:4). Todos los habitantes de la tierra nueva serán resucitados. El componente físico del hombre debe formar parte de la visión beatífica. Así, la visión no es sólo contemplación mental aparte de un cuerpo; debe incluir a toda la persona. Los salvos percibirán e interactuarán con Jesús en su cuerpo físico de resurrección.[8]

En quinto lugar, la visión beatífica conlleva la función de reinar sobre la tierra. La última declaración del estado eterno en las Escrituras dice: «Reinarán por los siglos de los siglos» (Ap. 22:5b).

La nueva creación y sus componentes no son amenazas para la visión de Dios. En el mismo sermón, Jesús dijo: «Los limpios de corazón... verán a Dios» (Mt. 5:8) y «los mansos... heredarán la tierra» (Mt. 5:5). Jesús también dijo que todos los que le sigan serán recompensados con casas y terrenos (véase Mt. 19:28-30). Ver a Dios y heredar la tierra no son experiencias mutuamente excluyentes.

Críticas a la nueva visión beatífica creacionista

No todos están de acuerdo con la interpretación neocreacionista de la visión beatífica. En su libro, *Seeing God: The Beatific Vision in Christian Tradition*, Hans Boersma promueve una visión beatífica espiritual tradicional y expresa su desdén por la comprensión

[8] Reconocemos que la mayoría de los que sostienen el punto de vista tradicional de la visión beatífica también afirman creer en la resurrección del cuerpo.

neocreacionista. Critica a Herman Bavinck y a otros que creen que el estado eterno incluye actividades culturales y sociales. Aunque Bavinck afirma que los creyentes tendrán una experiencia beatífica con Dios, Boersma no quedó impresionado. Dijo: «Bavinck estaba sencillamente interesado en el ajetreo y el bullicio de la actividad humana en el más allá como para pensar realmente en una articulación positiva de la visión beatífica».[9] El desdén en su afirmación es difícil de pasar por alto. Boersma se muestra escéptico ante cualquiera que sostenga una visión renovadora de la tierra. Para él, esto no puede coincidir con una verdadera experiencia de la visión beatífica. Los neocalvinistas, como Bavinck, según Boersma, han «despreciado típicamente, y a veces rechazado explícitamente, la doctrina tradicional de la visión beatífica».[10] Esto se debe a que creen que hay continuidad entre «esta vida y la otra»:

> De hecho, los neocalvinistas no tienen reparos en abandonar sin más la doctrina de la visión beatífica y destacar en su lugar la continuidad entre esta vida y la venidera, con el fin de extender la prioridad de la vida activa de este mundo al siguiente.[11]

También Michael Allen critica a quienes, como Bavinck y Kuyper, vinculan la visión beatífica con la tierra y las actividades sociales. Respecto al clímax de la historia redentora, Allen se queja de que «los neocalvinistas han dejado a menudo de centrarse en la comunión con Cristo, la presencia de Dios o la visión beatífica (la imagen clásica de la presencia espiritual escatológica del Todopoderoso) para centrarse en cambio en el cuerpo resucitado, el shalom de la ciudad y la renovación de la tierra».[12] Allen también afirma «la necesidad de volver a un enfoque teocéntrico sobre la visión beatífica de Dios a nuestra escatología, frente al predominio de los aspectos terrenales en la reciente teología neocalvinista».[13]

Los escritos de Boersma y Allen ofrecen la oportunidad de considerar y evaluar las críticas contra una visión beatífica más orientada hacia la tierra. Pero, en nuestra opinión, sus afirmaciones

---

[9] Boersma, 40.

[10] Ibídem, 33.

[11] Hans Boersma, «Blessing and Glory: Abraham Kuyper on the Beatific Vision», en *Calvin Theological Journal* 52:2 (2017): 206.

[12] Michael Allen, *Grounded in Heaven: Recentering Christian Hope and Life in God* (Grand Rapids: Eerdmans, 2018), 8.

[13] Ibídem, 18.

carecen de sustancia. Sus preocupaciones no se basan en lo que los nuevos creacionistas dicen en realidad, sino en lo que ellos piensan que son las implicaciones de la visión del neocreacionismo. El argumento de Boersma y Allen parece ser: si usted cree que la vida eterna implica interacciones con la gente y la cultura en una tierra nueva, entonces sólo está anhelando que la próxima vida sea como nuestra vida actual. Usted también está eliminando el enfoque en Dios y la necesidad de disciplinas espirituales y sufrimiento por Cristo en esta era.

Pero este es un argumento falso. Los neocreacionistas creen que Dios es el objeto de adoración más importante. Creen en la importancia de las disciplinas espirituales. Y creen que esta era implica sufrir y abandonarlo todo por Jesús. Creer estas cosas no es contrario a una visión del modelo de la nueva creación sobre la vida eterna. Boersma y Allen parecen proyectar lo que creen que sucederá si no aceptamos el punto de vista tradicional de la visión beatífica. Pero no prueban su afirmación. Si Dios ha determinado que nuestra experiencia de Él ocurrirá en una tierra renovada con cuerpos resucitados dentro de un contexto social, debemos aceptarlo. Las criaturas no podemos determinar cómo será la experiencia de la visión de Dios. Dios lo hace. Aunque muchos quieren que la visión beatífica sea sólo celestial, individual e intelectual, eso no es lo que enseñan las Escrituras. No debemos ser más espirituales que Dios en este asunto.

Al final, Boersma y Allen no presentan ningún argumento convincente de por qué la visión beatífica tradicional es más bíblica que la comprensión creacionista. Apelan a pasajes que afirman que Dios es luz, que los creyentes verán a Dios y la necesidad de disciplinas espirituales. Pero los neocreacionistas también creen esas cosas. Lo que se necesitaba era un argumento que demostrara que los pasajes bíblicos que parecen enseñar un aspecto social y cultural de la eternidad, en realidad no enseñan esas cosas. Pero este argumento no se presenta.

CUARTA PARTE

LAS VISIONES MILENARIAS Y LOS MODELOS

19

EL MILENIO, EL REINO ETERNO Y EL MODELO DE LA NUEVA CREACIÓN

Esta sección inicia la discusión de cómo el milenio y las visiones milenarias se relacionan con los modelos de la nueva creación y de la visión espiritual. Los capítulos siguientes profundizarán en cómo las diversas visiones milenaristas conectan con los dos modelos. Pero en este capítulo queremos abordar por qué el milenio, mencionado en Apocalipsis 20, es importante para los modelos. Y queremos examinar su relación con el reino eterno de Apocalipsis 21-22. Antes de empezar nos damos cuenta de que el milenio es uno de los temas más debatidos en la teología cristiana y que muchos cristianos excelentes discrepan sobre esta cuestión. Con eso en mente, procedemos a explicar por qué pensamos que entender el reino milenario de Jesús es importante para una comprensión adecuada del modelo de la nueva creación del argumento bíblico.

Dos fases del reino

Tanto el Antiguo como el Nuevo Testamento dicen mucho sobre el reino del Mesías. Y aunque existe un debate importante sobre la naturaleza y el momento del milenio mencionado en Apocalipsis 20, la mayoría de los teólogos coinciden en que el milenio está relacionado con el reino del Mesías. Y puesto que el reino del Mesías es un tema tan importante en las Escrituras, queremos discutir cómo se relaciona el modelo de la nueva creación con el reino mesiánico/milenial de Jesús. También queremos abordar cómo se relaciona este modelo con el reino eterno posterior al milenio.

Para empezar, la Biblia presenta dos fases futuras del reino de Dios: (1) el milenio y (2) el reino eterno (o estado eterno).[1] La primera se menciona explícitamente en Apocalipsis 20 mientras que la segunda se aborda específicamente en Apocalipsis 21:1-22:5.

Estas dos fases son importantes para comprender el elemento del reino de Dios. El milenio es el periodo de la historia en el que Jesús cumple el mandato del reino mediador de Dios para que el hombre gobierne desde y sobre la tierra para gloria de Dios. Luego, el reino eterno es la secuela perfecta y la recompensa de este reino exitoso. También ocurre en la tierra. Lo que distingue a estos dos reinos son (1) los propósitos de cada uno y (2) los tronos que están en el centro de cada uno. Pero ambos ocurren en la tierra, y ambos implican interacciones sociales y culturales entre los redimidos.

Reino milenario

En primer lugar, el milenio es el reinado mesiánico directo de Jesús el Mesías desde y sobre la tierra durante mil años. Es el periodo en el que el hombre (a través de Jesús) cumple el mandato del reino de Génesis 1:26, 28 de gobernar y someter con éxito la tierra y sus criaturas para la gloria de Dios. Este gobierno implica reinar sobre las naciones geopolíticas y derrotar a los enemigos de Dios. *Debe* suceder. Como afirma 1 Corintios 15:25: «Porque es necesario que Él [Jesús] reine hasta que haya puesto a todos sus enemigos debajo de sus pies».[2] Al describir la segunda venida de Jesús, Apocalipsis 19:15 declara: «De su boca sale una espada, para que con ella derribe a las naciones, y las regirá con vara de hierro».[3]

Aunque Apocalipsis 20 se refiere explícitamente a este reino y revela que durará mil años, este no es el único pasaje bíblico que se refiere a este reino mesiánico/milenario. Muchos pasajes del reino se refieren a un reino terrenal del Mesías —Génesis 1:26, 28; 5:28-29;

---

[1] Reconocemos que existen realidades presentes para esta época relacionadas con el Reino de Dios. Apocalipsis 5:10 describe a los creyentes como si ya fueran un «reino» posicionalmente. Pero la venida real del reino del Mesías aguarda en el futuro.

[2] Énfasis añadido.

[3] En los profetas del Antiguo Testamento, el discurso de los olivos y el libro del Apocalipsis, el reinado del Mesías sigue a un intenso tiempo de tribulación global, a menudo conocido como el día del Señor. En cada una de estas secciones hay: (1) un tiempo de tribulación concerniente a Israel y a las naciones. A esto le sigue (2) una venida del Señor a la tierra. A esto le sigue (3) un reinado posterior del Mesías sobre la tierra.

49:8-12; Levítico 26:40-45; Salmos 2; 72; 89; 110; Isaías 2; 9; 11; 25; 35; 49; 65; Jeremías 30-33; Oseas 2:14-23; Zacarías 14; Mateo 5:5; 19:28-30; Hechos 1:6; 3:20-21; Apocalipsis 5:10.

Estos pasajes, en conjunto, presentan un cuadro compuesto en el que el Mesías reinará sobre Israel y las naciones desde Jerusalén, derrotará a sus enemigos, traerá la armonía internacional, eliminará las enfermedades y restaurará la tierra a condiciones similares a las del Edén. Todos los ámbitos se ven afectados para bien en este tiempo. Este reino es un tiempo para construir casas y plantar viñedos en un contexto de alegría y equidad (véase Isa. 65:17-25). Es un tiempo de abundante prosperidad agrícola (Gén. 49:8-12; Amós 9:13-15). Se restaura el reino animal (véase Isa. 11:6-10). Es un tiempo de casas, terrenos y relaciones (véase Mt. 19:28-30). Las enfermedades desaparecen a escala mundial (véase Isa. 35). Los santos resucitados viven y reinan en una tierra restaurada (Ap. 5:10; 20:4). Satanás será encarcelado sin acceso a la tierra (Ap. 20:1-3).

Así pues, muchos pasajes se refieren al reino del Mesías. Lo que añade Apocalipsis 20 es cuánto durará —mil años— antes de que comience el reino eterno. La afirmación de que el milenio sólo se encuentra en Apocalipsis 20 no es del todo cierta. Hay tres elementos que hacen que el milenio sea lo que es: (1) un reino terrenal en el que (2) el Mesías reina sobre la tierra y las naciones (3) durante mil años. Así pues, hay tres elementos: (1) reino terrenal; (2) reinado directo del Mesías; y (3) un reino de mil años. Aunque sólo Apocalipsis 20 menciona «mil años», otros pasajes abordan un reino terrenal del Mesías. Sin Apocalipsis 20 aún podríamos anticipar un reino terrenal del Mesías, pero no sabríamos cuánto duraría antes de que comenzara el reino eterno.

Además, el reino del Mesías incluye, pero involucra mucho más que la salvación individual del pecado. Ser salvo es necesario para participar en este reino, pero este reino es global, exhaustivo, holístico y multidimensional. Incluye la tierra, las criaturas, las naciones, las etnias, Israel, las bendiciones físicas y las bendiciones espirituales. Los intentos de hacer del reino de Jesús sólo un reino espiritual o sólo sobre la salvación del pecado, no hacen justicia a todas las dimensiones del reino de Jesús.

Propósitos del milenio

El reino mesiánico/milenial de Jesús cumple ciertos propósitos que exigen una comprensión del modelo de la nueva creación. En primer lugar, es el período en el que la atención se centra específicamente en Jesús el Mesías en lo que respecta a su papel como Rey en la tierra. El Jesús que fue rechazado por el mundo en su primera venida es reconocido y honrado como Rey en la tierra con su segundo advenimiento. En la primera venida de Jesús, «vino a los suyos, pero los suyos no le recibieron» (Jn. 1:11). Aunque cumplió el importante papel de siervo sufriente de traer la expiación por el pecado, Jesús fue rechazado en la tierra en su primera venida. Pero en el milenio, Jesús tendrá un reinado visible sostenido y será vindicado en el ámbito de su anterior rechazo.[4] También será un tiempo en el que los santos de Dios serán vindicados en el ámbito de su persecución (véase Ap. 2:26-27; 6:9-11; 20:4).

Cuando Jesús reine en este reino mesiánico/milenario todo el mundo lo sabrá. No será un reino secreto u oculto. Como afirma Zacarías 14:9: «Y el Señor será rey sobre toda la tierra; en aquel día el Señor será el único, y su nombre el único». Entonces no habrá religiones ni filosofías competentes. Todos reconocerán a Jesús como Rey. Se trata de un reinado de Jesús el Mesías de mar a mar (véase Zac. 9:10). En el Salmo 2:8 Dios prometió que daría al Mesías las naciones como herencia y los confines de la tierra como posesión suya. Y con el Salmo 110:2 el Padre extenderá el reinado del Mesías desde Sión, gobernando así en el reino donde una vez tuvo lugar la rebelión de las naciones. En el milenio sucederán estas cosas. En resumen, el milenio es el período único en la historia en el que el Mesías tiene un reinado sostenido en la tierra donde el centro de atención es Él.

En segundo lugar, el reino milenario de Jesús cumple el mandato del reino de Génesis 1:26, 28 para que el hombre gobierne y sojuzgue la tierra para la gloria de Dios. Este reinado mediador del hombre es el propósito principal del milenio. Al primer Adán se le encomendó gobernar y someter la tierra para la gloria de Dios. Fracasó. Toda la humanidad después de Adán, incluido Israel en el Antiguo Testamento, fracasó. Pero Jesús, el último Adán (1 Cor. 15:45), triunfará desde y sobre la tierra donde Adán fracasó. Cuando Adán pecó, Dios no

[4] Comprendemos que la resurrección y la ascensión de Jesús incluyen también elementos de vindicación.

renunció a su expectativa de un reinado mediador exitoso sobre la tierra, como revelan pasajes como el Salmo 8 y Hebreos 2:5-8.

En tercer lugar, el reino milenario de Jesús también es el periodo en el que todas las dimensiones de los pactos de la promesa —abrahámico, davídico y nuevo— se reúnen en todas sus dimensiones —espiritual, física, nacional (Israel) e internacional (todas las naciones y etnias). En conjunto, estos pactos contienen docenas de promesas y bendiciones, algunas de las cuales se han inaugurado en la historia del Antiguo Testamento y con la primera venida de Jesús. Sin embargo, no todos los elementos de estos pactos se han cumplido aún; esperan su cumplimiento futuro con la venida de Jesús y su reino. Como afirma acertadamente Mark Yarbrough: «aunque todos los pactos se han cumplido en Jesús, éste aún tiene que completar todos los pactos. Por eso esperamos el segundo advenimiento de Cristo, cuando regrese y termine lo que se ha empezado».[5]

Algunas promesas que esperan su cumplimiento futuro incluyen la restauración del Israel nacional; la posesión permanente de los límites de la tierra prometida de Israel; el rey davídico gobernando sobre las doce tribus restauradas de Israel; el reinado del rey davídico en la tierra de mar a mar sobre todas las naciones; la prosperidad agrícola en la tierra; la armonía internacional; y las naciones gentiles siendo bendecidas en sus tierras. Estos elementos de los pactos y otros más se cumplirán en el reino mesiánico/milenial venidero de Jesús. Sin embargo, hay que comprender que las bendiciones de estos pactos se extenderán hasta el reino eterno. Cuando decimos que estos pactos se cumplirán en el milenio, no estamos implicando que desaparezcan en el reino eterno. El reino eterno es la secuela y quizás la recompensa del exitoso reinado milenario del Mesías. Sin embargo, el milenio es el tiempo en que todos los aspectos de los pactos de la promesa se reúnen en todas sus dimensiones por primera vez en la historia.

Tronos

La cuestión de los «tronos» tanto para el milenio como para el reino eterno es importante y exige una comprensión del modelo de la nueva creación para cada uno de ellos. Cada fase del reino se caracteriza por una situación de trono diferente en relación con la tierra. En primer lugar, *el Milenio es el reinado directo de Jesús el Mesías desde el trono*

[5] Mark Yarbrough, «Israel and the Story of the Bible», en *Israel the Church and the Middle East*, eds. Darrell L. Bock y Mitch Glaser (Grand Rapids: Kregel, 2018), 60-61.

de David. El trono de David se refiere a la autoridad del reino de los descendientes de David desde Jerusalén (véase Jer. 17:25), con vistas a un reinado del descendiente último de David: el Mesías (véase Sal. 132:11). En Lucas 1:32-33, Gabriel le dijo a María que Jesús se sentaría en el trono de su padre David y reinaría sobre Israel (Lc. 1:32-33): «será grande y se le llamará Hijo del Altísimo; y el Señor Dios le dará el trono de David, su padre; y reinará sobre la casa de Jacob para siempre, y su reino no tendrá fin».

En Mateo 25:31-32a, Jesús dijo que cuando regrese a la tierra se sentará en su glorioso trono [davídico] y juzgará a las naciones: «pero cuando el Hijo del Hombre venga en su gloria, y todos los ángeles con Él, entonces se sentará en su trono glorioso. Todas las naciones se congregarán ante Él». Los que sean las ovejas «heredarán entonces el reino» (25:34). Significativamente, Jesús afirma que su segunda venida a la tierra será cuando asuma su glorioso trono davídico.

Además, en Mateo 19:28 Jesús vincula su trono con la renovación de la tierra («regeneración») y la restauración de las doce tribus de Israel: «—Les aseguro —respondió Jesús— que en la renovación de todas las cosas, cuando el Hijo del hombre se siente en su trono glorioso, ustedes que me han seguido se sentarán también en doce tronos para gobernar a las doce tribus de Israel». De nuevo, la asunción por parte de Jesús de su trono davídico se produce con los acontecimientos de la segunda venida.

Luego con Apocalipsis 3:21 Jesús distinguió su trono del trono del Padre: «Al que venciere, le daré que se siente conmigo en mi trono, como yo también vencí y me senté con mi Padre en su trono». Jesús distingue su trono del trono del Padre, mostrando que el trono davídico es únicamente el trono del Mesías. Así que en múltiples ocasiones Jesús afirma que a su regreso a la tierra asumirá el trono davídico para reinar en Su reino. Este reinado en el trono davídico del Mesías es el reinado directo del Último Adán y Mesías que cumple el mandato del reino. Así pues, el mandato del reino de Génesis 1:26, 28 y el reinado davídico/mesiánico/milenario del Mesías están directamente relacionados. Pero en el reino eterno se produce una transición. Jesús compartirá el trono con el Padre. Apocalipsis 22:3 se refiere al «trono de Dios y del Cordero» en la nueva Jerusalén. En el milenio, Jesús reina desde su propio trono: el trono davídico. Pero en la eternidad, Él comparte un trono con el Padre. Esto muestra la naturaleza directa del reinado de Jesús en el milenio. Jesús debe reinar con éxito como Mesías antes de que pueda producirse la transición al reino eterno. Por eso las profecías sobre el reino del Mesías deben cumplirse en el milenio. Según

1 Corintios 15:24, cuando Jesús complete su exitoso reinado como Último Adán y Mesías, entregará su reino al Padre: «Entonces vendrá el fin, cuando él entregue el reino a Dios el Padre, luego de destruir todo dominio, autoridad y poder».

Jesús no deja de reinar. Debe reinar para siempre (véase Ap. 11:15). Pero en la transición del reino mesiánico/milenario de Jesús al reino eterno, el Padre y el Hijo asumen el mismo trono. Tal vez sea la fusión del trono del reino universal del Padre con el trono davídico de Jesús el Mesías.

Comprender esto ayuda a revelar por qué el reino milenario de Jesús debe ser un reino terrenal. El Mesías debe tener un reinado terrenal exitoso. El milenio es ese reinado. Es aquí donde Jesús cumple las expectativas de Dios para un reino mediador del hombre en la tierra. Esta expectativa debe suceder y se reafirma en el Salmo 8 y en Hebreos 2:5-8.

Algunos teólogos como Anthony Hoekema piensan que el cumplimiento de las promesas físicas puede realizarse en el reino eterno, mientras que el milenio es un reino espiritual. Pero hay un problema con esto. *El reino eterno no puede ser el tiempo para el cumplimiento de las promesas físicas y pactos, ya que esto pondría el cumplimiento de lo que debe suceder fuera del reinado directo del Mesías.* Jesús tiene que cumplir el mandato del reino mediador de Génesis 1:26, 28 para que llegue el reino eterno. De nuevo, esa es la razón por la que Pablo dijo que Jesús «debe reinar» antes de entregar el reino al Padre (véase 1 Cor. 15:24-28). Un reino espiritual del Mesías no cumple el mandato del reino, ni puede traer el reino eterno.

El reino eterno es la secuela perfecta del reinado exitoso del Mesías, pero esta fase del reino no es el reinado mesiánico directo de Jesús. Para refutar la interpretación de Hoekema de que Isaías 2:1-4 puede cumplirse en el reino eterno, pero no en el milenio, Saucy observa acertadamente:

> Esta interpretación no reconoce que esto sitúa claramente tales marcos de paz entre las naciones más allá de la obra redentora del Mesías y de su administración mesiánica del reino de Dios. Si esto es correcto, su «reinado mesiánico» es uno de redención espiritual presente que culmina con la destrucción de sus enemigos y su juicio. Su «reinado mesiánico» nunca incluirá un reinado de gloria manifiesta en el que asuma el gobierno del mundo para gobernar

para Dios como su Ungido en justicia y paz en cumplimiento del propósito histórico para la humanidad.[6]

El «milenio» no es una doctrina incidental o sin importancia. Es estratégica para el argumento bíblico, ya que aborda cuándo y cómo se cumplirán los propósitos del reino de Dios de Génesis 1. Y se refiere al tiempo y la forma en que se cumplirán los propósitos de Dios. Y concierne al tiempo y la naturaleza del reino de Jesús. Afirmar que el milenio no es una doctrina importante es decir que el mandato del reino de Génesis 1 no es importante y que el momento y la naturaleza del reino mesiánico de Jesús no son importantes. Pero lo son.

En resumen, el reino milenario de Jesús será un reino terrenal que transformará toda la creación. Es un tiempo en el que los focos se centran en Jesús el Mesías mientras cumple el mandato del reino de Dios para que el hombre gobierne desde y sobre la tierra con éxito para la gloria de Dios. Este es un entendimiento del modelo de la nueva creación. Lo que sucede después de esto se discute a continuación con el reino eterno.

Reino eterno

Cuando Jesús ha reinado con éxito sobre la tierra, las naciones y los enemigos, entrega entonces el reino a Dios Padre. Según 1 Corintios 15:28 esto ocurre para que Dios pueda ser «todo en todos». De este modo, Jesús funciona como puente entre el milenio y el reino eterno. Alva McClain señala que el reino milenario de Jesús «constituirá la gloriosa era consumadora del primer orden de cosas y servirá de *puente* divino entre el orden temporal y el orden eterno».[7]

El reino eterno viene después del milenio (véase Ap. 20-21). Hay un cielo nuevo y una tierra nueva, y una nueva Jerusalén como capital de la tierra nueva (Ap. 21:1-2). El reino eterno es una escalada de la era del reino milenario, quizás la recompensa o el después del exitoso reino de Jesús. Durante este tiempo se produce la perfección que antes estaba ausente. El milenio tenía un aspecto coercitivo. Jesús gobernó con «vara de hierro» sobre naciones y enemigos (Ap. 19:15). Las naciones podían ser castigadas por no actuar como debían (véase Zac. 14:17-18). Y aunque infrecuentemente, el pecado y la muerte podían ocurrir (véase Isa. 65:20). Pero en el reino eterno no hay pecado ni nada negativo. Se

[6] Saucy, *The Case for Progressive Dispensationalism*, 284, n. 52.

[7] McClain, *The Greatness of the Kingdom*, 513. Énfasis en el original.

elimina la maldición y se enjugan todas las lágrimas (Ap. 21:3-4). Las hojas del árbol de la vida mantienen la armonía entre las naciones (véase Ap. 22:2). Las naciones y los reyes de las naciones traerán sus aportaciones culturales a la nueva Jerusalén (véase Ap. 21:24, 26).

También hay una intensificación de la presencia de Dios en el reino eterno. Durante el milenio Jesús estuvo físicamente presente. Pero durante el reino eterno tanto Dios Padre como Dios Hijo comparten el mismo trono en la nueva Jerusalén y moran entre su(s) pueblo(s).

Un cambio dramático ocurre con esta transición del milenio al reino eterno. Pero el cambio no es una ruptura absoluta hacia otra dimensión. Como señala McClain, «las condiciones cambiadas en este reino final serán muy maravillosas y de gran alcance. Pero, en general, debe observarse que no hay una ruptura *absoluta* con el mundo anterior, como en el postulado platónico».[8] Ambas fases del reino involucran a la tierra junto con las interacciones sociales y culturales.

Existe cierto debate sobre si la tierra nueva del reino eterno será una sustitución de la tierra actual o una tierra restaurada/renovada que tenga continuidad con el planeta actual. Discutiremos esto en otras partes de este libro. El punto de vista de la tierra restaurada/renovada es más coherente con el ideal del modelo de la nueva creación, y ese es el punto de vista que sostenemos. Pero un planeta totalmente nuevo podría seguir siendo tangible y coherente con este modelo. Muchos de los que creen que la tierra actual será aniquilada también sostienen que una tierra tangible la sustituirá. Ese no es nuestro punto de vista, pero sí cree en un planeta tierra tangible que el pueblo de Dios habitará por toda la eternidad. Así que lo principal es que la tierra nueva de Apocalipsis 21-22 es una tierra tangible con actividades humanas y culturales reales en ella. No es un reino espiritual de existencia o sólo figurativo de verdades de salvación individuales.

La comprensión del modelo de la nueva creación sobre el milenio y el reino eterno difiere de lo que han enseñado algunos sistemas teológicos. Agustín creyó finalmente en un reino eterno tangible, pero espiritualizó el milenio (al igual que muchos amilenialistas). Tomás de Aquino espiritualizó tanto el reino milenario como el reino eterno. Jonathan Edwards y algunos puritanos creían en un reino milenario tangible y terrenal de Jesús, pero luego espiritualizaron el reino eterno. Algunos dispensacionalistas anteriores sostenían un reino milenario tangible y terrenal, pero luego espiritualizaron el reino eterno. La mayoría de los dispensacionalistas revisados y todos los progresivos

[8] Ibid. Énfasis en el original.

afirman que tanto el milenio como el estado eterno son tangibles y ocurren en la tierra con interacciones sociales y culturales. Esto es coherente con el modelo de la nueva creación. Pero el punto principal es que tanto el milenio como el reino eterno son expresiones tangibles del reino, y ambos están relacionados con la tierra.

CUATRO PERSPECTIVAS SOBRE EL MILENIO Y EL REINO ETERNO

1. Milenio espiritual y reino eterno espiritual (Tomás de Aquino; escolásticos medievales)
2. Milenio terrenal y reino eterno espiritual (Jonathan Edwards; algunos puritanos)
3. Milenio espiritual y reino eterno terrenal (Amilenialistas de la Nueva Tierra; Hoekema, Poythress)
4. 4. Milenio terrenal y reino eterno terrenal (Dispensacionalistas revisionistas y progresivos; premilenialistas históricos)

20

EL PREMILENIALISMO Y LOS MODELOS

Ahora examinaremos cómo se relacionan las diversas visiones milenaristas con los modelos de la nueva creación y de la visión espiritual. No se trata de una discusión completa de cada punto de vista milenarista, sino un estudio de cómo estas posiciones milenaristas se relacionan específicamente con los dos modelos.

Qué es el premilenialismo

El primer punto de vista milenarista que examinamos es el más antiguo: el premilenialismo. El premilenialismo afirma que el reino de mil años de Jesús y sus santos, como se explica en Apocalipsis 20, será un reino terrenal que implica un reinado de Jesús y sus santos sobre las naciones. Ocurrirá después de la segunda venida de Jesús a la tierra, pero antes del estado eterno descrito en Apocalipsis 21:1-22:5. Esta perspectiva ve el milenio como algo futuro y que tendrá lugar en la tierra.

El fundamento del premilenialismo se remonta a Génesis 1 y a la creación original y los propósitos del reino de Dios. Dios creó un cielo y una tierra «muy buenos». En Génesis 1:26-28, se le dice al hombre que llene, gobierne y someta la tierra y a todas sus criaturas. Adán, como primer hombre y representante, recibió la bendición y el mandato de gobernar la tierra y sus criaturas como mediador de Dios. Así pues, la misión del hombre es a la vez creacional y ordenada por el reino. El hombre debía gobernar con éxito *desde* y *sobre* la tierra.

Cuando Adán pecó rompió su relación con Dios y la maldición posterior sobre la tierra hizo que la humanidad no pudiera cumplir el mandato del reino terrenal. Mientras el hombre esté separado de Dios no podrá cumplir el papel que Dios le encomendó. Israel y los reyes de Israel tampoco cumplieron el mandato del reino cuando Israel funcionaba como una teocracia antes de sus cautiverios. Hasta el día de hoy, un reinado exitoso del hombre sobre la tierra sigue sin cumplirse, lo cual se afirma en Hebreos 2:8: «pero ahora todavía no vemos todas las cosas sujetas a él [el hombre]».

Pero este fracaso no permanece para siempre. El premilenialismo afirma que Jesús, y aquellos en unión con Él, tendrán éxito donde Adán fracasó. En su segunda venida, Jesús gobernará sobre la tierra y las naciones (véase Ap. 19:15). Sus santos participarán en este reinado (véase Ap. 2:26-27; 5:10).

Este exitoso reinado mediador del hombre no puede llevarse a cabo con un reinado desde el cielo, o sobre el cielo, como afirman otros puntos de vista milenaristas. Debe ocurrir desde y sobre la Tierra. Así, el fundamento del premilenialismo es que debe haber un reinado exitoso del hombre desde y sobre la tierra para la gloria de Dios. Esto aún *no ha ocurrido en la historia. Pero Jesús, el último Adán, hará que esto ocurra cuando regrese a la tierra y reine sobre su reino*. Cuando esto se complete, Jesús entregará el reino a Dios Padre y comenzará el reino eterno (véase 1 Cor. 15:24, 28). Toda la historia apunta al resumen de todas las cosas en Jesús y el reino que Él trae (véase Ef. 1:10).

Un segundo fundamento del premilenialismo tiene que ver con la vindicación de Jesús y de los santos en el reino (la tierra) de su persecución y rechazo. Juan 1:11 afirma que Jesús vino a los suyos, pero los suyos no le recibieron. Y los que pertenecen a Dios también sufren. Pero según el premilenialismo, Jesús debe tener un reinado sostenido y exitoso en el reino de su rechazo. Del mismo modo, los santos de Dios que son perseguidos en esta malvada era presente serán reivindicados al reinar sobre la tierra con Jesús en su exitoso reinado (véase Ap. 5:10; Dan. 7:22). Tanto para Jesús como para su pueblo, habrá vindicación y reinado en el reino donde ambos fueron rechazados y perseguidos.

El premilenialismo está vinculado con muchos elementos consistentes con un modelo de nueva creación:

- Jesús debe triunfar en el reino (la tierra) donde fracasó el primer Adán.
- El reino del Mesías (Jesús) es un reino terrenal.

- Jesús tendrá un gobierno tangible sobre la tierra.
- Los santos gobernarán la tierra bajo la autoridad de Jesús.
- Jesús reinará sobre las naciones geopolíticas.
- Este reino involucra a Jerusalén e Israel como las cabezas de este reino.[1]
- El reino venidero trae la resurrección corporal y la salud, incluyendo la eliminación generalizada de las enfermedades.
- La prosperidad agrícola existirá en la tierra.
- Los animales existirán y estarán en armonía con los humanos y otros animales.
- La gente construirá y vivirá en casas.
- Las naciones y los pueblos estarán realizando verdaderos trabajos, juegos y actividades culturales.
- Se producirán interacciones sociales entre los redimidos.
- Tendrán lugar celebraciones con comida y bebida.

La visión premilenial es coherente con el modelo de la nueva creación, ya que prevé que el reinado de Jesús abarcará la tierra y todas las realidades de la creación, como la naturaleza, los animales, las aves, las criaturas marinas, las naciones, etc. También incluye las etnias y las naciones geopolíticas. Charles Ryrie señala la naturaleza multidimensional del premilenialismo:

> En la escatología premilenial se habla del significado del milenio para el mundo, para Jerusalén, para Palestina, para Israel, para las naciones, etc., y con razón, porque efectuará muchos cambios para el bien de la tierra.[2]

El premilenialismo cree que este reino tiene características espirituales. Uno debe nacer de nuevo para entrar en él (véase Jn. 3:3) y está ligado al arrepentimiento (véase Mt. 3:2; 4:17). Y este reino pone de manifiesto la justicia, la rectitud y la equidad (véase el Sal. 72). Sin embargo, aunque las características espirituales como la justicia, la paz y la alegría son las más importantes (véase Rom. 14:17), el reino milenario tiene lugar en el reino físico e incluye entidades materiales. Las condiciones ideales relativas a la agricultura, las casas y los animales que se mencionan en el pasaje de la tierra nueva de Isaías 65:17- 25 deben tomarse al pie de la letra. Se construirán moradas,

---

[1] Esto es particularmente cierto para el premilenialismo dispensacional.

[2] Charles C. Ryrie, *Basic Theology* (Wheaton, IL: Victor Books, 1986), 511.

existirá la agricultura y los animales residirán en la tierra nueva. Y todo ello ocurre en un contexto de justicia y alegría.

Como mencionamos antes, algunos no-premilenialistas podrían sostener una transformación de las realidades físicas en el estado eterno después del Milenio. Pero el premilenialismo cree que el reino directo de Jesús antes del estado eterno implica la transformación de todas las cosas. Su reino milenario incluye la salvación espiritual y las realidades espirituales, pero también afecta a algo más que eso. La creación en todas sus dimensiones es restaurada.

El premilenialismo en la historia

En cuanto a su lugar en la historia, el premilenialismo fue ampliamente sostenido en la Iglesia primitiva, como ha señalado Philip Schaff:

> El punto más llamativo de la escatología de la era ante-nicena es el prominente chiliasmo, o milenarismo, es decir, la creencia de un reinado visible de Cristo en gloria en la tierra con los santos resucitados durante mil años, antes de la resurrección y el juicio generales. De hecho, no era la doctrina de la iglesia plasmada en ningún credo o forma de devoción, sino una opinión ampliamente extendida entre distinguidos maestros, como Bernabé, Papías, Justino Mártir, Ireneo, Tertuliano, Metodio y Lactancio.[3]

Justino Mártir (aD 100-165) creía en un reino venidero de mil años en una Jerusalén reconstruida en relación con lo que predijeron los profetas del Antiguo Testamento:

> Yo y otros, que somos cristianos rectos, estamos seguros de que habrá una resurrección de los muertos y mil años en Jerusalén, que entonces será construida, adornada y ampliada, según declaran los profetas Ezequiel e Isaías y otros.[4]

Ireneo enseñó una sólida interpretación neocreacionista del premilenialismo, como señalan McDannell y Lang: «Ireneo de Lyon, en la Francia del siglo II, centró su atención» en «un período de mil años en el que los santos habitarán la tierra renovada. Durante el milenio, los

---

[3] Philip Schaff, *History of the Christian Church* (Grand Rapids: Eerdmans Publishing Company, 1973), 2:614.

[4] Justino Mártir, *Dialogue with Trypho*, 80, ANF, 1:239.

mártires serán compensados por todo lo que se les negó en su vida anterior. Una existencia sin ser molestados por enemigos, disfrutando de la bondad de la creación de Dios y produciendo numerosos hijos a lo largo de una larga vida…».[5]

El premilenialismo como arma contra el gnosticismo

El premilenialismo tuvo resultados prácticos en la historia de la iglesia. Fue importante en la lucha de la iglesia contra una importante herejía primitiva arraigada en las creencias del modelo de la visión espiritual: el gnosticismo. Donald Fairbairn afirma que «el premilenialismo formó parte de la polémica contra el gnosticismo».[6]

El gnosticismo promovía un dualismo antibíblico entre lo espiritual y lo físico, enfatizando lo primero y denigrando lo segundo. El dualismo gnóstico tenía cuatro implicaciones importantes:

1. El mundo material es malo e irredimible y la salvación sólo se aplica al alma, no al cuerpo.
2. Se resta importancia a la historia; si el mundo físico es irredimible, entonces el panorama de la historia que se desarrolla en el mundo físico tiene poca importancia.
3. Existe una distinción en los dioses: el dios material menor del Antiguo Testamento y el Dios espiritual superior del Nuevo Testamento.
4. Condujo a una visión docetista de Cristo en la que éste sólo parece ser humano y tener carne.[7]

La batalla de la Iglesia contra el gnosticismo tuvo lugar en los siglos II y III. Pero Fairbairn señala que «los padres de la iglesia que dirigieron esta batalla —Ireneo y Tertuliano— utilizaron su premilenialismo como arma primaria».[8]

Al combatir el gnosticismo, Ireneo (130-202) se esforzó por demostrar la unidad de las Escrituras y mostrar que el Antiguo y el Nuevo Testamento funcionaban en armonía. Esto «es lo que le impulsa a

---

[5] McDannell y Lang, *Heaven*, 355.

[6] Donald Fairbairn, «Contemporary Millennial/Tribulational Debates», en *A Case for Historic Premillennialism: An Alternative to «Left Behind» Eschatology*, ed., Craig L. Blomberg y Sung Wook Chung (Grand Rapids: Baker, 2009), 129.

[7] Ibíd.

[8] Ibíd.

entrar en los detalles de Daniel y Apocalipsis».[9] Fairbairn señala que «tras el tratamiento de Ireneo de un reino terrenal se esconde la preocupación por refutar la denigración gnóstica del mundo material».[10] Esto involucraba la creencia en una tierra restaurada.

En la mente de Ireneo, «nada podría ser más apropiado para el Dios que creó el mundo y redimió a la humanidad a través de la historia primitiva que concluir su obra con un reino terrenal como transición a un reino eterno que también estará en una tierra restaurada».[11] Ireneo creía que negar un reino terrenal significaba negar la bondad de Dios que creó el universo físico.[12]

A. Skevington Wood también afirmó que el premilenialismo fue una herramienta utilizada por Ireneo contra los gnósticos que eran antimaterialistas:

> También hay que tener en cuenta que el fuerte énfasis de Ireneo en el cumplimiento literal de las profecías relativas al milenio estuvo sin duda condicionado en cierta medida por el hecho de que contendía contra los herejes gnósticos, que negaban la redimibilidad de lo material. La enseñanza milenarista de Ireneo no debe aislarse del resto de su teología. Forma parte de ella, e Ireneo fue el primero en formular (aunque fuera embrionariamente) un sistema de interpretación milenarista —de hecho, premilenarista.[13]

Para Ireneo, la importancia de la escatología no se limitaba a los detalles de los acontecimientos futuros. Por el contrario, «la importancia de la escatología radica en la forma en que atestigua la unidad de las Escrituras, la unidad de los propósitos de Dios y, en última instancia, la unidad y la bondad del Dios al que adoramos».[14] Además, para Ireneo y la mayor parte de la Iglesia primitiva, un reino terrenal era una verdad central del cristianismo, como señala Fairbairn:

> Un reino terrenal tras el regreso de Cristo no es simplemente lo que enseña Apocalipsis 20. También es un principio central de la fe porque funciona para reforzar las verdades centrales del cristianismo: que hay un Dios que, en el amor, ha creado este mundo

[9] Ibíd.
[10] Ibíd.
[11] Ibídem, 129-30.
[12] Ibídem, 130.
[13] A. Skevington Wood, «The Eschatology of Irenaeus», *Evangelical Quarterly* 40 (1968): 36.
[14] Fairbairn, 130.

> para nosotros y a nosotros para él, que ha entrado personalmente en él para redimirnos para un futuro y que, en última instancia, triunfará sobre las fuerzas que se levantan contra él.[15]

Fairbairn lamenta que nunca se haya ganado del todo la batalla contra el gnosticismo y las tendencias a la sobreespiritualización. Ello se debe a que la Iglesia no recurre adecuadamente a las verdades de una escatología bíblica, neocreacionista:

> Quizá parte de la razón por la que no la hemos ganado es que hemos perdido el uso de una de las mayores armas bíblicas/teológicas en esta batalla: la escatología. ¿Hemos espiritualizado en exceso la esperanza que se ofrece a los cristianos y, por tanto, hemos concedido esencialmente a los gnósticos entre nosotros que el mundo material no es importante en última instancia?[16]

El premilenialismo refuta así los intentos de crear un dualismo antibíblico entre lo espiritual y lo material. Forma parte de la batalla del modelo de la nueva creación contra el modelo de la visión espiritual. En ocasiones, la escatología se considera una doctrina sin importancia. Pero la escatología premilenial fue un arma importante en la lucha contra la mayor amenaza primitiva para el cristianismo.

Formas de premilenialismo

Aunque todas las formas de premilenialismo afirman un futuro reino terrenal de Dios, no todas las formas del punto de vista premilenial son exactamente iguales o igualmente coherentes con el modelo de la nueva creación. A continuación, analizaremos tres formas principales de premilenialismo. Las dos primeras se refieren a formas de premilenialismo histórico, mientras que la tercera tiene que ver con el premilenialismo dispensacional.

Premilenialismo histórico laddiano

George Ladd (1911-82) fue uno de los teólogos evangélicos más influyentes del siglo XX. Sus puntos de vista sobre la escatología siguen siendo bien aceptados. Muchos de los que sostienen el premilenialismo

---

[15] Ibíd.
[16] Ibídem, 131.

histórico a nivel académico y de seminario adoptan hoy una versión del premilenialismo similar a la de Ladd.

Ladd creía que el milenio de Apocalipsis 20 sería un futuro reino terrenal de Jesús tras su segunda venida. Así pues, era totalmente premilenialista. Pero también sostenía que Apocalipsis 20 es el único pasaje para un milenio. No relacionaba el milenio con pasajes proféticos del Antiguo Testamento.[17] Para él, no hay mucho apoyo bíblico para un milenio fuera de Apocalipsis 20. Además, aunque Ladd creía que muchos judíos se salvarían en el futuro, como afirma Romanos 11:26, no creía en una restauración del Israel nacional. No veía mucho elemento judío en el reino milenario.[18] Ladd también adoptó un punto de vista supersesionista respecto a Israel y la iglesia: «no veo cómo es posible evitar la conclusión de que el Nuevo Testamento aplica las profecías del Antiguo Testamento a la iglesia del Nuevo Testamento y al hacerlo identifica a la iglesia como el Israel espiritual».[19]

Con estos puntos, Ladd se separa del premilenialismo dispensacional que vincula el premilenialismo con muchos textos del Antiguo Testamento y una próxima restauración del Israel nacional.

En ocasiones, Ladd presentó creencias coherentes con un modelo de la nueva creación. Creía que el milenio de Apocalipsis 20 será un reino terrenal después de la segunda venida de Jesús, pero antes del estado eterno. En segundo lugar, también sostenía que el estado eterno sería terrenal y que el destino humano estaba relacionado con esta tierra. Ladd decía que «el destino último de la humanidad es terrenal. Los seres humanos son criaturas, y Dios creó la tierra para que fuera el escenario de su existencia como criaturas».[20] Además, puesto que hay una resurrección del cuerpo para el pueblo de Dios, «por lo que la redención de la propia creación física requiere una tierra renovada como escenario de su existencia perfeccionada».[21] Para Ladd, los creyentes resucitados con cuerpos reales habitarán una tierra tangible por toda la eternidad. Esto es coherente con el modelo de la nueva creación.

Middleton, un neocreacionista, atribuye a Ladd el mérito de haber impulsado su pensamiento en la dirección correcta:

---

[17] Véase George Eldon Ladd, «Historic Premillennialism», en *The Meaning of the Millennium: Four Views* (Downers Grove, IL: InterVarsity Press, 1977), 32.
[18] Ibídem, 28.
[19] Ibídem, 23.
[20] George Eldon Ladd, *A Theology of the New Testament* (Grand Rapids: Eerdmans, 1993), 682.
[21] Ibíd.

Fueron especialmente los escritos del erudito del Nuevo Testamento George Eldon Ladd los que más me ayudaron a aclarar la interconexión de lo que la Biblia enseñaba sobre la redención de la creación, y él contrastó explícitamente esta enseñanza con la idea no bíblica de ser sacado de este mundo para ir al cielo.[22]

Sin embargo, Ladd tenía algunas tendencias hacia el modelo de la visión espiritual. Admitía que los pasajes proféticos del Antiguo Testamento predecían una tierra restaurada,[23] pero creía que el Nuevo Testamento podía reinterpretar las promesas del Antiguo Testamento, en ocasiones, de modo que las bendiciones físicas se convirtieran en bendiciones espirituales:

> El Antiguo Testamento debe ser interpretado por el Nuevo Testamento. En principio, es muy posible que las profecías dirigidas originalmente al Israel literal que describían bendiciones físicas tengan su cumplimiento exclusivamente en las bendiciones espirituales que disfruta la iglesia. También es posible que la expectativa del Antiguo Testamento de un reino en la tierra pueda ser reinterpretada por el Nuevo Testamento en conjunto de bendiciones en el ámbito espiritual.[24]

Esta afirmación habla de la *reinterpretación* de las bendiciones físicas en bendiciones espirituales. Implica un cambio argumental y se alinea con una perspectiva de la visión espiritual que sanciona la espiritualización de las bendiciones físicas. Ladd también dijo: «el hecho es que el Nuevo Testamento interpreta con frecuencia las profecías del Antiguo Testamento de un modo que *no sugiere el contexto del Antiguo Testamento*».[25] Así que creía en una fuerte discontinuidad entre los testamentos. El Nuevo Testamento cambió el argumento del Antiguo Testamento, lo cual es una creencia del modelo de la visión espiritual.

También, en consonancia con el pensamiento del modelo de la visión espiritual, Ladd decía que las profecías del Antiguo Testamento podían reinterpretarse radicalmente desde su contexto original. En

---

[22] J. Richard Middleton, «The Bible's Best Kept Secret», https://jrichardmiddleton.wordpress.com/author/jrichardmiddleton/page/53/ 29 de octubre de 2014. Consultado el 2/12/2020.

[23] Ladd, *A Theology of the New Testament*, 682.

[24] George E. Ladd, «Revelation 20 and the Millennium», *Review and Expositor* 57 (1960): 167. Ladd creía que algunas profecías del Antiguo Testamento aún podían tener cierta relevancia para Israel. Véase Ladd, «Historic Premillennialism», en *The Meaning of the Millennium*, 28-29.

[25] Ladd, «Historic Premillennialism», 20. Énfasis en el original.

cuanto a la interpretación de Pedro de la ascensión de Jesús en Hechos 2, Ladd dijo: «esto implica una *reinterpretación bastante radical* de las profecías del Antiguo Testamento, pero no más que toda la reinterpretación del plan redentor de Dios por parte de la iglesia primitiva».[26] Ese lenguaje escala las cosas hacia el modelo de la visión espiritual al afirmar que tanto las profecías del Antiguo Testamento como el plan redentor de Dios están sujetos a una «reinterpretación radical». Parece como si Ladd dijera que todo el argumento del Antiguo Testamento está siendo reinterpretado radicalmente por el Nuevo Testamento.

Evaluación del premilenialismo histórico de Ladd

Las creencias de Ladd sobre el premilenialismo, la resurrección del cuerpo y la eternidad en una tierra tangible restaurada son encomiables y coherentes con el modelo de la nueva creación. Pero el énfasis de Ladd en que las promesas físicas del Antiguo Testamento se espiritualicen y el plan redentor de Dios se reinterprete radicalmente son coherentes con un enfoque de visión espiritual. También sus opiniones supersesionistas sobre Israel y la Iglesia lo son. No estamos de acuerdo con George Ladd cuando afirma que los «elementos nacionalistas en el concepto judío del reino» se suprimen «para hacer hincapié en los elementos espirituales».[27] En realidad, no hay contradicción entre que el reino incluya elementos judíos y espirituales. Ambos pueden existir.

El concepto de Ladd de reinterpretación del Antiguo Testamento también es preocupante. No sólo cambia bruscamente el argumento de la Biblia, sino que también pone en duda la integridad del Antiguo Testamento. En respuesta a la declaración de George Ladd de que el Nuevo Testamento reinterpreta el Antiguo Testamento, Paul Feinberg plantea algunas preguntas pertinentes: «Si Ladd está en lo cierto al afirmar que el NT reinterpreta el AT, su hermenéutica plantea algunos interrogantes serios. ¿Cómo puede mantenerse la integridad del texto veterotestamentario? ¿En qué sentido puede calificarse realmente el AT de revelación en su sentido original?»[28]

En resumen, la versión de Ladd del premilenialismo histórico es una mezcla del modelo de la visión espiritual y del modelo de la nueva

---

[26] Ladd, *A Theology of the New Testament*, 373. Énfasis mío.

[27] George E. Ladd, *The Presence of the Future* (Grand Rapids: Eerdmans, 1974), 110-11.

[28] Paul Feinberg, «Hermeneutics of Discontinuity», en *Continuity and Discontinuity: Perspectives on the Relationship Between the Old and New Testaments,* ed. John S. Feinberg (Wheaton, IL: Crossway, 1988), 116. Énfasis en el original.

creación. Como ahora describiremos, hay otras dos formas de premilenialismo más coherentes con el neocreacionismo.

Premilenialismo histórico no laddiano

Existe otra variante del premilenialismo histórico, una que no reinterpreta el Antiguo Testamento ni excluye al Israel nacional y a la tierra de Israel del argumento bíblico. Esta versión del premilenialismo histórico se encuentra en algunos premilenialistas anteriores al siglo XX. Como observa Barry Horner:

> George Ladd es a menudo defendido hoy como el premilenialista histórico por excelencia, aunque yo cuestiono seriamente su representatividad a este respecto. Yo mantendría que los premilenialistas anteriores, al ser más judeocéntricos, se califican mejor como característicos del premilenialismo histórico. Entre ellos estarían Joseph A. Seiss, David Barton, Adolph Safir, B. W. Newton, H. Grattan Guinness, J. C. Ryle, C. H. Spurgeon, George Peters, Nathaniel West y Horatius Bonar. Como tales, eran mucho más históricos en el sentido aceptado de ese término cuando su linaje se remonta al menos al despertar milenario originado en la Inglaterra y la Europa protestantes.[29]

El propio Horner es un premilenialista en la línea de Ryle, Spurgeon, Peters, West y los otros mencionados anteriormente. Es un premilenialista histórico moderno que discrepa del premilenialismo histórico laddiano en aspectos clave.

Es difícil etiquetar esta forma de premilenialismo histórico, pero podemos llamarla «premilenialismo histórico no laddiano». Una forma no laddiana de premilenialismo histórico se diferencia del premilenialismo histórico laddiano en dos aspectos principales:

1. no reinterpreta ni espiritualiza las promesas y profecías del Antiguo Testamento, sino que las interpreta literalmente.
2. afirma la importancia del Israel étnico/nacional y de la tierra de Israel en los propósitos de Dios.

---

[29] Barry E. Horner, *Future Israel,* 180.

Una discusión completa del premilenialismo histórico no laddiano está más allá de nuestros propósitos aquí. Recomiendo el libro de Horner, *Future Israel*, para más información sobre este tema. Pero anotamos algunos ejemplos de personas que sostuvieron esta forma de premilenialismo.

El predicador inglés reformado, J. C. Ryle (1816-1900), era un premilenialista histórico que afirmaba una restauración literal del Israel nacional a la tierra tomando las profecías del Antiguo Testamento al pie de la letra. Ryle dijo:

> Si intentara citar todos los pasajes de las Escrituras en los que se revela la historia futura de Israel me faltaría tiempo. Isaías, Jeremías, Ezequiel, Oseas, Joel, Amós, Abdías, Miqueas, Sofonías, Zacarías, todos declaran lo mismo. Todos predicen, con mayor o menor particularidad, que al final de esta dispensación los judíos serán restaurados a su propia tierra y al favor de Dios. No pretendo ser infalible en la interpretación de las Escrituras en este asunto. Soy muy consciente de que muchos cristianos excelentes no pueden ver el tema como yo. Sólo puedo decir que, a mis ojos, la futura *salvación* de Israel como pueblo, su *regreso* a Palestina y su conversión nacional a Dios, aparecen tan clara y llanamente revelados como cualquier profecía de la palabra de Dios.[30]

Significativamente, Ryle veía la salvación de Israel y la restauración de Israel a la tierra como algo tan claro y llano como cualquier cosa revelada en la Biblia. También dijo:

> Creo que los judíos finalmente serán reunidos de nuevo como una nación separada, restaurados a su propia tierra y convertidos a la fe de Cristo, después de pasar por una gran tribulación (Jer. 30:10-11; 31:10; Ro. 11:25-26; Dan. 12:1; Zac. 13:8-9).[31]

Charles Spurgeon también era un premilenialista histórico que incluía la importancia del Israel nacional en la tierra. Esta creencia se ve en su sermón de 1864, «la restauración y conversión de los judíos»:

---

[30] J. C. Ryle, *Are You Ready For The End Of Time?* (Fearn, Escocia: Christian Focus, 2001), 152-54.; reimpresión de *Coming Events and Present Duties*. Las opiniones de Ryle sobre una nueva tierra en la eternidad son actualmente confusas.

[31] Ibídem, 9.

> Habrá de nuevo un gobierno nativo; habrá de nuevo la forma de un cuerpo político; se incorporará un estado y reinará un rey. Israel se ha alienado ahora de su propia tierra... Si hay algo claro y llano, el sentido literal y el significado de este pasaje [Ez. 37:1-10] —un significado que no debe ser desvirtuado ni espiritualizado— debe ser evidente que tanto las dos como las diez tribus de Israel han de ser restauradas a su propia tierra, y que un rey ha de reinar sobre ellas.[32]

Spurgeon también habló sobre la naturaleza y la extensión del reinado milenario de Jesús en la tierra según el Salmo 72:8:

> El reinado del Mesías será extenso; sólo el fin de la tierra pondrá fin a su territorio: hasta la última thule se extenderá su cetro. Del Pacífico al Atlántico, y del Atlántico al Pacífico, él será el Señor, y los océanos que rodean cada polo estarán bajo su dominio. Todo otro poder estará subordinado al suyo; no conocerá rival ni antagonista... así como el reino de Salomón abarcaba toda la tierra de promisión, y no dejó margen sin conquistar; así el Hijo de David gobernará todas las tierras que se le den en el mejor pacto, y no dejará nación alguna que perezca bajo la tiranía del príncipe de las tinieblas. Un pasaje como éste nos anima a esperar el reinado universal del Salvador; si será antes o después de su advenimiento personal lo dejamos para la discusión de otros. En este Salmo, por lo menos, vemos a un monarca personal, y él es la figura central, el foco de toda la gloria; no a su siervo, sino a él mismo, vemos poseyendo el dominio y dispensando el gobierno.[33]

El concepto que Spurgeon tenía del reino de Jesús se asemeja al modelo de la nueva creación, ya que hablaba del reinado de Jesús abarcando territorios entre los océanos Pacífico y Atlántico. Como experto en la escatología de Spurgeon, Dennis Swanson observa: «Él [Spurgeon] creía que las naciones existirían en el milenio con sus propios reyes y líderes, pero que todas estarían sujetas a Cristo y a su gobierno en Jerusalén».[34]

---

[32] Charles H. Spurgeon, «The Restoration and Conversion of the Jews», en *The Metropolitan Tabernacle Pulpit*, 10:426.

[33] Charles H. Spurgeon, *The Treasury of David: An Expositional and Devotional Commentary on the Psalms, 7 vols.* (reimpresión de la ed. de 1870-1884 de Passmore y Alabaster, Grand Rapids: Baker, 1977), 3:319.

[34] Dennis Swanson, «The Millennial Position of Spurgeon», *The Master's Seminary Journal* 7.2 (otoño de 1996): 197.

Evaluación del premilenialismo histórico no laddiano

El premilenialismo histórico no laddiano ocupa un lugar alto en la escala del modelo de la nueva creación. Esto se basa en sus creencias en el premilenialismo, una visión literal de las profecías del Antiguo Testamento y una visión precisa del Israel nacional y de la tierra de Israel en el argumento bíblico. Mientras que los premilenialistas históricos no laddianos no tienen tan clara la naturaleza de la eternidad, parece que se inclinan por una tierra nueva tangible en el estado eterno.

Premilenialismo dispensacional

El premilenialismo dispensacional es una forma de premilenialismo que comenzó a mediados del siglo XIX. El premilenialismo fue la enseñanza central en el primer siglo, y existieron elementos importantes del Premilenialismo Dispensacional en la iglesia primitiva. Pero como sistema se unió a mediados del siglo XIX.

El premilenialismo dispensacional es un enfoque teológico holístico que ve múltiples propósitos en la creación, el reino y los planes de pacto de Dios. Los propósitos de Dios incluyen, pero van más allá de la salvación de los seres humanos individuales. Incluyen la tierra, el territorio, las criaturas, las naciones, Israel, etc. Los propósitos de Dios también involucran acontecimientos estratégicos como la futura septuagésima semana de Daniel, el día del Señor, el regreso de Jesús a la tierra y un reinado terrenal del Mesías.

Esta perspectiva también explica las múltiples dimensiones de los pactos bíblicos: noético, abrahámico, mosaico, davídico y nuevo. Estos pactos incluyen bendiciones para los individuos, la nación Israel y las naciones gentiles. Los pactos también implican bendiciones espirituales y materiales. El premilenialismo dispensacional hace hincapié en el «reino» como tema central de las Escrituras. Dios ha destinado al hombre a gobernar y someter la tierra y sus criaturas para la gloria de Dios. Este tema del reino conecta Génesis 1-2 con Apocalipsis 20-22.

El premilenialismo dispensacional es bien conocido por su opinión de que el Israel corporativo y nacional sigue siendo importante en los propósitos de Dios. Esto implica una salvación y restauración venideras de Israel con bendiciones espirituales, físicas y de la tierra en el reino milenario venidero de Jesús. También sostiene una distinción entre Israel y la iglesia y un origen neotestamentario de la iglesia de Jesús. El premilenialismo dispensacional también rechaza cualquier forma de teología del reemplazo o supersesionismo que vea a la iglesia como el nuevo o verdadero Israel que anula el significado teológico del Israel nacional.

Así pues, el alcance del dispensacionalismo es amplio y multidimensional. Como afirma Blaising, «el dispensacionalismo es conocido por su reconocimiento de múltiples propósitos en la redención divina. Estos incluyen propósitos terrenales, nacionales, políticos, sociales y espirituales».[35]

En cuanto al momento y la naturaleza del milenio de Apocalipsis 20, el premilenialismo dispensacional afirma lo siguiente:

1. El milenio de Apocalipsis 20 se cumplirá después de la segunda venida de Jesús pero antes del reino eterno de Apocalipsis 21-22. (Así, la venida de Jesús es «pre» o «antes» del milenio).
2. El milenio es un reino terrenal del Mesías y sus santos.
3. El milenio implica un reinado del Mesías (Jesús) *desde* y *sobre* la tierra y las naciones; con ello se cumple el mandato del reino para que el hombre gobierne y sojuzgue la tierra (véase Gén. 1:26, 28).
4. El milenio implica una transformación de la tierra, el reino animal, la sociedad y la cultura.
5. El Israel étnico/nacional tiene un papel geográfico y funcional para las naciones durante el reinado del Mesías.
6. El milenio cumple todas las dimensiones espiritual/física/tierra/territorio de los pactos de la promesa (i.e., abrahámico, davídico, nuevo).
7. El estado eterno, después del milenio, involucra un planeta real y tangible, ya sea una restauración de la tierra actual o un planeta completamente nuevo.

En cuanto a la interpretación de la Biblia, el premilenialismo dispensacional cree en una interpretación literal-gramatical-histórica coherente con todos los pasajes de las Escrituras. Esto incluye los pasajes proféticos del Antiguo Testamento sobre Israel. Puesto que las maldiciones por la desobediencia sucedieron literalmente al Israel nacional, las promesas de bendiciones futuras para Israel deben ocurrir algún día. El premilenialismo dispensacional cree que las profecías del Antiguo Testamento sobre la restauración del Israel nacional se cumplirán en su totalidad en el reino milenario venidero de Jesús. Por

---

[35] Craig A. Blaising y Darrell L. Bock, *Progressive Dispensationalism* (Grand Rapids: Bridgepoint Books, 1993), 46.

tanto, este punto de vista cree en la continuidad respecto a las expectativas del Antiguo Testamento y los cumplimientos del Nuevo Testamento.

Entre los principales dispensacionalistas se encuentran John Walvoord, Charles Ryrie, Dwight Pentecost, Alva J. McClain, Robert Saucy, Craig Blaising y Darrell Bock.

Evaluación del premilenialismo dispensacional

El premilenialismo dispensacional es consistente con el modelo de la nueva creación. Afirma que el reino de Jesús debe ser un reino terrenal sobre las naciones. Su reino transforma todos los aspectos de la sociedad y la cultura, junto con la tierra y todas sus criaturas. El premilenialismo dispensacional también abraza la importancia del Israel étnico/nacional en los propósitos de Dios y las bendiciones que esto conlleva para otras naciones geopolíticas. Evita la espiritualización de Israel. El papel de Jesús como israelita e Hijo ideal significa la salvación y la restauración del Israel nacional, no su falta de importancia. El premilenialismo dispensacional también afirma una nueva tierra tangible con una cultura e interacciones sociales reales entre el pueblo de Dios.

Se hablará más sobre el dispensacionalismo en nuestra sección sobre sistemas teológicos.

Objeciones contra el premilenialismo

A menudo se ha acusado al premilenialismo de ser un punto de vista de un solo texto. Supuestamente, si no fuera por Apocalipsis 20 no habría apoyo para el premilenialismo. Pero como discutimos en otra parte de este libro, el corazón del premilenialismo es la creencia de que habrá un reino venidero del Mesías desde y sobre la tierra después del regreso de Jesús. Esto se enseña en varios pasajes (véase Isa. 24; Zac. 14; Mt. 24). Lo que resulta novedoso en Apocalipsis 20 es la mención específica de mil años en relación con este reinado. Sin Apocalipsis 20 aún sabríamos por la Biblia que habrá un reinado venidero de Jesús en la tierra. Lo que no sabríamos es cuánto dura este reino antes de que comience el reino eterno. Floyd Hamilton era un crítico del premilenialismo. Pero reconoció que una hermenéutica literal aplicada a las profecías del Antiguo Testamento da como resultado el premilenialismo:

Ahora debemos admitir francamente que una interpretación literal de las profecías del Antiguo Testamento nos da justamente una imagen de un reinado terrenal del Mesías como la que describe el premilenialista. Ese era el tipo de reino mesiánico que buscaban los judíos de la época de Cristo, basándose en una interpretación literal de las promesas del Antiguo Testamento.[36]

A veces se critica al premilenialismo por no ser suficientemente espiritual. Agustín, que antes era premilenialista, llegó a creer que la visión premilenialista era demasiado carnal al centrarse en las realidades terrenales y en asuntos como la comida y la bebida. Incluso hoy, algunos creen que el reino de Jesús sólo puede ser un reino espiritual. Kim Riddlebarger afirma: «el reino de Dios, por tanto, no es un lugar de localidad en este mundo...»[37] También dice: «aquello que sí encontramos en los relatos evangélicos es la proclamación de Jesús de que *un reino espiritual y no nacionalista* se había acercado porque él había venido».[38]

Estas críticas se basan en supuestos del modelo de la visión espiritual con un sesgo antimaterial. Si los propósitos de Dios son creacionales, ¿por qué el reino de Jesús no tendría un impacto en la creación? Pasajes como Isaías 2, 11 y 65 hablan de la fisicalidad del reino del Mesías. Jesús mismo habló de banquetes asociados con el reino de los cielos (véase Mt. 8:11). Un reino terrenal puede contener características espirituales como la paz, la alegría y la justicia. La afirmación de que el premilenialismo no puede ser verdadero porque es demasiado carnal o físico no es convincente.

Comentarios resumidos sobre el premilenialismo

El premilenialismo es compatible con un enfoque del modelo de la nueva creación. Es coherente con los propósitos de la creación y del reino de Dios que se desprenden de Génesis 1. La tierra es el destino del hombre. Dios encomendó al primer hombre, Adán, el mandato de gobernar y someter el mundo (véase Gén. 1:26-28). Esto supone un gobierno mediador del hombre *desde* y *sobre* la tierra. El premilenialismo afirma que Adán fracasó en esta misión, pero Jesús, el

---

[36] Floyd E. Hamilton, *The Basis of Millennial Faith* (Grand Rapids: Eerdmans, 1942), 38.
[37] Kim Riddlebarger, *A Case for Amillennialism: Understanding the End Times* (Grand Rapids: Baker, 2003), 110.
[38] Ibídem, 107. Énfasis no en el original.

último Adán, tendrá éxito donde fracasó el primer Adán. El reino exitoso de Jesús el Mesías no es sólo un reino espiritual. Es un reino terrenal tangible que afecta a todos los ámbitos de la creación de Dios.

El énfasis del premilenialismo en un futuro reino terrenal de Jesús vincula los propósitos creadores de Dios con la restauración de todas las cosas. También considera que la transformación de la tierra tiene lugar directamente bajo el reinado del Mesías en la historia antes del estado eterno final.

21

EL AMILENIALISMO Y LOS MODELOS

Nuestro propósito en este capítulo es evaluar cómo se relaciona la visión milenial del amilenialismo con los modelos de la nueva creación y de visión espiritual.

El amilenialismo cree que el reino milenario de Jesús es *de naturaleza espiritual* y *ahora en cuanto a su tiempo.* El reinado de Jesús es un reino espiritual en esta era entre su primer y segundo advenimiento. Jesús reina actualmente en su reino mesiánico/milenial desde la diestra de Dios en el cielo, que también se asocia con el trono de David. Y Satanás no está aprisionado, solo está atado para no engañar a las naciones en esta era. Los primeros amilenialistas creían que los «mil años» de Apocalipsis 20 se aproximaban a mil años literales. Los amilenialistas más recientes interpretan los mil años como figurativos de un largo período de tiempo.

Ya sea reinando sobre la iglesia, los corazones de su pueblo, las almas difuntas en el cielo, o una combinación de estos, los amilenialistas ven a Jesús como reinando sobre un reino espiritual del cielo. Cuando Jesús regrese a la tierra este milenio terminará. Entonces habrá un juicio general y una resurrección de todas las personas seguida por el reino eterno. Las creencias posteriores del amilenialismo son relevantes para los dos modelos:

- Jesús reina actualmente en su reino mesiánico/milenial desde el cielo; el lugar de su gobierno es el cielo.
- El reino milenario de Jesús es un reino espiritual entre sus dos venidas; no es un reino terrenal.

- La segunda venida de Jesús pone fin a su reino milenario e introduce el estado eterno.

Un ejemplo del debate

Examinar las conexiones del amilenialismo con los modelos de la nueva creación y la visión espiritual es complejo. Este tema fue debatido por Craig Blaising (premilenialista) y Robert Strimple (amilenialista) en el libro de debate *Three View son the Millennium and Beyond.*[1] Russell Moore también abordó esta cuestión del amilenialismo y los dos modelos en su libro *The Kingdom of Christ.*[2] Blaising afirma que el amilenialismo depende de los supuestos del modelo de la visión espiritual que llevaron a rechazar el premilenialismo y la espiritualización del reino milenario de Jesús:

> El antiguo premilenialismo cristiano se debilitó hasta el punto de desaparecer cuando el modelo de visión espiritual de la eternidad se hizo dominante en la iglesia. Un reino futuro en la tierra simplemente no encajaba bien en una escatología que hacía hincapié en el ascenso personal a un reino espiritual.[3]

Blaising afirma que los supuestos del modelo de la visión espiritual estaban detrás del giro de Agustín del premilenialismo al amilenialismo y de su opinión de que el milenio de Apocalipsis 20:1-10 se está cumpliendo espiritualmente en esta era con la iglesia.[4] Blaising también afirma que el premilenialismo prospera en un entorno en el que se enfatiza el pensamiento del modelo de la nueva creación y un enfoque más literal de las Escrituras. Con el premilenialismo, las promesas del reino se toman más literalmente y se consideran las dimensiones físicas del reino. Al criticar al amilenialista Robert Strimple, Blaising se refirió a la «vacilación entre estos dos modelos escatológicos»[5] de Strimple.

Strimple debatió la afirmación de Blaising: que el amilenialismo está ligado al modelo de la visión espiritual preguntando: «¿qué pruebas ofrece [Blaising], por ejemplo, para apoyar el supuesto vínculo entre el

---

[1] Blaising, «Premillennialism» en *Three Views on the Millennium and Beyond*, 170–74.
[2] Russell L. Moore, *The Kingdom of Christ* (Wheaton, IL: Crossway, 2004).
[3] Blaising, 170.
[4] Ibídem, 172-74.
[5] Blaising, «A Premillennial Response to Robert B. Strimple», en *Three Views on the Millennium and Beyond,* 144.

pensamiento amilenialista primitivo y el dualismo filosófico griego?».[6] Strimple dijo que «no se ofrece ninguna prueba que apoye la idea de que tal sesgo esté presente en el amilenialismo *moderno*».[7] Además, «cuando leemos a los propios amilenialistas modernos, ¿los encontramos expresando una esperanza escatológica puramente "espiritual" (i.e., no física)? En absoluto».[8] A continuación enumeró a los teólogos amilenialistas con una «visión más orientada a la tierra» de la escatología, entre ellos Herman Bavinck, Geerhardus Vos, Anthony Hoekema y Greg K. Beale.[9]

Strimple también argumentó que los dispensacionalistas son incoherentes en esta cuestión. Los primeros premilenialistas dispensacionalistas como Darby, Scofield y Chafer se basaron en ideas del modelo de la visión espiritual en ocasiones, como admite incluso Blaising. Así pues, según Strimple, «el hecho es que históricamente el vínculo entre el modelo de la nueva creación y el premilenialismo no ha sido tan claro y fuerte como da a entender su tesis [de Blaising]».[10]

La refutación de Strimple a Blaising se centró en tres puntos. Primero, el pensamiento amilenial primitivo no estaba vinculado al dualismo griego. Segundo, los teólogos amilenialistas recientes creen en una nueva tierra tangible venidera después del milenio en el estado eterno. Tercero, los premilenialistas dispensacionalistas también han utilizado ideas del modelo de la visión espiritual.

Como muestra esta interacción entre Blaising y Strimple, existe un debate sobre la relación del amilenialismo con los modelos de la nueva creación y de la visión espiritual. Considerando lo que Blaising y Strimple han afirmado, ahora ofrezco mis propias observaciones.

Las conexiones del amilenialismo con el modelo de la visión espiritual

El amilenialismo tiene conexiones con ambos modelos, y sin embargo se alinea con aspectos clave del modelo de la visión espiritual.

---

[6] Robert L. Strimple, «An Amillennial Response to Craig A. Blaising», en *Three Views on the Millennium and Beyond*, 257.
[7] Ibídem, 258-59. Énfasis en el original.
[8] Ibídem, 259.
[9] Ibídem, 259-60.
[10] Ibídem, 261.

Influencia del platonismo y la hermenéutica alegórica

El premilenialismo fue la visión milenarista dominante de los dos primeros siglos de la historia de la Iglesia. El escepticismo creciente del premilenialismo por parte de aquellos como Orígenes y Eusebio condujo finalmente al amilenialismo como un punto de vista alternativo específico a finales del siglo IV.

La influencia del platonismo y el uso de la interpretación alegórica en los siglos III y IV contribuyeron al auge del amilenialismo. Orígenes, con sus puntos de vista platonistas, criticó el énfasis del premilenialismo en las realidades físicas con el reino milenario de Jesús y optó por una visión más espiritual e individual. Como señala Middleton: «el platonismo de Orígenes le llevó a criticar los elementos terrenales y fisicalistas de la esperanza milenaria» porque «el reino de Dios se establece progresivamente en el alma del creyente...»[11] También Eusebio fue trascendental:

> Mientras que algunos escritores cristianos de los siglos II y III afirman el milenio y le conceden un papel importante en su escatolgía, Orígenes (en el siglo III) lo rechaza con gran desprecio por considerarlo una interpretación judía y demasiado literal de la Escritura y Eusebio (en el siglo IV) en su célebre *Ecclesiastical History* lo describe como «materialista».[12]

Agustín, que popularizó el amilenialismo,[13] estaba influenciado por el neoplatonismo. B. B. Warfield observó: «fue como pensador neoplatonista que Agustín se hizo cristiano; y llevó consigo sus concepciones neoplatónicas al cristianismo».[14] Vinculando explícitamente la escatología de Agustín con el modelo de la visión espiritual, Moore dice: «la escatología de la "visión espiritual" está firmemente anclada en el papel de Agustín como "padre de la escatología reformada"».[15] Viviano también vincula la visión espiritual

---

[11] Middleton, *A New Heaven and a New Earth*, 286. Orígenes también entendía los textos del reino en la Biblia «en un sentido puramente espiritual, interior, privado y realizado». Benedict T. Viviano, O.P. *The Kingdom of God in History*, 41.

[12] Middleton, 286.

[13] «Agustín suele ser identificado, y con razón, como el padre de la interpretación amilenialista de Apocalipsis 20». Michael Williams, «A Restorational Alternative to Augustinian Verticalist Eschatology» (Una alternativa restauradora a la escatología verticalista agustiniana), 11.

[14] Benjamin Breckinridge Warfield, *Calvin and Augustine* (Presbyterian & Reformed, 1974), 369.

[15] Moore, *The Kingdom of Christ*, 51. Moore coincide con Poythress y Michael Williams.

de Agustín sobre el reino de Dios con la interpretación espiritual de Orígenes:

> Así, Agustín se sintió atraído por la interpretación espiritual del reino que ya hemos visto en Orígenes. En efecto, en última instancia, para Agustín, el reino de Dios consiste en la vida eterna con Dios en el cielo. Ésa es la *civitas dei*, la ciudad de Dios, por oposición a la *civitas terrena*.[16]

Volviendo al desacuerdo entre Blaising y Strimple, Blaising tiene razón en que el amilenialismo está vinculado al pensamiento del modelo de la visión espiritual. La aceptación del neoplatonismo y la hermenéutica alegórica sentaron las bases para el amilenialismo. Strimple tiene razón en que el amilenialismo moderno es más coherente con el modelo de la nueva creación que el amilenialismo anterior. Pero los orígenes del amilenialismo estuvieron ligados a las ideas del modelo de la visión espiritual.

El reino espiritual de Jesús

El amilenialismo afirma que el reino milenario de Jesús es un reino espiritual —un reinado espiritual sobre un reino espiritual. El influyente amilenialista Louis Berkhof, por ejemplo, afirmó: «el gobierno espiritual de Cristo es su reinado real sobre el *regnum gratiae*, es decir, sobre su pueblo o la Iglesia. Es un gobierno espiritual, porque se refiere a un reino espiritual».[17] También es un gobierno sobre los corazones: «es el gobierno mediador tal como se establece en los corazones y las vidas de los creyentes».[18]

Esta visión fuertemente espiritual del reino de Jesús es detectada por Moore, quien afirma que Berkhof «enfatizó el gobierno presente de Cristo, y articuló este reino en términos decididamente espirituales y soteriológicos».[19] Observando un punto de similitud filosófica entre Berkhof y Platón, McClain afirma: «Si Platón viviera hoy, dando una

---

[16] Viviano, *The Kingdom of God in History*, 52–53.
[17] Berkhof, *Systematic Theology*, 406.
[18] Ibid.
[19] Moore, 45. Moore señala la trascendencia de Berkhof como «el teólogo reformado estadounidense más influyente del siglo XX» (97).

serie de conferencias sobre la cuestión milenaria, podría muy bien emplear el mismo lenguaje que Berkhof...».[20]

Una comprensión espiritual similar del reino se da más recientemente con Kim Riddlebarger, en su libro *A Case for Amillennialism*:

> El reino de Dios es un gobierno real, aunque *no espacial*, de Dios.[21]
>
> Jesús habló de un *reino diferente*, en el que Dios traería la liberación del verdadero enemigo de la humanidad, la culpa y el poder del pecado. Como Jesús *no ofrecía el reino económico, político y nacionalista* que tantos en Israel anhelaban, fue condenado a muerte.[22]
>
> Lo que sí encontramos en los relatos evangélicos fue la proclamación de Jesús: un reino *espiritual y no nacionalista* se había acercado porque él había venido.[23]
>
> El reino de Jesús era *un reino espiritual, completamente diferente al reino nacionalista que esperaba Israel.* Esto debería ser también una advertencia para quienes vieran el reino de Jesús en términos de nacionalismo o de progreso secular en la economía, la política y la cultura.[24]
>
> El reino de Dios, por tanto, *no es una ubicación en este mundo...*[25]

En conjunto, Riddlebarger afirma que el reino de Dios: (1) no es espacial; (2) no incluye elementos económicos, políticos y nacionalistas; (3) es espiritual; y (4) no implica progreso en economía, política y cultura. Estas afirmaciones son coherentes con un enfoque de visión espiritual. Riddlebarger sí afirma una futura consumación del reino. Pero, al igual que Berkhof, su discusión sobre a qué se refiere es escasa. En su sección «La consumación futura del reino», Riddlebarger no

[20] McClain, *The Greatness of the Kingdom*, 523. McClain reconoce «que el Dr. Berkhof no es básicamente un platonista en su filosofía» en general, pero en la cuestión de la naturaleza del reino milenario de Jesús su similitud con el filósofo griego es notable (524).

[21] Kim Riddlebarger, *A Case for Amillennialism: Understanding the End Times* (Grand Rapids: Baker, 2003), 104. Énfasis no en el original.

[22] Ibídem, 106. Énfasis mío.

[23] Ibídem, 107. Énfasis mío.

[24] Ibídem, 109. Énfasis mío.

[25] Ibídem, 110. Énfasis mío.

menciona ningún aspecto físico del reino.[26] Su énfasis se refiere a naturaleza espiritual del reino de Dios.

Bruce Waltke también describe el reino de Dios de una forma espiritualizada que podría tener indicios de neoplatonismo:

> Con la transformación del cuerpo de Cristo de un cuerpo físico terrenal a un cuerpo espiritual celestial, y con su ascensión del realismo terrenal a la Jerusalén celestial con su trono celestial y la efusión de su Espíritu Santo, los símbolos materiales terrenales desaparecieron y la realidad espiritual retratada por los símbolos superó a las sombras.[27]

Waltke también dice que «el carácter del reino es "celestial" y "espiritual", no "terrenal" y "político"».[28] Estos comentarios coinciden con el modelo de la visión espiritual.

La visión espiritual del reino de Jesús del amilenialismo es difícil de armonizar con los numerosos pasajes que vinculan el reino del Mesías con la transformación de la tierra (véase Sal. 72; Isa. 11; Zac. 14; Mt. 19:28). El gobierno del Mesías restaura la tierra y las naciones. La maldición sobre la creación es eliminada. El reino animal es sanado. La enfermedad es aniquilada. Esos son aspectos poderosos del reino del Mesías que existen junto con la salvación espiritual de las personas. Estos faltan en la comprensión amilenial del reino mesiánico de Jesús. Sí, algunos amilenialistas modernos creen en una tierra restaurada venidera después del milenio, pero esa no es la cuestión aquí. La cuestión es la naturaleza y el alcance del reino milenario de Jesús en el que Él gobierna directamente. El amilenialismo es el único entre los puntos de vista milenaristas que ve el reino mesiánico/milenial de Jesús sólo como espiritual, cuando la Biblia lo presenta como mucho más que eso. En este punto, el amilenialismo está relacionado con el modelo de la visión espiritual.

---

[26] Ibídem, 111.

[27] Bruce Waltke, «Kingdom Promises as Spiritual», en *Continuity and Discontinuity*, 282. Waltke dice: «...la promesa de la tierra se consumará en el futuro cielo nuevo y tierra nueva (168)». Bruce K. Waltke, *An Old Testament Theology: An Exegetical, Canonical, and Thematic Approach* (Grand Rapids: Zondervan Academic, 2007), 168.

[28] Waltke, «Kingdom Promises as Spiritual», 270.

Hermenéutica de la espiritualización

El modelo de la nueva creación está en contra de la espiritualización de las realidades tangibles. Pero la espiritualización de entidades tangibles ocurre a menudo con el amilenialismo. Con respecto a las profecías del Antiguo Testamento, Louis Berkhof afirmó que «los propios libros de los profetas [del AT] ya contienen indicaciones que apuntan a un cumplimiento espiritual».[29] Kim Riddlebarger afirma que el Nuevo Testamento puede «espiritualizar» pasajes del Antiguo Testamento: «Si los escritores del Nuevo Testamento *espiritualizan* las profecías del Antiguo Testamento *aplicándolas en un sentido no literal*, entonces el pasaje del Antiguo Testamento debe verse a la luz de esa interpretación neotestamentaria, y no al revés».[30] Waltke reconoce que los amilenialistas se basan en la interpretación espiritual: «los amilenialistas difieren de los premilenialistas dispensacionalistas en su hermenéutica al reclamar una interpretación espiritual de las promesas del reino frente a la interpretación "literalista"... de las mismas».[31]

Benjamin Merkle, afirma que los asuntos «terrenales» y «físicos» del reino pueden trascenderse y no tomarse literalmente: «a veces, los profetas se ven obligados a describir el reino futuro en términos que *trascienden* lo terrenal o físico. Por tanto, no debemos interpretar sus descripciones terrenales y físicas de forma literal».[32] Incluso apela al «lenguaje metafórico» para los asuntos terrenales: «la profecía relativa al final de los tiempos o a la llegada del reino de Dios se escribe a menudo utilizando un *lenguaje metafórico*. Los profetas emplearon a menudo imágenes terrenales para describir una realidad celestial».[33] Merkle también aboga por la «interpretación simbólica»: «hay abundantes ejemplos en los que los autores del Nuevo Testamento ofrecen una interpretación simbólica de las profecías del Antiguo Testamento relativas a la nación de Israel».[34]

Incluso algunos teólogos amileniales que hacen afirmaciones similares a las del modelo de la nueva creación a veces se tambalean hacia una hermenéutica no literal que les lleva a conclusiones del

[29] Berkhof, *Systematic Theology*, 713.
[30] Riddlebarger, *A Case for Amillennialism*, 37. Énfasis mío.
[31] Waltke, «Kingdom Promises as Spiritual», 272.
[32] Merkle, «Old Testament Restoration Prophecies Regarding the Nation of Israel: Literal or Symbolic?»
22. Énfasis añadido.
[33] Ibídem, 16. Véase también Alan S. Bandy y Benjamin L. Merkle, *Understanding Prophecy: A Biblical-Theological Approach* (Grand Rapids: Kregel, 2015), 113. Énfasis añadido.
[34] Merkle, 23.

modelo de la visión espiritual. Hoekema, por ejemplo, afirmó que aunque «muchas profecías del Antiguo Testamento deben interpretarse, en efecto, literalmente, muchas otras deben interpretarse de forma no literal».[35] Esto es confuso. Hoekema dice que debemos tomar literalmente algunas profecías del Antiguo Testamento, pero luego dice que debemos abstenernos de tomar literalmente algunas otras. Esto parece arbitrario e incoherente.

Storms también hace una afirmación problemática similar. Señala con razón que la esperanza profética del Antiguo Testamento era tanto *nacionalista* (involucraba a Israel) como *territorial*:

> La esperanza profética del Antiguo Testamento era tanto *nacionalista* (porque se centraba en Israel, los descendientes físicos de Abraham, Isaac y Jacob) como *territorial* (porque se realizaba en Canaán, la tierra prometida).[36]

Pero aunque afirma que los aspectos «terrenales» de la esperanza del Antiguo Testamento permanecen, Storms dice que «parece que el elemento "nacionalista" ha desaparecido».[37] Para Storms la parte «territorial» de la esperanza del Antiguo Testamento permanece pero el elemento «nacionalista» que no involucraba a Israel. De nuevo, esto es incoherente y difiere de un enfoque del modelo de la nueva creación que afirma la importancia continua tanto de los elementos terrenales como de los nacionalistas. Pasajes como Mateo 19:28; Lucas 22:30; Hechos 1:6; Romanos 11:12, 15, 26-27; y Apocalipsis 7:4-8 reafirman la importancia de Israel como entidad étnica/nacional. No hemos visto un argumento convincente por parte de los amilenialistas donde aseveren que los pasajes del Antiguo Testamento sobre el territorio deban tomarse literalmente, pero los pasajes sobre Israel no deben interpretarse de forma literal.

En resumen, la espiritualización de las realidades tangibles que se observa a menudo con el amilenialismo es coherente con el modelo de la visión espiritual.

---

[35] Anthony A. Hoekema, «Amillennialism», en *The Meaning of the Millennium: Four Views,* ed. R. G. Clouse (Downers Grove, IL: InterVarsity, 1977), 172.
[36] Sam Storms, *Kingdom Come: The Amillennial Alternative* (Mentor: Escocia, 2013), 344. Énfasis en el original.
[37] Ibídem, 347. Cree que Efesios 2 y Gálatas 3 apoyan esta idea.

Amilenialistas territoriales

No todos los amilenialistas espiritualizan las promesas físicas del Antiguo Testamento a la iglesia o a esta era. Algunos han enfatizado explícitamente el cumplimiento con una tierra nueva venidera y tangible después del Milenio. Por ejemplo, Herman Bavinck (1854-1921) expresó su creencia en una tierra venidera renovada:

> La renovación de la creación sigue al juicio final. Según las Escrituras, el mundo actual no continuará para siempre ni será destruido y sustituido por uno totalmente nuevo. En lugar de ello, será limpiado de pecado y hecho nuevo, nacido de nuevo, renovado, completado.[38]

Para Bavinck, esto conlleva bendiciones terrenales en el futuro de un modo consistente con el modelo de la nueva creación:

> En otro lugar, él [Jesús] afirma expresamente que los mansos heredarán la tierra (Mt. 5:5), imagina la bendición futura como una comida en la que los invitados se sientan con Abraham, Isaac y Jacob (8:11), disfrutan de comer y beber (Lc. 22:30), comen de la nueva y perfecta pascua (Lc. 22:16) y beben del fruto de la vid (Mt. 26:29).[39]

Las últimas décadas también han sido testigos del auge de los amilenialistas que creen en una comprensión más literal de los pasajes proféticos del Antiguo Testamento y en una tierra nueva literal con bendiciones físicas en la eternidad. Estos son «amilenialistas territoriales», como Vern Poythress los nombró. Además de Poythress, este grupo de amilenialistas territoriales incluye a teólogos como Anthony Hoekema y Sam Storms. En cuanto a un enfoque más «terrenal» de la profecía bíblica, Vern Poythress señala que «el pensamiento amilenialista en particular ha experimentado algunos desarrollos significativos en el siglo XX».[40] Esto implica hacer hincapié

---

[38] Herman Bavinck, *Reformed Dogmatics: Holy Spirit, Church, and New Creation*, 4:715.

[39] Ibídem, 719. Hans Boersma señala que Abraham Kuyper también sostenía una tierra venidera renovada que incluía a los animales: «Kuyper presta cuidadosa atención a la vida futura de los animales y de las plantas y sostiene que ellos también tendrán un lugar en la tierra nueva». «Blessing and Glory: Abraham Kuyper on the Beatific Vision», en *Calvin Theological Journal* 52:2 (2017): 210.

[40] Ibídem, 21.

en las profecías sobre la tierra: «puedo hacer lo mismo llamándome a mí mismo "un amilenialista terrenal". Soy "terrenal" en el sentido de hacer énfasis en la esperanza de una tierra nueva que sea una renovación de esta tierra».[41]

Moore señala que los amilenialistas como Hoekema y Poythress tienen una conexión con el modelo de la nueva creación y el dispensacionalismo, ya que consideran que la visión amilenial tradicional de las promesas proféticas está «en bancarrota»:

> Hoekema y otros pactualistas modificados sitúan la consumación futura dentro de un modelo de «nueva creación» de cumplimiento en la tierra nueva. En esto, están de acuerdo no sólo con los dispensacionalistas progresivos sino también con los dispensacionalistas clásicos al considerar que la antigua visión amilenial de las promesas proféticas está bíblicamente en bancarrota.[42]

Anthony Hoekema, en particular, aportó una perspectiva fresca al amilenialismo cuando afirmó la llegada de una tierra nueva tangible con una cultura y una actividad reales. Además de criticar la habitual sobre espiritualización dentro del amilenialismo tradicional, Hoekema ofreció ideas del modelo de la nueva creación en sus libros *The Bible and the Future* y *Created in His Image*. Hoekema no sólo afirmaba un planeta Tierra restaurado, sino que vinculaba una Tierra restaurada con el cumplimiento literal de algunas profecías del Antiguo Testamento. Por ejemplo, Isaías 2:1-4 predice un tiempo venidero en el que las naciones vivirían en armonía sin guerras. Mientras que los amilenialistas a menudo han espiritualizado Isaías 2 y lo ven cumplirse con la iglesia en esta era, Hoekema dijo: «sólo en la tierra nueva se cumplirá completamente esta parte de la profecía de Isaías».[43] Esto difiere de la visión espiritualizada de Strimple, que afirmaba que la profecía de Isaías 2:2-4 «se está cumpliendo *ahora*, cuando hombres y mujeres de todas las tribus sobre la faz de la tierra invocan el nombre del Rey de Sión y se convierten en ciudadanos de "la Jerusalén que está arriba"...».[44]

Hoekema también afirmó que Apocalipsis 21 y 22 predicen una tierra nueva venidera con naciones reales y cultura humana:

---

[41] Ibídem, 23.
[42] Moore, *The Kingdom of Christ*, 51.
[43] Hoekema, *The Bible and the Future*, 205.
[44] Robert B. Strimple, «Amillennialism», en *Three Views on the Millennium and Beyond*, 93. Énfasis en el original.

> Del capítulo 22 [del Apocalipsis] aprendemos que en la tierra nueva las naciones vivirán juntas en paz...[45]

> ¿Es demasiado decir que, según estos versículos [Ap. 21:24, 26], las contribuciones únicas de cada nación a la vida de la tierra actual enriquecerán la vida de la tierra nueva?[46]

Las contribuciones de las naciones incluyen «los mejores productos de la cultura y el arte que ha producido esta tierra».[47] Además, después de mencionar ámbitos como «los esfuerzos culturales, científicos, educativos y políticos» y «los logros tecnológicos», Hoekema dice: «Dios será entonces [en la tierra nueva] magnificado por nuestra cultura de formas que superarán nuestros sueños más fantásticos».[48]

Con este tipo de afirmaciones del modelo de la nueva creación, Moore habla de «la adopción por parte de Hoekema de un modelo de la nueva creación».[49]

Poythress, al igual que Hoekema, aboga por una tierra renovada con un reinado sobre las naciones que incluya paz y prosperidad. También señala la similitud con el premilenialismo en esto:

> La esperanza en una tierra nueva nos ofrece así una imagen sorprendentemente similar al premilenialismo. Creo que Jesús regresará corporalmente al mundo, que todas las personas serán juzgadas y que la tierra misma será renovada. Jesús reinará sobre las naciones e inaugurará una era de gran paz y prosperidad.[50]

Poythress se muestra incluso abierto a un futuro para Israel con implicaciones territoriales de una forma poco frecuente entre los amilenialistas, aunque común con los dispensacionalistas:

> La escucha comprensiva entre dispensacionalistas y no dispensacionalistas puede haber abierto también un espacio para la exploración sobre el futuro del pueblo judío. Como indico en la edición revisada de mi obra *Understanding Dispensationalists*, creo que los amilenialistas territoriales no deberían encontrar ningún

---

[45] Hoekema, *The Bible and the Future*, 286.
[46] Ibíd.
[47] Ibíd.
[48] Hoekema, *Created in God's Image*, 95.
[49] Moore, 51.
[50] Poythress, «Currents within Amillennialism», 23. Hoekema y Poythress me han parecido los amilenialistas más claros en cuanto a la presencia de naciones reales en la eternidad.

problema en afirmar que todos los judíos fieles se unirán a Abraham para heredar la tierra prometida y disfrutar plenamente de la bendición de Dios en el nuevo mundo. El amilenialismo no debe entenderse como una desheredación de los judíos, sino como la afirmación de la incorporación de los gentiles a la familia de la promesa mediante su unión con Cristo. Por lo tanto, los gentiles también compartirán con los judíos como coherederos en Cristo (Ef. 3:6; Rom. 8:17).[51]

Para que quede claro, Poythress no afirma un papel funcional único para Israel en el futuro, como hacen los dispensacionalistas, pero su mención de que los judíos heredarán «la tierra de la promesa» es digna de mención. También dijo: «los judíos fieles poseerán la tierra de Palestina, así como la totalidad de la tierra renovada».[52] Estas declaraciones son alentadoras y cercanas al modelo de la nueva creación. Sam Storms también expresó su creencia en un cumplimiento literal de la promesa de la tierra: «de hecho, yo sostendría que la promesa de la tierra aún se cumplirá, *literalmente* y sobre *el territorio*».[53]

Así pues, algunos amilenialistas recientes han ofrecido declaraciones coherentes con un modelo de la nueva creación. Barry Horner señala este movimiento positivo de algunos amilenialistas: «sin embargo... es interesante considerar que más recientemente algunos amilenialistas reformados han defendido una versión del "modelo de la nueva creación" de Blaising».[54] Luego dice: «creo que es un paso en la dirección correcta».[55] Estamos de acuerdo.

La crítica de los amilenialistas territoriales al amilenialismo tradicional

Como hemos señalado, la creencia en el cumplimiento de las profecías relativas al territorio en el Antiguo Testamento no han sido enfatizadas por los amilenialistas tradicionales. Los amilenialistas territoriales han estado a la vanguardia en señalar esta deficiencia. Anthony Hoekema admitió:

---

[51] Vern Sheridan Poythress, «Currents within Amillennialism», *Presbyterion*, 23-24.
[52] Ibídem, 23.
[53] Storms, *Kingdom Come*, 346. Énfasis en el original. No estamos diciendo que Storms afirme un Israel nacional restaurado con esta tierra.
[54] Horner, *Future Israel*, 215-16.
[55] Ibídem, 216.

> Con demasiada frecuencia, por desgracia, los exégetas amilenialistas no tienen presente la enseñanza bíblica sobre la tierra nueva al interpretar la profecía del Antiguo Testamento. Es un empobrecimiento del significado de estos pasajes hacer que se apliquen sólo a la iglesia o al cielo.[56]

Hoekema no sólo estaba en desacuerdo con las interpretaciones amilenialistas tradicionales de las profecías del Antiguo Testamento, sino que también consideraba tales interpretaciones como «un empobrecimiento del significado de estos pasajes».

Vern Poythress está de acuerdo con la valoración de Hoekema respecto a las comprensiones amileniales tradicionales de las profecías bíblicas. Según él, «el pensamiento amilenial de siglos anteriores a menudo dejó que se apagara el fuego del anhelo escatológico. Los amilenialistas a veces hablaban *sólo* del cumplimiento de las profecías en la iglesia, prestando poca atención al cumplimiento consumado de esas profecías en la tierra nueva».[57] Poythress también señala que el fuerte énfasis que los amilenialistas suelen dar a un reino espiritual en esta era ha dañado su capacidad para argumentar a favor de cualquier tipo de cumplimiento territorial:

> Esto ha sido particularmente malo para los amilenialistas, porque les deja sin ningún énfasis en un carácter distintivamente «territorial» del cumplimiento. Los dispensacionalistas han objetado con razón este tipo de «espiritualización».[58]

Poythress tiene razón. Es difícil para los amilenialistas hacer mucho hincapié en un reino espiritual de Jesús, e incluso denigrar la idea de un reino terrenal de Jesús, y luego afirmar que habrá un reino físico eterno. Storms afirma que tomar las promesas terrenales del Antiguo Testamento como figurativas conduce a una visión empobrecida:

> Parece que la primera opción, que considera la promesa del territorio del Antiguo Testamento como figurativa de bendiciones puramente espirituales, es un empobrecimiento de las promesas del pacto del

[56] Hoekema, *The Bible and the Future,* 205–06.
[57] Poythress, «Currents within Amillennialism», 21. Énfasis en el original.
[58] Vern S. Poythress, *Understanding Dispensationalists* (Phillipsburg, NJ: P&R Publishing, 1987), 47.

> Antiguo Testamento. Yo prefiero pensar que aún está por producirse una gloriosa consumación *territorial* del reinado de Cristo en cumplimiento de las promesas del Antiguo Testamento.[59]

Sin embargo, afirma que se está produciendo un cambio: «ésta ha sido la perspectiva de muchos amilenialistas, pero está dando paso rápidamente a una perspectiva que se toma más en serio la importancia del *territorio* en el propósito redentor de Dios».[60]

En resumen, los amilenialistas territoriales han observado que el amilenialismo tradicional a menudo espiritualizaba las profecías del Antiguo Testamento sobre el territorio. Animan a los amilenialistas tradicionales a seguirles en una comprensión más «territorial» de las profecías bíblicas.

Reflexiones finales sobre el amilenialismo y los modelos

Es complejo evaluar el amilenialismo cuando se trata de los modelos de la nueva creación y de visión espiritual. El amilenialismo tiene ciertamente elementos del modelo de la nueva creación. Cree en la bondad de la creación de Dios y en la resurrección del cuerpo. Los amilenialistas creen que los cristianos deben tener un impacto positivo en la sociedad y la cultura. Muchos amilenialistas recientes creen en una Tierra tangible y restaurada después del milenio. Sin embargo, el amilenialismo está del lado del modelo de la visión espiritual en algunos aspectos clave.

En primer lugar, el amilenialismo brotó del suelo del modelo de la visión espiritual. Como documentamos, el neoplatonismo y la interpretación alegórica sirvieron como el terreno de la visión espiritual del que brotó y creció el amilenialismo. Orígenes y Eusebio fueron teólogos con creencias fundadas en el modelo de la visión espiritual que influyeron mucho en Agustín y en los primeros amilenialistas. Además, el auge del amilenialismo fue una reacción contra la visión del modelo de la nueva creación del premilenialismo.

En segundo lugar, el amilenialismo utiliza una hermenéutica de espiritualización para los pasajes relativos a Israel y a la tierra de Israel.

Tercero, el amilenialismo no hace justicia al mandato funcional primario dado al hombre en Génesis 1. En Génesis 1:26, 28 Dios da al hombre un mandato para gobernar desde y sobre la tierra. La visión

---

[59] Storms, *Kingdom Come*, 346-47.

[60] Ibídem, 346. Énfasis en el original.

amilenial del reino de Jesús no cumple este mandato. En su lugar, visualiza un reino espiritual desde el cielo sobre un reino espiritual, pero esto no es lo que Dios pretendía con Génesis 1. Las ramificaciones de esto son significativas y revelan un defecto fundamental dentro del amilenialismo. Al hacer hincapié en un reino espiritual, el amilenialismo cambia o elimina la tarea primordial dada al hombre en Génesis 1, que es «gobernar» y «someter» la tierra para la gloria de Dios. El amilenialismo elimina la importancia de un reinado sostenido del hombre/Jesús en el reino donde el primer Adán tenía la tarea de gobernar, pero fracasó. Debilita el pleno alcance del reino de Jesús al convertirlo únicamente en un reino espiritual. Al primer Adán se le encomendó completar un gobierno exitoso desde y sobre la tierra, pero el amilenialismo sitúa el gobierno del último Adán desde el cielo sobre un reino espiritual. Esto introduce un cambio injustificado en el argumento de la Biblia. Es un grave defecto estructural del amilenialismo, un defecto que evitan los otros puntos de vista milenaristas del premilenialismo y el postmilenialismo. Esos dos puntos de vista también creen que hay elementos «espirituales» del reino mesiánico/milenial de Jesús, pero también creen con razón que el reino de Jesús transforma la tierra, las sociedades, las culturas, las naciones, etc. En lo que discrepan es en cuándo ocurrirá esto, si antes de la segunda venida de Jesús (postmilenialismo) o después del segundo advenimiento de Jesús (premilenialismo). El reino de estos dos puntos de vista es mucho más poderoso que el reino del amilenialismo.

Las afirmaciones de los amilenialistas de que Jesús puede cumplir las promesas físicas en la tierra nueva después del milenio no tienen sentido. Es el milenio en el que Jesús gobierna directamente desde su trono y cumple el mandato del reino terrenal dado al hombre. Según el Salmo 2 y el 110, el Padre envía al Mesías para gobernar la tierra y las naciones, una tarea que Jesús *debe* cumplir por sí mismo antes de que comience el reino eterno (véase 1 Cor. 15:24-28). Cuando Jesús hace esto entonces entrega el reino al Padre. El último Adán cumple su tarea antes de que comience el reino eterno.

Además, como señaló Poythress, los amilenialistas a menudo han argumentado con tanta fuerza a favor de un reino espiritual de Jesús contra el premilenialismo que su enfoque hacia la afirmación de una tierra nueva tangible puede parecer débil. Hoekema y Poythress se han mostrado fuertes aquí, pero la mayoría de los amilenialistas no.

En cuarto lugar, mientras que los amilenialistas son contundentes en la comprensión del papel de Jesús como Salvador, son más débiles en el papel de Jesús como Rey. Para el amilenialismo, Jesús como «Rey» se refiere a Jesús trayendo la salvación y un reino espiritual. Pero, aunque el Rey Jesús trae la salvación espiritual, también hace mucho más. El papel de Jesús como Rey es mucho más amplio y profundo. Jesús también reina como Rey sobre las naciones geopolíticas de la tierra. Él transforma la creación. Jesús es el agente transformador de la sociedad y la cultura. Al hacer de Jesús como Rey principalmente un asunto espiritual, el amilenialismo pasa por alto las múltiples dimensiones del papel de Jesús como Rey.

Como nota positiva, reconocemos que el amilenialismo territorial más reciente de teólogos como Hoekema, Poythress y Storms es una mejora significativa respecto al amilenialismo tradicional. Los amilenialistas territoriales afirman que los pasajes del Antiguo Testamento sobre el territorio deben tomarse más literalmente y consideran que deben cumplirse en el futuro. Esto es coherente con el modelo de la nueva creación.

Sin embargo, el amilenialismo territorial sigue teniendo tres puntos débiles. En primer lugar, al igual que el amilenialismo tradicional, sigue espiritualizando el reino milenario/mesiánico de Jesús haciendo que se trate de la salvación espiritual en esta era en la que el reinado de Jesús es mucho más que eso. El reino milenario/mesiánico directo de Jesús también involucra la transformación de todas las cosas incluyendo la tierra, el reino animal, Israel, las naciones y otros asuntos. Aplaudimos a los amilenialistas territoriales por tener una comprensión más tangible del estado eterno, pero este punto de vista no detecta todo lo que concierne al reino de Jesús. El reino de Jesús es más que la salvación espiritual. Así que, en esta cuestión, el amilenialismo territorial sigue estando por detrás del postmilenialismo y especialmente del premilenialismo.

En segundo lugar, aunque los amilenialistas de la tierra nueva entienden de forma encomiable los pasajes del Antiguo Testamento sobre la tierra de forma más literal, no toman literalmente los pasajes del Antiguo Testamento sobre el Israel corporativo y nacional, incluso cuando el Israel corporativo se menciona en los mismos pasajes. Storms observó acertadamente que muchas profecías del Antiguo Testamento involucran tanto a Israel *territorial* como *nacionalista* (i.e., Israel), pero también argumentó que los elementos terrenales siguen siendo relevantes mientras que los elementos nacionalistas no lo son.[61] Pero

[61] Las afirmaciones de que Israel se ha redefinido ahora como la iglesia debido a versículos como Romanos 9:6, Gálatas 6:16 o 1 Pedro 2:8-9 no son pruebas de que la iglesia sea el nuevo Israel.

esto no es coherente ni bíblico. La Biblia (y el modelo de la nueva creación) abordan tanto los asuntos terrenales como los nacionalistas de forma seria y literal. No entendemos el argumento de que las promesas del Antiguo Testamento sobre la tierra se cumplirán literalmente, pero las promesas relativas al Israel nacional no. Además, tanto las promesas terrenales como las nacionales sobre Israel se mencionan a menudo en el mismo contexto (véase Isa. 11; Mt. 19:28).

En su libro, *New Creation Eschatology and the Land*, Steven James aborda la cuestión de los teólogos que afirman una tierra nueva venidera tangible pero no creen en la importancia del Israel territorial en esta tierra. James argumenta que esto es inconsistente:

> Al examinar la forma en que los creacionistas de la nueva creación utilizan estos textos, surge una incoherencia lógica entre las concepciones de la nueva creación y un cumplimiento metafórico de la promesa del territorio particular de Israel. La incoherencia implica la práctica de los neocreacionistas de afirmar una tierra nueva que se corresponde en identidad con la tierra actual mientras niegan un papel duradero para la porción particular del territorio de Israel como parte de esa tierra.[62]

James tiene razón en que es incoherente promover un concepto de «nueva creación» de la tierra y luego afirmar un «cumplimiento metafórico» relativo a Israel y a la tierra de Israel. Lo mejor es aplicar un enfoque de nueva creación a ambos.

En tercer lugar, al situar el cumplimiento de los pasajes terrenales del Antiguo Testamento en el estado eterno, los amilenialistas territoriales (como todos los amilenialistas) desconocen la necesidad de que estas profecías sean cumplidas directamente por Jesús en su reino mesiánico/milenial, el reino prometido al Hijo por el Padre en el Salmo 2 y en el 110. El amilenialismo territorial no comprende que Jesús tiene que cumplir estas profecías para que el reino eterno pueda comenzar. Como ya se ha dicho, según 1 Corintios 15:24, 28, Jesús sólo entrega su reino al Padre *después* de que Jesús haya completado con éxito su reinado mediador. Esto incluye el gobierno y la transformación de la tierra, la naturaleza, las naciones, etc. En Apocalipsis 22:1-3, después

---

Romanos 9:6 y Gálatas 6:16 están hablando de los judíos cristianos. No están redefiniendo a Israel ni mostrando que las promesas al Israel nacional se han transformado. Primera de Pedro 2:8-9 se dirige a los judíos creyentes o está mostrando cómo el lenguaje del pueblo de Dios se aplica ahora a los judíos creyentes y a los gentiles (véase Isaías 19:24-25).

[62] James, *New Creation Eschatology and the Land*, 95.

del milenio, Jesús y el Padre comparten el mismo trono en la Nueva Jerusalén, pero no se trata del reinado directo del Mesías desde Su trono (véase Ap. 3:21).

De todos los puntos de vista presentados en este libro, el amilenialismo tradicional es el más conectado con el modelo de la visión espiritual y el menos ligado al modelo de la nueva creación. Brotó del terreno del modelo de la visión espiritual y promovió una visión excesivamente espiritualizada de los propósitos de Dios con exclusión de todo lo que Dios está realizando a través de Jesús. También ofrece el reino de Jesús más débil de todas las visiones milenaristas. El amilenialismo territorial es considerablemente mejor que el amilenialismo tradicional pero aún sufre de debilidades significativas ligadas al modelo de la visión espiritual. En general, el amilenialismo contiene demasiados elementos del modelo de la visión espiritual para ser una visión milenial útil y completa.

22

EL POSTMILENIALISMO Y LOS MODELOS

Este capítulo examinará cómo se relaciona el punto de vista milenarista conocido como postmilenialismo con los modelos de la nueva creación y de visión espiritual. Al igual que en los capítulos anteriores sobre el amilenialismo y premilenialismo, la intención no es evaluar a fondo el postmilenialismo, sino examinar cómo se relaciona este punto de vista con los dos modelos.

El postmilenialismo afirma que el reino milenario de Jesús ocurre en algún momento después de su primera venida, pero antes de su segunda venida. La segunda venida de Jesús es «postmilenial» en el sentido de que Jesús viene «después» del milenio. Keith Mathison señala que existe cierta variación entre los postmilenialistas respecto a cuándo comienza realmente el reino milenario de Jesús: «Hasta hace poco, la mayoría de los postmilenialistas enseñaban que el milenio serían los últimos mil años de la era actual. Hoy, muchos postmilenialistas enseñan que la era milenial es todo el período de tiempo entre el primer y el segundo advenimiento de Cristo».[1]

Según el postmilenialismo, el reino milenario de Jesús está vinculado a la difusión del evangelio en esta era, ya que Jesús reina desde el cielo y el Espíritu Santo está obrando en la tierra cambiando vidas y mucho más. A medida que los corazones y las vidas son transformados mediante la salvación, esto lleva eventualmente a una

[1] Keith Mathison, «The Millennial Maze», https://www.ligonier.org/learn/articles/millennial-maze/ n.d. (consultado el 16 de febrero de 2010).

transformación de la sociedad y la cultura. Esto tardará mucho tiempo en ocurrir. Utilizando las parábolas de Jesús en Mateo 13, los postmilenialistas creen que el reino de Dios comienza siendo pequeño y luego crece y florece gradualmente hasta convertirse en un reino omnipresente en toda la tierra. El punto de vista postmilenial afirma una salvación masiva de las personas antes del regreso de Jesús que también implica una transformación de todos los aspectos de la sociedad. Como afirma Loraine Boettner:

> El milenio que espera el postmilenialista es, por tanto, una edad de oro de prosperidad espiritual durante la presente dispensación, es decir, durante la era de la Iglesia, y se llevará a cabo a través de fuerzas que ahora están activas en el mundo. Se trata de un período de tiempo indefinidamente largo, quizá mucho más que mil años literales. El carácter cambiado de los individuos se reflejará en una vida social, económica, política y cultural elevada de la humanidad. El mundo en general disfrutará entonces de un estado de rectitud como el que en la actualidad sólo se ha visto en grupos relativamente pequeños y aislados, como por ejemplo en algunos círculos familiares, algunos grupos eclesiásticos locales y organizaciones afines.[2]

Como muestra esta afirmación, el postmilenialismo cree que el reino milenario de Jesús es «espiritual» pero también incluye «una vida social, económica, política y cultural elevada de la humanidad». Al igual que el premilenialismo, pero a diferencia del amilenialismo, el postmilenialismo cree que el reino milenario de Jesús es holístico — impacta todos los aspectos del mundo de Dios. Pero a diferencia del premilenialismo, el postmilenialismo ve el reinado de Jesús ocurriendo entre Sus dos venidas. Así, habrá salvación y transformación mundial, aunque Jesús esté en el cielo lejos de la tierra.

En el postmilenialismo, Jesús actualmente está reinando espiritualmente desde el cielo en un trono davídico espiritualizado, pero su reinado impacta la tierra. Millard Erickson señala que un «rasgo característico del postmilenialismo es su opinión de que el reino de Dios es una realidad terrenal presente, no una realidad celestial futura».[3] Un

---

[2] Loraine Boettner, «Postmillennialism: Statement of the Doctrine», *Grace Online Library*, https://graceonlinelibrary.org/eschatology/postmillennialism/postmillennialism-statement-of-the-doctrine-by-loraine-boettner/ s.f. (consultado el 16 de febrero de 2010).

[3] Millard J. Erickson, *Eschatology: A Basic Guide to Eschatology* (Grand Rapids: Baker, 1998), 66.

reinado de Jesús desde el ielo tiene como resultado un reino de Dios en la tierra.

El postmilenialismo afirma que cuando el mundo sea efectivamente ganado para Cristo, Jesús regresará entonces a un mundo conquistado en su nombre. Entonces habrá una resurrección y juicio generales y la inauguración del estado eterno. Kenneth L. Gentry Jr. explica el postmilenialismo de esta manera:

> El postmilenialismo espera que la proclamación del evangelio de Jesucristo bendecido por el Espíritu gane a la gran mayoría de los seres humanos para la salvación en la era presente. El éxito creciente del evangelio producirá gradualmente un tiempo en la historia previo al regreso de Cristo en el que la fe, la rectitud, la paz y la prosperidad prevalecerán en los asuntos de las personas y de las naciones. Tras una extensa era de tales condiciones, el Señor regresará visiblemente, corporalmente y en gran gloria, poniendo fin a la historia con la resurrección general y el gran juicio de toda la humanidad.[4]

El postmilenialismo da cuenta de realidades de la creación como el mandato de dominio de pasajes como Génesis 1:26, 28 y el Salmo 8. Como Gentry afirma:

> El postmilenialista sostiene que el amor de Dios por su creación impulsa su preocupación por devolverla a su propósito original de traerle gloria positiva. *Así, la expectativa llena de esperanza del postmilenialista está arraigada en la realidad creacional.*[5]

Los postmilenialistas también apelan a pasajes del Antiguo Testamento sobre el reino, como el Salmo 2 e Isaías 2, que hablan del reino del Mesías con implicaciones para la tierra. El postmilenialismo es optimista en cuanto a que el reino de Jesús en esta era conducirá a mejores condiciones en la tierra.

Además, el postmilenialismo históricamente ha creído que el Israel étnico se salvará en algún momento. Algunos postmilenialistas puritanos incluso creían que el milenio no podía comenzar hasta que el pueblo judío se convirtiera a Cristo.

---

[4] Kenneth L. Gentry Jr., «Postmillennialism», en *Three Views on the Millennium and Beyond,* 13–14.

[5] Ibídem, 23. Énfasis en el original.

A continuación, algunas afirmaciones clave del postmilenialismo:

- El milenio ocurre entre las dos venidas de Jesús.
- Jesús reina desde el cielo en esta era, pero este reinado impacta la tierra de muchas maneras.
- El milenio comienza pequeño, pero crece en influencia hasta que el mundo es ganado para Cristo y todas las áreas de la sociedad son transformadas.
- El reino de Jesús incluye a muchos que se salvan espiritualmente, pero también implica la transformación del mundo en todos los sentidos.
- El pueblo judío en su conjunto será salvo.
- La segunda venida de Jesús pone fin al milenio y entonces se produce un juicio general y la resurrección de todas las personas.
- El reino eterno comienza después del milenio.

El postmilenialismo y el reino eterno

Comprender la visión postmilenial del reino milenario de Jesús es relativamente fácil. Pero no se puede decir lo mismo de la visión postmilenial del estado eterno. Discernir el punto de vista postmilenial del estado eterno es todo un reto. En nuestra sección anterior sobre los puritanos señalamos que los postmilenialistas puritanos como Jonathan Edwards tenían puntos de vista muy fuertes del modelo de la visión espiritual sobre el cielo final. Edwards afirmó: «el lugar de la residencia eterna de Dios y el lugar de la residencia y reinado eternos de Cristo y su iglesia será el cielo, y no este mundo inferior, purificado y refinado».[6] También señalamos que, según Willem van Vlastuin, Edwards no creía en una recreación de la tierra:

> Parece que, cuando era un joven preceptor, [Edwards] creía en una tierra nueva material, pero más tarde, durante su ministerio, se convenció de que el cielo nuevo y la tierra nueva debían interpretarse espiritualmente. Así pues, en opinión de Edwards, no hay ninguna expectativa de una recreación de la tierra. El futuro de los santos resucitados no estará en una tierra nueva, sino en el cielo.

[6] *The Works of Jonathan Edwards,* Vols. 2-4, Revisado, ed. Anthony Uyl (Carlisle, PA: The Banner of Truth Trust, 2019), 275. *Section* 743.

Pero Edwards habla de la destrucción del viejo cielo y de la renovación del cielo.[7]

En su evaluación de los puritanos, entre los que había muchos postmilenaristas, McDannell y Lang afirman que los puritanos buscaban un cielo espiritual, no una tierra material:

> Las meditaciones devotas de los puritanos y otros reformadores ascéticos anticipaban una realidad celestial espiritual más que material. El cielo para los piadosos nunca podría ser una réplica del mundo existente. La antigua doctrina de la Reforma sobre el mundo renovado se abandonó como un lugar de vida siempre duradera. Incluso los que predijeron una tierra fructífera durante el milenio devolvieron a los justos su existencia celestial propia tras el fin de los tiempos. La otra vida, ya fuera inmediatamente después de la muerte o tras el milenio, liberaba a los santos del mundo; no continuaba su existencia en él.[8]

¿Qué creen los postmilenialistas contemporáneos sobre el estado eterno? Existen diferentes concepciones. El pensamiento del modelo de lavisión espiritual podría existir con la declaración de Kenneth Gentry que mencionamos anteriormente de que el regreso del Señor se refiere al «fin de la historia».[9] Esto llevó a Craig Blaising a afirmar que Gentry se aferraba al modelo de la visión espiritual: «Gentry se adhiere al modelo de visión espiritual del estado eterno».[10] Blaising también dijo: «Gentry postula que la segunda venida traerá el fin de la historia. En su opinión, el estado eterno es tan radicalmente diferente de las condiciones actuales que las promesas de un reino mesiánico no podrían tener cumplimiento allí».[11]

Gentry tampoco cree que Apocalipsis 21-22 ofrezca detalles sobre la eternidad más allá de la era milenaria. Considera que la situación de la

---

[7] Willem van Vlastuin, «One of the most difficult points in the bible: An analysis of the development of Jonathan Edwards' understanding of the new heaven and new earth», *Church History and Religious Culture* 98:2 (Julio del 2018): 225.

[8] McDannell y Lang, *Heaven*, 172. Reconocemos que esta afirmación no iba dirigida únicamente a los puritanos postmilenaristas.

[9] Gentry, 14.

[10] Craig A. Blaising, «A Premillennial Response to Kenneth L. Gentry Jr.» en *Three Views on the Millennium and Beyond,* 72.

[11] Ibídem, 72.

nueva creación de los capítulos 21-22 tiene «un escenario del siglo I».[12] Y luego declara: «la venida de la nueva Jerusalén descendiendo del cielo (caps. 21-22) lógicamente debería seguir pronto a la destrucción de la vieja Jerusalén en la tierra (Ap. 6-11, 14-19), en lugar de esperar miles de años».[13] Al abordar la pregunta: «pero, ¿qué hay de todas las expresiones majestuosas de Apocalipsis 21-22?». Gentry afirma: «... Juan está expresando, mediante elevadas imágenes poéticas, la gloria de la salvación».[14] Significativamente, Gentry no cree que Apocalipsis 21-22 ofrezca información sobre el estado eterno; ¡está describiendo nuestra salvación actual! Gentry no ofrece ninguna discusión sobre cómo será la eternidad después del milenio. Esto deja grandes interrogantes sobre la visión postmilenial del reino eterno y parece tener a la visión postmilenial nadando en aguas del modelo de la visión espiritual.

Pero otro postmilenialista contemporáneo cree que Apocalipsis 21-22 describe un futuro tangible para el pueblo de Dios. En referencia a estos capítulos que siguen a Apocalipsis 20, Keith Mathison afirma: «en este punto hay poca controversia entre los intérpretes cristianos. Todos coinciden en que se trata de una visión del juicio que tendrá lugar al final de la era actual, tras el segundo advenimiento de Cristo».[15] En cuanto a Apocalipsis 21:1, Mathison declara: «se trata de la restauración de la creación original».[16] Y sobre Apocalipsis 21:10-11 dice: «Aquí Juan ve el cumplimiento del objetivo original de Dios para la creación, el establecimiento de su reino en la tierra».[17] La explicación de Mathison sobre Apocalipsis 21-22 revela una comprensión de la eternidad más neocreacionista que la que se observa en otros postmilenialistas. Parece que algunos postmilenialistas ven Apocalipsis 21-22 como una descripción poética de la salvación actual, mientras que otros consideran que estos capítulos se refieren a una situación futura del reino terrenal. Este último punto de vista es más coherente con el modelo de la nueva creación.

---

[12] Kenneth L. Gentry, Jr., «A Preterist View of Revelation», en *Four Views on the Book of Revelation*, ed. C. Marvin Pate (Grand Rapids: Zondervan, 1998), 87.
[13] Ibíd.
[14] Ibídem, 89.
[15] Keith A. Mathison, *From Age to Age: The Unfolding of Biblical Eschatology* (Phillipsburg, NJ: P&R Publishing, 2009), 691.
[16] Ibídem, 692.
[17] Ibídem, 693.

El postmilenialismo y los modelos

¿Cómo se relaciona el postmilenialismo con los modelos? El postmilenialismo contiene elementos tanto del modelo de la nueva creación como del modelo de la visión espiritual. Además de afirmar una próxima resurrección del cuerpo, el postmilenialismo se alinea con el modelo de la nueva creación al afirmar que el reinado milenario de Jesús implica algo más que la salvación individual y transformará todos los aspectos del mundo. Se trata de un enfoque holístico del reino de Jesús, ya que el reinado de Jesús repercute en todos los aspectos de la tierra, la cultura y la sociedad. En este punto, el postmilenialismo es similar al premilenialismo, que también afirma que el reino milenario de Jesús lo transforma todo. Si el postmilenialismo tiene razón en que esta transformación holística ocurrirá mientras Jesús no esté en la tierra es otra cuestión. Pero el postmilenialismo cree en una transformación de todos los aspectos de la creación, incluida la sociedad y la cultura, como resultado del reino de Jesús. También, la creencia en la futura conversión del pueblo judío es una idea del modelo de la nueva creación que se encuentra dentro del postmilenialismo. Jonathan Edwards era firme en este punto, al igual que otros postmilenialistas. Sin embargo, el postmilenialismo también tiene características del modelo de la visión espiritual. La cuestión del trono de David es un ejemplo. La Biblia presenta el trono de David como un trono terrenal en Jerusalén (véase Jer. 17:25). Jesús mismo dijo que asumiría el trono de David en su segunda venida a la tierra, cuando la tierra sea renovada, las tribus de Israel sean restauradas y las naciones gentiles sean juzgadas (véase Mt. 19:28; 25:31; Lc. 1:32). Sin embargo, el postmilenialismo espiritualiza el trono davídico y lo sitúa en el cielo en esta era, en lugar de verlo relacionado con Jerusalén en la tierra como lo presentaron el Antiguo Testamento y Jesús. Gentry dice que «el centro del gobierno teocrático ha sido transferido al cielo, donde Cristo gobierna actualmente su reino (Jn. 18:36; Ap. 1:5)».[18]

Además, en relación con un trono de David espiritualizado, el postmilenialismo cree que el *reinado* davídico de Jesús se está produciendo desde el cielo en esta época. Aunque el reino de Jesús afecta a la tierra, el lugar de este reinado supuestamente es el cielo. Esta creencia de un reinado desde el cielo está más de acuerdo con el modelo de la visión espiritual, ya que traslada el lugar del reinado del Mesías de la tierra al cielo. La tarea original de Adán era gobernar desde y sobre la

[18] Gentry, «Postmillennialism» 35.

tierra, pero el postmilenialismo considera que el reinado de Jesús ocurre desde el cielo. Esto conduce a una visión incómoda y asimétrica con respecto al lugar del reinado de Jesús y al reino en el que este reinado ocurre. Supuestamente, Jesús reina desde el cielo, pero el reino de su gobierno está en la Tierra. A continuación, muchos postmilenialistas han afirmado con razón una salvación venidera de muchos judíos. Pero a menudo han adoptado un punto de vista supersesionista afirmando que la iglesia es el nuevo/verdadero Israel. Y han negado la importancia del papel del Israel nacional en el futuro. Loraine Boettner, en su presentación del postmilenialismo, declaró un fuerte punto de vista de la teología del reemplazo: «podría parecer duro decir que "Dios ha acabado con los judíos". Pero el hecho es que Él ha terminado con ellos como grupo nacional unificado que tenga algo más que ver con la evangelización del mundo. Esa misión les ha sido arrebatada y entregada a la Iglesia cristiana (Mt. 21:43)».[19]

Sin embargo, lo más sorprendente es la comprensión que el postmilenialismo tiene del estado eterno. Jonathan Edwards no daba cabida a la tierra en su visión de la eternidad. Otros postmilenialistas como Gentry no creen que Apocalipsis 21-22 trate de una tierra restaurada en el futuro después del milenio. En su lugar, supuestamente es un poema sobre la salvación. Así que, en el mejor de los casos, la Escritura no dice nada o casi nada sobre la eternidad. Sin embargo, hay algunos como Keith Mathison que creen que la tierra existe en el estado eterno. Esto es encomiable y más coherente con el modelo de la nueva creación que lo que promueven Edwards o Gentry. Reconociendo las variaciones dentro del postmilenialismo, en general, parece que el postmilenialismo promueve una de las visiones de la eternidad más parecidas al modelo de la visión espiritual dentro del cristianismo ortodoxo.

El postmilenialismo, por tanto, contiene una mezcla de los modelos de la nueva creación y de la visión espiritual.

---

[19] Loraine Boettner, *The Millennium* (Philadelphia: Presbyterian and Reformed, 1957), 89–90.

23

REFLEXIONES SOBRE LA VISIÓN MILENARIA Y LOS MODELOS

¿Cómo se relacionan los modelos de la nueva creación y de la visión espiritual con el premilenialismo, el amilenialismo y el postmilenialismo? En nuestra estimación, el premilenialismo es más coherente con el modelo de la nueva creación, especialmente con el premilenialismo dispensacional de la variedad revisionista-progresiva. El premilenialismo dispensacional entiende que los propósitos del reino y del pacto de Dios son amplios y multidimensionales. Incluyen la salvación individual del pecado, pero también abarcan realidades creacionales como la tierra, el suelo, las criaturas terrestres, los animales, etc. También incluyen las entidades corporativas de Israel y las naciones gentiles. El premilenialismo afirma que Jesús cumplirá la tarea encomendada por primera vez a Adán de gobernar y sojuzgar la tierra y sus criaturas para la gloria de Dios.

El premilenialismo también ofrece la comprensión más nueva de la creación sobre el milenio y el estado eterno. Todos los premilenialistas creen que el reino milenial de Jesús será un reino tangible y terrenal que transformará todos los aspectos del mundo, incluyendo la cultura, la sociedad y la política. El premilenialismo también comprende la importancia de las naciones geopolíticas, incluido Israel, en el reino milenario. El amilenialismo falla en todas estas áreas, haciendo del Milenio de Jesús un reino puramente espiritual. El postmilenialismo se acerca al premilenialismo al afirmar también un reino milenario tangible y terrenal de Jesús, aunque ve que esto ocurre antes del regreso de Jesús. Y ve a Jesús gobernando un reino terrenal desde el cielo, lo que difiere de la expectativa de Génesis 1:26, 28 en la que al hombre se le encomendó gobernar desde la tierra, no gobernar la tierra desde el cielo.

Otros han abordado esta cuestión de los puntos de vista milenaristas y los modelistas. Aunque él mismo es premilenialista, Randy Alcorn no cree que rechazar el cristoplatonismo deba convertirle a uno en premilenialista. Afirma que «nuestras creencias sobre el milenio no tienen por qué afectar a nuestra visión de la Tierra nueva».[1] «Por lo tanto, por muy diferentes que sean nuestras visiones sobre el milenio, podemos seguir abrazando una teología común de la Tierra nueva».[2] Snyder también cree que un modelo de escatología del «reino futuro» (o nueva creación) no es patrimonio exclusivo del premilenialismo: «sin embargo, sería engañoso pensar que el modelo del Reino Futuro implica necesariamente el milenarismo, ya que puede haber visiones milenaristas y no milenaristas del reino como esperanza futura».[3] Pero Snyder sí cree que el premilenialismo se ajusta mejor a un modelo del reino futuro: «Sin embargo, de las diversas visiones milenaristas, el premilenialismo parece encajar mejor en el modelo del reino futuro debido a su insistencia en que el reino no puede venir en plenitud hasta el acontecimiento cataclísmico de la segunda venida».[4] Estamos de acuerdo con esta valoración.

En cuanto al reino eterno, el premilenialismo es de nuevo el más coherente con el modelo de la nueva creación. El dispensacionalismo revisionista/progresivo afirma una nueva tierra tangible con actividades culturales, sociales y nacionales reales. Aunque existe debate sobre si esta tierra nueva es una versión restaurada de la tierra actual (nuestro punto de vista) o una tierra completamente nueva, el dispensacionalismo afirma una tierra tangible en la eternidad. Todas las formas de premilenialismo histórico también parecen afirmar una tierra nueva tangible en la eternidad.

El amilenialismo tradicional ha presentado a menudo una visión de la eternidad basada en el modelo de la visión espiritual. La idea del cielo empíreo fue promovida por Aquino y los escolásticos medievales. Pero Bavinck y amilenialistas más recientes como Hoekema y Poythress han ofrecido una comprensión del modelo de la nueva creación de la eternidad con naciones y actividades culturales reales.

---

[1] Alcorn, *Heaven*, 146.
[2] Ibíd.
[3] Snyder, *Models of the Kingdom*, 35.
[4] Ibíd.

El postmilenialismo, en su conjunto, presenta la forma más débil del estado eterno, negando a veces una existencia terrenal en absoluto (Edwards) o espiritualizando Apocalipsis 21-22 para referirse a la salvación actual. Mathison es una excepción dentro del postmilenialismo, ya que afirma una tierra nueva tangible en la eternidad.

En resumen, se puede ser amilenialista o postmilenialista y sostener elementos del modelo de la nueva creación, aunque el premilenialismo es el más acorde con un enfoque neocreacionista.

QUINTA PARTE

LOS SISTEMAS TEOLÓGICOS Y LOS MODELOS

24

EL DISPENSACIONALISMO Y LOS MODELOS

Introducción a los sistemas teológicos

Hemos examinado cómo se relacionan los modelos de la nueva creación y de la visión espiritual con los puntos de vista milenaristas. Ahora veremos cómo se relacionan los modelos con los diversos sistemas teológicos evangélicos. Se trata de una tarea mayor, ya que un sistema teológico es más amplio que una visión milenarista. Al igual que con las visiones mileniaristas, nuestra tarea no es evaluar estos sistemas en su totalidad, sino evaluarlos en la medida en que se relacionan y conectan con los modelos de la nueva creación y de la visión espiritual.

En ocasiones, los sistemas teológicos se evalúan en una escala de «continuidad-discontinuidad». Por ejemplo, John Feinberg editó el libro *Continuity and Discontinuity: Perspectives on the Relationship between the Old and New Testaments*.[1] Esta útil obra, con distintos colaboradores, contrastaba el dispensacionalismo y la teología del pacto sobre cómo veía cada uno los planes de Dios a través del Antiguo y el Nuevo Testamento. Incluía sus puntos de vista sobre la hermenéutica, la ley, el reino, el pueblo de Dios y la salvación. Benjamin Merkle también aplicó el paradigma de continuidad-discontinuidad a varios sistemas

---

[1] John S. Feinberg, ed., *Continuity and Discontinuity: Perspectives on the Relationship between the Old and New Testaments* (Wheaton, IL: Crossway, 1988).

evangélicos en su libro, *Discontinuity to Continuity: A Survey of Dispensational and Covenantal Theologies*.[2]

El espectro continuidad-discontinuidad es útil para evaluar los sistemas teológicos. Sin embargo, los modelos de la nueva creación y de visión espiritual ofrecen otra forma de evaluar los sistemas. Los sistemas que ahora abordamos son los evangélicos protestantes. Incluyen el dispensacionalismo, la teología del pacto, el pactualismo progresivo y el nuevo sionismo cristiano. No se trata de una evaluación de todos los sistemas teológicos dentro de la cristiandad. No cubrimos el catolicismo romano, la iglesia ortodoxa oriental, el protestantismo liberal, etc. Estos están fuertemente infectados con el pensamiento del modelo de la visión espiritual. El catolicismo romano ha sido el principal promotor de un enfoque de visión espiritual desde el siglo V. Adoptó plenamente el amilenialismo agustiniano y una visión excesivamente espiritualizada de la visión beatífica. El catolicismo romano terminó adoptando el concepto de Tomás de Aquino del cielo empíreo, que hace del cielo una experiencia puramente espiritual. Las otras dos formas de cristiandad también están muy influidas por el pensamiento del modelo de la visión espiritual. Los teólogos del protestantismo liberal, en ocasiones, negaron la resurrección del cuerpo.

Los sistemas del dispensacionalismo, la teología del pacto y el pactualismo progresivo presentan un enfoque más bíblico de los propósitos de Dios que los sistemas no evangélicos. Aunque estos sistemas contienen a veces características del modelo de la visión espiritual, todos poseen elementos del modelo de la nueva creación. Cuando afirmamos que un sistema teológico evangélico opera a veces a partir de supuestos del modelo de la visión espiritual, esto no significa que sea un sistema completo de dicho modelo. Además, estos sistemas son vastos, por lo que no podemos abarcar todas sus creencias. No obstante, haremos observaciones sobre cómo se relacionan con los modelos de visión espiritual y nueva creación. Comenzamos con el dispensacionalismo.

Introducción al dispensacionalismo

El dispensacionalismo es un sistema teológico evangélico que se centra principalmente en la obra de Dios en las diferentes dispensaciones, el reino de Dios, los pactos bíblicos, Israel, las naciones, la iglesia y el fin

---

[2] Benjamin L. Merkle, *Discontinuity to Continuity: A Survey of Dispensational and Covenantal Theologies* (Bellingham, WA: Lexham Press, 2020).

de los tiempos. También promueve una interpretación literal coherente de todas las Escrituras, incluidas las profecías del Antiguo Testamento y el libro de Apocalipsis. La creencia teológica clave del dispensacionalismo es que el Israel nacional sigue siendo relevante en los propósitos de Dios, y que Israel será salvo y restaurado con un papel para otras naciones en el reino milenario venidero de Jesús. El dispensacionalismo también cree que la iglesia es una entidad del Nuevo Testamento distinta de Israel, y que la iglesia no sustituye a Israel en los planes de Dios.

El dispensacionalismo no es una soteriología ni un sistema de salvación. Aunque los dispensacionalistas ciertamente sostienen puntos de vista soteriológicos y su importancia, la redención humana individual no es el énfasis del dispensacionalismo como lo es con la teología del pacto. El dispensacionalismo se ocupa sobre todo de cuestiones más amplias relacionadas con la creación, el reino de Dios, la iglesia, Israel, los pactos y la escatología cósmica.

Al igual que otros sistemas evangélicos, el dispensacionalismo es un desarrollo posterior a la Reforma. Muchas ideas dispensacionalistas se encuentran en la iglesia primitiva, pero como *sistema,* el dispensacionalismo está vinculado a las enseñanzas del teólogo angloirlandés y ministro de los Hermanos de Plymouth, John Nelson Darby (1800-82).[3] Darby enseñaba que Israel experimentaría la restauración y bendiciones terrenales en una dispensación futura que eran diferentes de las que experimentaría la iglesia. Defendía una fuerte distinción entre Israel y la iglesia y la existencia de dos pueblos diferentes con destinos distintos. Darby creía que la iglesia sería raptada o arrebatada al cielo justo antes de la septuagésima semana de Daniel.

El dispensacionalismo primitivo comenzó en Gran Bretaña, pero se hizo popular en Estados Unidos muy rápidamente. Darby y otros ministros llevaron el dispensacionalismo a América. La popularidad del dispensacionalismo surgió a través de conferencias bíblicas, libros, biblias de estudio, institutos bíblicos, colegios bíblicos, la influencia del Seminario Teológico de Dallas (fundado en 1924) y programas dispensacionalistas de radio y televisión.

Existen tres formas de dispensacionalismo: clásico, revisado y progresivo. Estas tres comparten las mismas creencias esenciales del dispensacionalismo pero a veces tienen diferencias. Nuestro objetivo es

---

[3] Para un debate justo y excelente sobre la vida y las enseñanzas de Darby, véase, Paul R. Wilkinson, *For Zion's Sake: Christian Zionism and the Role of John Nelson Darby, Studies in Evangelical History and Thought* (Eugene, OR: Wipf & Stock, 2008).

centrarnos en las formas de dispensacionalismo según se relacionan con los modelos de la nueva creación y visión espiritual.

Dispensacionalismo clásico

Pueblo terrenal y pueblo celestial

La era del dispensacionalismo clásico comenzó a mediados del siglo XIX con John Nelson Darby y llega hasta la publicación de la obra *Theology Sistematic* de Lewis Sperry Chafer a finales de la década de 1940.[4] El dispensacionalismo clásico afirmaba que hay dos pueblos de Dios con identidades y destinos diferentes: Israel/naciones y la iglesia. Como señala Blaising respecto al dispensacionalismo clásico, «Dios perseguía *dos propósitos diferentes*, uno relacionado con el *cielo* y otro relacionado con la *tierra*».[5] La iglesia se relacionaba con el cielo mientras que Israel/naciones se relacionaba con la tierra. Por ejemplo, Darby afirmó:

> Hay dos grandes temas que ocupan la esfera de la profecía y el testimonio milenarista: la iglesia y su gloria en Cristo; y los judíos y su gloria como nación redimida en Cristo: el pueblo celestial y el pueblo terrenal; la morada y el escenario de la gloria del uno son los cielos; del otro, la tierra... cada uno tiene su respectiva esfera... los ángeles, los principados y las potestades en uno; las naciones de la tierra en el otro.[6]

Según el dispensacionalismo clásico, existe un pueblo terrenal con un destino terrenal. Este pueblo terrenal está formado por el Israel salvo y los gentiles en el momento de la segunda venida de Jesús a la tierra. Entrarán en el reino milenario en la tierra y luego vivirán en una tierra nueva tangible después del milenio. Luego, hay un *pueblo celestial* que consiste en todos los creyentes que murieron antes de la segunda venida de Jesús a la tierra. Y este pueblo celestial incluye a la iglesia que será raptada al cielo. Tanto los santos difuntos del Antiguo Testamento como

---

[4] Algunos piensan que la última parte de esta era podría denominarse dispensacionalismo tradicional.

[5] Craig A. Blaising and Darrell L. Bock, *Progressive Dispensationalism* (Grand Rapids: Bridgepoint Books, 1993), 23. Énfasis en el original.

[6] John Nelson Darby, *Divine Mercy*, en *Collected Writings of J. N. Darby* (Escritos recopilados de J. N. Darby), ed. William Kelly (Kingston-on-Thames: Stow Hill Bible & Tract Depot, s.f.). 34 vols. Vol. 2. 122-23.

la iglesia raptada vivirán para siempre en el cielo; no vivirán con Israel y las naciones gentiles en la tierra. Una diferencia entre los santos difuntos del Antiguo Testamento y la iglesia viva de esta era es que la iglesia sabe que es un pueblo celestial con un destino celestial.

Puesto que la iglesia es un pueblo celestial con un destino celestial, debe abandonar las preocupaciones mundanas de la tierra y centrarse únicamente en el cielo y en los asuntos espirituales. No debería preocuparse por asuntos terrenales o sociopolíticos. El énfasis debe ir a las cosas espirituales, celestiales e individuales. Como Blaising afirma:

> La naturaleza celestial de la salvación de la iglesia fue interpretada por los dispensacionalistas clasistas de forma individualista. Las cuestiones políticas y sociales eran asuntos *terrenales* que no concernían a la iglesia... los asuntos de la iglesia eran asuntos individuales, privados y espirituales, no asuntos sociales, políticos y terrenales.[7]

Así pues, las preocupaciones de la iglesia, por naturaleza, eran muy diferentes de las de Israel y las naciones gentiles, como observa Blaising: «la naturaleza celestial, individualista y espiritual de la iglesia no podría ser más distinta de la naturaleza terrenal, social y política de Israel y las naciones gentiles».[8] En esta cuestión de que la iglesia es un pueblo celestial centrado sólo en las cosas espirituales, el dispensacionalismo clásico era coherente con el modelo de la visión espiritual. Sin embargo, sus puntos de vista sobre Israel y las naciones gentiles en el momento del regreso de Jesús coincidían con el modelo de la nueva creación. Esta visión dualista de un pueblo celestial frente a un pueblo terrenal estaba relacionada con una hermenéutica doble, la cual analizaremos.

Hermenéutica dual

El dispensacionalismo clásico implementó una hermenéutica doble: (1) literal/gramatical-histórica *y* (2) tipológica/espiritual. En primer lugar, se debe aplicar una hermenéutica literal al Israel nacional y a las profecías de restauración relativas a Israel. Esto revela que Israel está destinado a un reino de Dios en la tierra. Pero, en segundo lugar, debe aplicarse una hermenéutica espiritual/tipológica para el pueblo espiritual de Dios,

---

[7] Blaising y Bock, 26. Énfasis en el original.
[8] Ibíd., 27.

incluida la iglesia. Como observa Blaising: «creían que, si el Antiguo Testamento se interpretaba literalmente, entonces revelaría el propósito terrenal de Dios para el pueblo terrenal. Sin embargo, si se interpretaba espiritualmente (lo que solían denominar "tipológicamente"), entonces revelaría los propósitos espirituales de Dios para un pueblo espiritual».[9] Benjamin Merkle también señala la importancia de la tipología para el dispensacionalismo clásico, además de una hermenéutica literal: «un presupuesto fundacional del dispensacionalismo es una hermenéutica literal coherente... pero además de una hermenéutica literal, el dispensacionalismo clásico aplicó la tipología como una observación teológica secundaria».[10] Darby siguió este enfoque: «Para Darby, la clave era aplicar una hermenéutica literal a los textos relacionados con Israel, mientras que los textos relacionados con los gentiles o la iglesia también podían tener un significado tipológico o simbólico secundario».[11] Por ejemplo, Darby afirmó: «primero, en la profecía, cuando la iglesia o nación judía... podemos buscar un testimonio llano y directo, porque las cosas terrenales eran la porción propia de los judíos». Pero luego, «por el contrario, cuando la dirección es a los gentiles, es decir, cuando los gentiles están involucrados en ella, allí podemos buscar un símbolo, porque las cosas terrenales no eran su porción, y el sistema de revelación debe ser para ellos simbólico».[12]

Así, en ocasiones, el dispensacionalismo clásico apelaba a una hermenéutica «simbólica». Al hacerlo, el dispensacionalismo clásico tomó prestado del libro de instrucciones de interpretación del modelo de la visión espiritual. Esta hermenéutica dual sería abandonada por formas posteriores de dispensacionalismo, pero formó parte de la era del dispensacionalismo clásico.

El rapto como esperanza celestial eterna

Darby enseñó un rapto pretribulacional de la iglesia en el que ésta sería arrebatada físicamente al cielo para escapar de la ira de Dios en el período de la tribulación. En su estudio sobre el tema de la esperanza en el dispensacionalismo, Gary Nebeker documentó cómo Darby expresaba una comprensión del rapto basada en el modelo de la visión espiritual.

---

[9] Ibíd.
[10] Merkle, *Discontinuity to Continuity*, 29.
[11] Ibíd.
[12] John Nelson Darby, *The Collected Writings*, ed. William Kelly (Oak Park, IL: Bible Truth Publishers, 1962), 2:35. See Merkle, 30.

Para Darby, el rapto no era sólo un rescate de la iglesia de la ira de Dios en la tierra; era el acceso al cielo para siempre:

> La esperanza de Darby en la gloria celestial no era simplemente la esperanza de la iglesia de ser liberada de la ira futura mediante el rapto pretribulacional, que para él era un preliminar necesario para el cumplimiento de la esperanza cristiana. Por el contrario, los cristianos, decía, deben anhelar la intimidad misma del amor perfeccionado con Cristo en el cielo. El rapto, por bendito que sea ese acontecimiento, no es más que un pasillo hacia el mayor éxtasis y dicha de una infinidad de ágape.[13]

En contraste con Darby, los dispensacionalistas contemporáneos ven el rapto de forma más coherente con el modelo de la nueva creación. El rapto es un rescate de la iglesia de la inminente ira de Dios del periodo de tribulación de siete años. Pero cuando Jesús regrese a la tierra siete años después, también lo hará la iglesia. La iglesia reinará con Jesús en la tierra, sobre las naciones, durante mil años en cumplimiento de textos como Apocalipsis 2:26-27 y 3:21. El destino celestial de la iglesia después del rapto es sólo por un periodo de tiempo corto, seguido de un regreso a la tierra para un reinado. Así, tras la retirada de la iglesia al cielo le espera un destino terrenal.

Pero para Darby la iglesia alcanza su destino final en el cielo con el rapto. En este punto, la comprensión de Darby del cielo como destino final de la iglesia era similar a la comprensión agustiniana, como observa Nebeker:

> Darby también seguía una tradición escatológica agustiniana con su descripción del cielo como un lugar de amor perfecto. En este sentido, había poca diferencia entre el concepto del cielo de Darby y las percepciones del cielo de sus predecesores amileniales.[14]

Así pues, la visión dispensacional clásica del rapto tendía hacia un enfoque de modelo de la visión espiritual. Pero los dispensacionalistas posteriores adoptaron una postura más del modelo de la nueva creación.

---

[13] Gary L. Nebeker, «The Theme of Hope in Dispensationalism», en *Bibliotheca Sacra* 158 (enero-marzo de 2001): 6.
[14] Ibídem, 7.

Evaluación del dispensacionalismo clásico

El dispensacionalismo clásico contiene una mezcla de ideas del modelo de la visión espiritual y del modelo de la nueva creación. De acuerdo con el modelo de la nueva creación, el dispensacionalismo clásico afirmaba que el Israel creyente y las naciones gentiles creyentes, vivas en el momento del regreso de Jesús, habitarán la tierra del milenio y la tierra nueva del estado eterno. Esto coincide con la eliminación de la maldición que pesa actualmente sobre la tierra. Como señala Blaising respecto al dispensacionalismo clásico:

> ...[U]no de los propósitos de Dios en la redención era liberar a la tierra de la maldición de la corrupción y la decadencia, y restaurar sobre ella una humanidad libre del pecado y de la muerte. Este era el propósito terrenal de Dios. Dios restaurará permanentemente el paraíso perdido en la caída, concediendo la inmortalidad a la humanidad terrenal. Algunos escritores visualizaron estas bendiciones en términos bastante físicos, incluyendo la reproducción humana para aumentar la abundancia de la raza humana.[15]

La creencia en la restauración del Israel nacional en la tierra prometida en un reino terrenal coincide con el modelo de la nueva creación. Lo mismo ocurre con la afirmación de que las naciones gentiles salvadas formarán parte de la tierra en el milenio. Así, en lo que respecta a Israel y las naciones en el momento del regreso de Jesús, y al premilenialismo, el dispensacionalismo clásico era coherente con el neocreacionismo. Asimismo, interpretar literalmente las profecías de restauración del Antiguo Testamento sobre Israel es coherente con el neocreacionismo.

Por otro lado, la idea del dispensacionalismo clásico de que la iglesia es un pueblo celestial con un destino celestial para siempre, está más de acuerdo con el modelo de la visión espiritual. Asimismo, la idea de que el rapto da lugar a una existencia para siempre en el cielo separada de la Tierra, está más en armonía con el MVE.

En resumen, el dispensacionalismo clásico tiene elementos tanto del modelo de la visión espiritual como del de la nueva creación. Aunque el dispensacionalismo en su conjunto es un sistema del modelo de la nueva creación, el dispensacionalismo clásico es el enfoque menos creacionista dentro de este sistema. Moore señaló que los dispensacionalistas

---

[15] Blaising y Bock, 23.

progresivos de hoy en día consideran que el dispensacionalismo clásico está demasiado relacionado con el platonismo en algunas áreas.[16]

Dispensacionalismo revisado

El dispensacionalismo revisado es una forma de dispensacionalismo de la década de 1950 hasta la década de 1980. Los principales teólogos dispensacionalistas de esta época fueron John Walvoord, Dwight Pentecost, Charles Ryrie, Alva J. McClain y teólogos asociados con el Seminario Teológico de Dallas y el Seminario Teológico Grace. El dispensacionalismo revisado sigue siendo popular y está bien representado en la actualidad.

El dispensacionalismo revisado continuó la creencia del dispensacionalismo clásico de que el Israel salvo y restaurado residirá en la tierra milenaria junto a las naciones gentiles, basándose en una comprensión gramatical-histórica de las profecías del Antiguo Testamento. Este reino milenario traerá una sociedad transformada en la tierra en cuestiones sociopolíticas. Sin embargo, el dispensacionalismo revisado abandonó la doble hermenéutica del dispensacionalismo clásico. Aunque mantuvo la hermenéutica literal-gramatical-histórica, abandonó la parte espiritual/tipológica del punto de vista clásico.

Asimismo, el dispensacionalismo revisado abandonó el dualismo entre personas terrenales y personas celestiales con destinos diferentes. Según el dispensacionalismo revisado, la iglesia tendrá el mismo destino tanto con Israel como con las naciones gentiles en el milenio y el estado eterno. Muchos dispensacionalistas revisados también argumentan que este destino compartido involucra a la tierra, no al cielo. Blaising señala:

> La revisión más importante introducida por los dispensacionalistas de los años 50 y 60 fue su abandono del dualismo *eterno* de pueblos celestiales y terrenales. No creían que hubiera una distinción eterna entre una humanidad en el cielo y otra en la nueva tierra. En consecuencia, abandonaron en su mayoría los términos pueblos *celestiales* y *terrenales*.[17]

Pero algunos dispensacionalistas revisados mantuvieron elementos de la perspectiva de la visión espiritual. Aunque afirmaban que Israel, las naciones y la iglesia habitarían la tierra milenaria, algunos sostenían

[16] Moore, *The Kingdom of Christ*, 44.
[17] Blaising y Bock, 31.

que el cielo (no la tierra) era el destino de estos grupos después del milenio. Blaising dice que hay «dos concepciones diferentes de la eternidad en el dispensacionalismo revisado».[18] Explica: «mientras que los dispensacionalistas clásicos colocaban a la gente celestial en el cielo y a la gente terrenal en la tierra nueva, los dispensacionalistas revisados o bien colocaban a todos los redimidos en el "cielo" o bien los colocaban a todos en la tierra nueva».[19] McClain, Pentecost y Hoyt eran dispensacionalistas revisados que hacían esto último. Ellos «conciben la eternidad como la vida de resurrección en la tierra nueva donde se encuentra la ciudad de Dios. Para ellos, las promesas de un reino eterno en la tierra se cumplen literalmente en la tierra renovada».[20] Esto es coherente con el pensamiento del modelo de la nueva creación.

Pero otros promovieron un enfoque más del modelo de la visión espiritual: «Walvoord y Ryrie, aunque utilizan la terminología de "tierra nueva", en realidad trabajan con una concepción más platónica del "cielo" que guarda una relación más estrecha con el "cielo" de los dispensacionalistas clásicos».[21] Larry Helyer observa cómo algunos dispensacionalistas revisados creían que el estado eterno estará en el cielo mientras que otros creían que estará en la tierra:

> Surgió otra modificación interesante con respecto al estado eterno. Algunos dispensacionalistas revisados, como John Walvoord y Charles Ryrie, sostenían que en el estado eterno todos los redimidos, ya fuera Israel o la iglesia, residirían en el cielo. Otros, como Alva J. McClain, J. Dwight Pentecost, y Herman Hoyt, argumentaron persuasivamente que los redimidos habitan una tierra nueva.[22]

Blaising vinculó explícitamente los puntos de vista de McClain y Pentecost sobre esta cuestión con el modelo de la nueva creación. Afirma que su punto de vista fue de gran importancia para el dispensacionalismo progresivo: «Otros, como Alva J. McClain y Dwight Pentecost, afirmaron un modelo de eternidad de nueva creación. Su trabajo allanó el camino para que los dispensacionalistas progresivos desarrollaran un premilenialismo holístico coherente».[23]

---

[18] Ibíd., 32.
[19] Ibíd.
[20] Ibíd.
[21] Ibíd. Blaising: «Ryrie habla de que Israel será llevado al cielo al final del milenio» (33).
[22] Larry R. Helyer, *The Witness of Jesus, Paul and John: An Exploration in Biblical Theology* (Downers Grove: IVP Academic, 2008), 110.
[23] Craig A. Blaising, «Premillennialism», 189.

Evaluación del dispensacionalismo revisado

El dispensacionalismo revisado es más coherente con el modelo de la nueva creación que el dispensacionalismo clásico. Propugnó una hermenéutica gramatical-histórica coherente para toda la Escritura y abandonó las pretensiones anteriores de una comprensión tipológica del Antiguo Testamento. El dispensacionalismo revisado también consideraba que el destino milenario de Israel, las naciones y la iglesia estaba en la tierra. Sin embargo, hay desacuerdos en cuanto al estado eterno. McClain y Pentecost dijeron que el estado eterno será en la tierra. Otros presentaron la eternidad como un destino celestial. En resumen, el dispensacionalismo revisado movió al dispensacionalismo aún más en la dirección del modelo de la nueva creación, y aquellos como McClain y Pentecost eran sólidamente neocreacionistas en su perspectiva. Hoy en día, la mayoría de los dispensacionalistas revisados siguen a McClain y Pentecost en esta cuestión. Así pues, el dispensacionalismo revisado es un enfoque del modelo de la nueva creación. Y preparó el terreno para que se encontraran más ideas neocreacionistas con el dispensacionalismo progresivo.

El dispensacionalismo progresivo

El dispensacionalismo progresivo comenzó a mediados de la década de 1980. Algunos eruditos destacados del dispensacionalismo progresivo son Craig Blaising, Darrell Bock y Robert Saucy. Algunos dispensacionalistas progresivos se ven a sí mismos como dispensacionalistas revisados con algunos ajustes teológicos.

El dispensacionalismo progresivo mantiene creencias fundamentales del dispensacionalismo como un futuro reinado milenario de Jesús sobre las naciones; una próxima restauración del Israel nacional; una distinción entre Israel y la iglesia; la iglesia comenzó en Hechos 2; y el rechazo del supersesionismo. La mayoría de los dispensacionalistas progresivos también afirman un rapto pretribulacional de la iglesia.

Esta perspectiva afirma que los propósitos del reino de Dios se están desarrollando a través de la progresión de las dispensaciones en la historia, con cada dispensación construyéndose sobre la anterior. Las diversas dispensaciones de la historia están relacionadas entre sí y cada una de ellas promueve los propósitos de Dios. Esto implica el desarrollo de los pactos bíblicos de la promesa — el abrahámico, el davídico y el nuevo— en la historia. Los cumplimientos de estos pactos se producen por etapas. Hay cumplimientos antes de Cristo, cumplimientos con la primera venida de Jesús y cumplimientos asociados con el segundo advenimiento de Cristo. En la era presente de la iglesia, los pactos de la promesa están operando de una manera inaugural, de cumplimiento parcial.

Los dispensacionalistas progresivos creen que los pactos bíblicos implican una variedad de elementos —creativos, físicos, espirituales, nacionales e internacionales. Aunque la iglesia experimenta en la actualidad el cumplimiento de algunas bendiciones espirituales de los pactos, todos los aspectos de los pactos deben llegar a cumplirse en todas sus dimensiones. Las promesas físicas y nacionales deben cumplirse en el futuro. Así pues, el cumplimiento de los pactos no se refiere únicamente a cuestiones espirituales o a la redención individual. Una visión holística de los pactos queda patente en la afirmación de Blaising sobre las promesas del pacto con Abraham:

> Las bendiciones prometidas a Abraham son holísticas, es decir, abarcan la totalidad de la vida y la experiencia humanas: físicas, materiales, sociales, personales (incluidas las mentales y emocionales), políticas y culturales, y religiosas.[24]

El dispensacionalismo progresivo afirma que la iglesia es la comunidad mesiánica redimida de judíos y gentiles desde Hechos 2 en adelante. La iglesia no es un grupo antropológico distinto en contraste con Israel y las naciones. La iglesia es la humanidad salvada de judíos y gentiles que han creído en Jesús. Convertirse en miembro de la iglesia de Jesús en esta época no significa que los cristianos se unan a un grupo étnico distinto en contraste con Israel y los gentiles. Una persona salva hoy sigue conservando su etnia tanto ahora como en el futuro. Por ejemplo, una persona judía salva pasa a formar parte de la iglesia, pero sigue conservando su judaísmo. Lo mismo ocurre con los creyentes de otras etnias y naciones.

El dispensacionalismo progresivo afirma que hay importantes cumplimientos («ya») de los pactos en esta era. Y hay importantes cumplimientos («todavía no») por venir. Esto está relacionado con el hecho de que hay dos venidas de Jesús. Robert Saucy ofrece una explicación concisa del cumplimiento «ya» y del cumplimiento «todavía no»:

---

[24] Blaising y Bock, *Progressive Dispensationalism,* 131.

> Es decir, el dispensacionalismo progresivo ve la actividad presente de Dios en y a través de la iglesia como el ya de un todavía no de la salvación del reino mesiánico. El todavía no de la salvación mesiánica sólo llegará con el regreso de Cristo y su reinado justo en la tierra, cuando su salvación abarque todas las estructuras de la sociedad humana y la voluntad de Dios se haga en la tierra como en el cielo.[25]

El dispensacionalismo progresivo cree en un «reinado justo» venidero de Cristo «en la tierra» que «abarcará todas las estructuras de la sociedad humana». Esto forma parte del «todavía no» que espera su cumplimiento futuro.

Hermenéutica del dispensacionalismo progresivo

Hermenéutica gramatical-histórica

El enfoque hermenéutico del dispensacionalismo progresivo es en gran medida el mismo que el del dispensacionalismo revisado. Afirma una hermenéutica literal, gramatical-histórica coherente para todas las áreas de las Escrituras, incluidas las profecías del Antiguo Testamento y el libro de Apocalipsis.[26] Como señala Saucy, «el dispensacionalismo progresivo afirma la hermenéutica histórico-gramatical tradicional como punto de partida».[27] Cuando se aplica este pensamiento a todo el canon de las Escrituras, se afirmará el sentido llano de las profecías del Antiguo Testamento en el Nuevo Testamento:

> Pero el dispensacionalismo progresivo cree que, cuando se interpreta sobre la base de los principios anteriores, el significado llano de las profecías del Antiguo Testamento se mantiene en sus cumplimientos del Nuevo Testamento.[28]

---

[25] Robert L. Saucy, «The Progressive Dispensational View», en *Perspectives on Israel and the Church: 4 Views,* ed. Chad O. Brand (Nashville, TN: B&H Publishing, 2015), 155.

[26] A veces el dispensacionalismo progresivo se vincula con el concepto de «hermeneútica complementaria» en el que Dios puede hacer más de lo que prometió pero no hará menos. Este concepto ha sido controvertido dentro del dispensacionalismo pero no cambia el hecho de que el dispensacionalismo progresivo enfatiza la hermenéutica gramatical-histórica como fundamento para entender toda la Escritura.

[27] Saucy, 156.

[28] Ibídem, 165.

Esto implica entender a Israel y las promesas del Antiguo Testamento literalmente:

> Israel debe entenderse en toda la Escritura en su significado original del Antiguo Testamento, y su misión profetizada como nación especial al servicio del programa de salvación de Dios para el mundo se cumplirá de acuerdo con las profecías del Antiguo Testamento.[29]

Y la hermenéutica de la interpretación literal, aplicada a toda la Biblia, revela que las predicciones del Antiguo Testamento relativas a la «recreación cósmica» se mantienen y afirman en el Nuevo Testamento:

> En resumen, las predicciones del Antiguo Testamento sobre los tiempos futuros del Mesías hasta la recreación cósmica total deben entenderse como todavía válidas a menos que el Nuevo Testamento indique positivamente lo contrario. En lugar de hacerlo, veremos que los escritores del Nuevo Testamento, a grandes rasgos, dan pruebas positivas de su creencia en la validez continua de las predicciones del Antiguo Testamento.[30]

Así pues, la expectativa de la nueva creación en el Antiguo Testamento tiene continuidad con el mensaje del Nuevo Testamento: «De hecho, las profecías del Antiguo Testamento se extendían al mismo objetivo final de la salvación de Dios que se ve en el Nuevo Testamento: una nueva creación que incluye un nuevo cielo y una tierra nueva».[31]

Tipos y tipología

El dispensacionalismo progresivo cree en los tipos cuando se interpretan correctamente. Hay varios casos en los que las realidades del Antiguo Testamento tienen correspondencias históricas y teológicas con entidades del Nuevo Testamento.[32] Adán es un tipo de Jesús (véase Rom. 5:12-21). El pacto de Moisés era una «sombra» del nuevo pacto (véase Heb. 10:1). De hecho, la mayoría de las conexiones tipológicas se

[29] Ibídem, 156.
[30] Ibídem, 161.
[31] Ibídem, 160.
[32] Véase Ibídem, 161.

refieren a cómo el pacto mosaico y sus elementos eran sombras del nuevo pacto y sus realidades (véase Heb. 7-10).

Pero no todas las correspondencias hacen referencia al hecho de que la realidad del Nuevo Testamento disuelve el significado de la entidad del Antiguo Testamento. Los dispensacionalistas progresivos perciben correspondencias tipológicas entre Israel y la iglesia al tiempo que evitan la conclusión de que la iglesia sustituye a Israel en los propósitos de Dios. Como Saucy explica:

> Si un tipo se entiende como una *sombra* que apunta hacia la realidad de su antitipo, entonces Israel no es un tipo... Por otro lado, si un tipo se define de forma más laxa simplemente como una correspondencia histórica y teológica general, entonces las numerosas analogías entre el Israel del Antiguo Testamento y el pueblo de Dios del Nuevo Testamento bien pueden explicarse viendo a Israel como un tipo sin que ello implique su cese como nación y el cumplimiento de las promesas relacionadas con su futuro.[33]

Comprender el significado de los tipos no lleva a los dispensacionalistas progresivos a adoptar una «interpretación tipológica» en la que las conexiones tipológicas sean la principal forma de entender el argumento bíblico. Los tipos tampoco hacen que Israel, la tierra de Israel y las bendiciones físicas dejen de tener importancia en el argumento bíblico. Los tipos complementan y apoyan el argumento bíblico conocido a través de declaraciones explícitas en las Escrituras. Como señala Darrell Bock: «Sí, vemos mucha tipología bíblica relacionada con Cristo, que encuentra su realización en él, pero no siempre a expensas del trabajo preliminar ya realizado. Aparece como complemento, no como eliminación».[34]

Cumplimientos parciales

El dispensacionalismo progresivo cree en los cumplimientos parciales de algunas profecías del Antiguo Testamento. Puesto que hay dos venidas de Jesús, algunas profecías se cumplieron con la primera venida de Jesús. Pero otras esperan su cumplimiento con la segunda venida de

[33] Ibídem, 161-62. Énfasis en el original.
[34] Darrell Bock, «A Progressive Dispensational Response», en *Covenantal and Dispensational Theologies*, 227.

Jesús. Si una profecía del Antiguo Testamento no se cumplió con la primera venida de Jesús, los dispensacionalistas progresivos no la espiritualizan para esta época. Esperan su cumplimiento literal en el futuro. Como Saucy resume:

> Debe esperarse la posibilidad de un cumplimiento parcial de muchas profecías mesiánicas, en el sentido de que las profecías del Antiguo Testamento suelen asociarse simplemente con la venida del Mesías, mientras que su cumplimiento en el Nuevo Testamento implica claramente dos advenimientos... El dispensacionalismo progresivo coincide así con muchos otros en que un cumplimiento parcial de las profecías mesiánicas comenzó con el ministerio de Cristo en su primera venida. Pero, insiste en que el cumplimiento parcial es un cumplimiento parcial del significado normal de la profecía original. También se entiende que la futura culminación del cumplimiento está de acuerdo con el significado original de la profecía, de modo que últimamente la profecía se cumple según su significado original.[35]

Jesús y el cumplimiento

El dispensacionalismo progresivo afirma el papel central de Jesús en lo que respecta al cumplimiento del Antiguo Testamento. Como señala Saucy, «se reconoce desde el principio que todos los pactos de salvación del Antiguo Testamento se cumplen en Cristo».[36] Pero el cumplimiento en Jesús no implica que las profecías del Antiguo Testamento sean absorbidas o disueltas en Jesús de alguna manera mística: «Sin embargo, estas verdades no disuelven el significado de las promesas de salvación en la persona de Cristo, ni excluyen todo otro ministerio humano en la historia de la salvación».[37] Por ejemplo, el cumplimiento literal de las profecías con Israel seguirá ocurriendo:

> Al igual que la salvación final de Cristo se cumple progresivamente en el caso de nuestra salvación individual, también se cumple progresivamente en la historia de la salvación. Así, el cumplimiento

[35] Saucy, 164.
[36] Ibíd., 180.
[37] Ibíd.

de las profecías en Cristo no niega un lugar o un tiempo para la participación de Israel en ese cumplimiento en Cristo.[38]

En conjunto, el dispensacionalismo progresivo afirma los elementos esenciales del dispensacionalismo: una futura salvación y restauración del Israel nacional, una distinción entre Israel y la iglesia, la iglesia como entidad del Nuevo Testamento y la importancia de la hermenéutica gramatical-histórica aplicada coherentemente a toda la Escritura.

Sin embargo, la principal diferencia con el dispensacionalismo anterior es la creencia de que la iglesia no es un grupo antropológico distinto. En su lugar, la iglesia es la humanidad redimida de judíos y gentiles en Cristo. Participar en la iglesia no significa perder la propia identidad étnica. Un israelita étnico no pierde su relación con Israel, ni un gentil creyente pierde su relación con su grupo étnico o nación. El dispensacionalismo progresivo es coherente con el modelo de la nueva creación, ya que considera los propósitos de Dios como *holísticos*. Las dos citas siguientes de Blaising revelan esta comprensión:

> En consecuencia, el dispensacionalismo progresivo defiende *una visión holística y unificada* de la salvación eterna. Dios salvará a la humanidad en su pluralidad étnica y nacional. Pero Él la bendecirá con la misma salvación dada a todos sin distinción.[39]

> En el dispensacionalismo progresivo, los propósitos político-sociales y espirituales de Dios se complementan. Lo espiritual no sustituye a lo político ni ambos son independientes el uno del otro. Están relacionados en un plan holístico de redención.[40]

Otro factor importante para el dispensacionalismo progresivo es que la redención holística de todas las cosas incluye a Israel y a otras naciones, junto con los ámbitos político y cultural:

> Los dispensacionalistas progresivos están de acuerdo con los dispensacionalistas revisionistas (y clásicos) en que la obra de Dios con Israel y las naciones gentiles en la dispensación pasada mira hacia la redención de la humanidad en sus aspectos político y

[38] Ibídem, 180-81.
[39] Blaising y Bock, *Progressive Dispensationalism,* 47.
[40] Ibídem, 48.

cultural. En consecuencia, hay un lugar para Israel y otras naciones en el plan eterno de Dios.[41]

Los dispensacionalistas progresivos enseñan que tanto el reino milenario como el estado eterno implicarán una tierra restaurada tangible. Existirá una actividad social, cultural y política real, menos la presencia y los efectos del pecado y la muerte.

Evaluación del dispensacionalismo progresivo

El dispensacionalismo progresivo es coherente con el modelo de la nueva creación. De los sistemas y puntos de vista mencionados en este libro, es el más compatible con el neocreacionismo en nuestra estimación.

Evaluación del dispensacionalismo

El dispensacionalismo, en particular el revisado y el progresivo, encaja bien con el modelo de la nueva creación. Afirma que los planes redentores de Dios van más allá de la salvación humana personal e implican a la tierra, las criaturas terrestres, Israel, las naciones, la sociedad, la cultura y otros asuntos. Con ello, el dispensacionalismo ofrece una comprensión amplia, holística y multidimensional de los propósitos de Dios. Y lo hace más que otros sistemas teológicos. Como Blaising señala:

> Hay otras tradiciones teológicas que interpretan la profecía bíblica casi exclusivamente en relación con el ministerio actual de Cristo en la iglesia o con la experiencia personal de salvación de un creyente. Sin embargo, el dispensacionalismo, que interpreta estas profecías de una manera más «literal», siempre ha esperado que las bendiciones futuras de Dios incluyan aspectos terrenales, nacionales y políticos de la vida. Muchas de estas bendiciones pertenecen a una dispensación futura que estará marcada por el regreso de Cristo a la tierra.[42]

Como resultado, la tradición dispensacional ha ofrecido un concepto más amplio de la redención que el que se encuentra en algunas otras

[41] Ibídem, 47.
[42] Ibídem, 18.

teologías. La redención se extiende a los niveles político y nacional, así como a la renovación individual y espiritual.[43]

Un desafío al dispensacionalismo

No todos están de acuerdo en que el dispensacionalismo sea un sistema del modelo de la nueva creación. Mientras escribía este libro, vi un vídeo en YouTube que acusaba al dispensacionalismo de estar de acuerdo con el gnosticismo, lo cual es una acusación extraña, teniendo en cuenta lo que hemos visto en este capítulo.

Aunque no utiliza el lenguaje de los modelos de la nueva creación y visión espiritual, Howard Snyder defiende firmemente un enfoque neocreacionista. Está a la vanguardia de los que defienden que la salvación es holística e incluye algo más que la salvación humana individual. Sin embargo, critica duramente el dispensacionalismo premilenarista, que considera rayano en la herejía y la heterodoxia. Según Snyder, el dispensacionalismo premilenial no toma en serio la creación y contribuye a la idea de que la Tierra y el cielo están divorciados:

> La teología de Darby reforzó en gran medida el divorcio entre la tierra y el cielo que ya aquejaba a la teología occidental. De hecho, es muy probable que el dispensacionalismo premilenial no se hubiera desarrollado en absoluto si la Iglesia se hubiera mantenido fiel desde el principio a las enseñanzas bíblicas sobre el pacto de Dios con la tierra.[44]

Snyder acusa al dispensacionalismo de no ser suficientemente creacional. Vincula esto con la teoría del rapto pretribulacional y la opinión de que la iglesia es el pueblo celestial de Dios. También critica la opinión dispensacional de que la renovación de la creación se produce tras el regreso de Cristo. Y no le gusta la idea dispensacional clásica de que el mundo será finalmente destruido. Observe las dos afirmaciones siguientes de Snyder:

> El dispensacionalismo premilenial socava la cosmovisión bíblica al situar la renovación de la creación exclusivamente después del regreso de Jesucristo. Puesto que el mundo actual se encamina hacia

[43] Ibíd.

[44] Snyder, *Salvation Means Creation Healed*, 57.

una destrucción inevitable, cualquier preocupación por salvarlo es una distracción del rescate de las almas antes del regreso de Jesús.[45]

El dispensacionalismo premilenial popularizó la opinión de que la tierra y toda la creación material están destinadas a ser destruidas. Esto hace que la preocupación por la creación carezca de sentido.[46]

Snyder critica el dispensacionalismo en tres puntos: (1) creer en el rapto previo a la tribulación; (2) situar la renovación de la creación después del regreso de Cristo; y (3) creer que el mundo está abocado a la destrucción, no a la renovación.

¿Estas afirmaciones son legítimas contra el dispensacionalismo? Creo que no. Al menos, no son válidas en relación con el dispensacionalismo contemporáneo. En cuanto al primer punto, Darby sí enseñó que el rapto pretribulacional arrebata a la iglesia al cielo para siempre. Para Darby, la iglesia no tendrá relación con la tierra nueva en el futuro. Estamos en total desacuerdo con la opinión de Darby sobre esta cuestión, y Snyder tiene razón al preocuparse por esta perspectiva. Si el dispensacionalismo siguiera manteniendo la versión de Darby del rapto como una huida para siempre de la tierra para la iglesia, entonces la preocupación de Snyder sería correcta. Pero no es el punto de vista normativo. Dado que Snyder publicó su libro criticando al dispensacionalismo en 2011, debería haber sabido lo que el dispensacionalismo del último siglo ha estado enseñando. Pero eligió ignorarlo.

El dispensacionalismo contemporáneo cree que el rapto pretribulacional rescata a la iglesia de la ira de Dios, pero cuando Jesús regrese a la tierra siete años después, la iglesia regresará con Jesús y reinará con Él *en la tierra* (véase Ap. 2:26-27; 5:10). El rapto no es una huida al cielo para siempre, sino una evacuación al cielo por un corto periodo de tiempo seguida de un reinado en la tierra. Así pues, el argumento de que el dispensacionalismo es consistente con un modelo de visión espiritual debido a su visión del rapto, ya no es válido.

La segunda acusación es la más débil. Los dispensacionalistas creen que la renovación de la tierra tendrá lugar después de la segunda venida de Jesús. Pero eso no convierte al dispensacionalismo en anticreacionista. El corazón del neocreacionismo es la creencia de que la creación es importante y se encamina hacia su completa restauración, no

[45] Ibíd., 59.
[46] Ibíd.

que la restauración deba ocurrir en esta era presente antes del regreso de Jesús. Dos mil años de existencia de la Iglesia no han conducido a una Tierra restaurada y no hay pruebas bíblicas de que la Tierra vaya a ser restaurada antes del regreso de Jesús. Pero será restaurada en el futuro. Jesús debe regresar a la tierra para que la creación sea restaurada.

En tercer lugar, ¿qué hay de la afirmación de que el dispensacionalismo enseña la destrucción de la creación? Algunos dispensacionalistas creen que la tierra será aniquilada después del milenio. Para ellos, la crítica de Snyder tiene cierta validez. Pero este punto de vista no es inherente al dispensacionalismo. Muchos dispensacionalistas actuales, entre los que me incluyo, creen que la tierra actual se dirige hacia la renovación y la restauración, no hacia la aniquilación. El lenguaje ardiente mencionado en 2 Pedro 3 es para la purga de la tierra, no para su aniquilación. La tierra experimenta la restauración en el milenio y el reino eterno venideros. Este no es un punto de vista anti creacional.

Las tres preocupaciones de Snyder no se aplican al dispensacionalismo contemporáneo. El dispensacionalismo de hoy se encuentra de lleno en el campo del modelo de la nueva creación.

25

LA TEOLOGÍA DEL PACTO Y LOS MODELOS

Introducción

La teología del pacto (o pactualismo) surgió a finales del siglo XVI a raíz de la Reforma protestante y alcanzó una expresión madura a mediados del siglo XVII. Está estrechamente asociado con la teología reformada. El teólogo que afirma esta postura, Michael Horton, cita favorablemente a John Hesselink que dice: «La teología reformada es simplemente teología del pacto».[1]

La teología del pacto pretende ser un sistema integral para entender la Biblia. Horton afirma: «La teología del pacto es el diseño arquitectónico o marco de la propia Escritura».[2] Los componentes esenciales de este «diseño arquitectónico» son «la ley y el evangelio».[3] La ley está vinculada a mandatos que llevan a la muerte, pero el evangelio está vinculado a promesas que dan vida. Este tema «ley-evangelio», que supuestamente impregna las Escrituras, se manifiesta en dos pactos: el pacto de obras (ley) y el pacto de gracia. Como declara

---

[1] Michael S. Horton, «Covenant Theology», *Covenantal and Dispensational Theologies: Four Views on the Continuity of Scripture,* eds. Brent E. Parker and Richard J. Lucas (Downers Grove, IL: IVP Academic, 2022), 36.

[2] Ibíd.

[3] Ibídem, 37.

Geerhardus Vos, «el contraste entre la ley y el evangelio se pone de manifiesto en el contraste entre el pacto de obras y el pacto de gracia».[4]

La teología del pacto es principalmente un sistema soteriológico. Se centra en la salvación y la redención individuales. La forma en que Cristo se relaciona con la soteriología también se enfatiza mucho con la teología del pacto. Como afirma Richard P. Belcher, Jr., «la teología del pacto proporciona un marco sustantivo para comprender el plan de salvación de Dios llevado a cabo en la historia redentora».[5] En su presentación de la «Teología histórica del pacto», Robert Reymond afirmó que la teología del pacto tiene «tres características principales». Éstas son: (1) «enfatiza la unidad y continuidad de la historia redentora desde Génesis 3:15 hasta los confines del futuro»; (2) «afirma la unidad del pacto de gracia y la unicidad del pueblo de Dios en todas las épocas»; (3) «insiste en que los santos del Antiguo Testamento fueron salvos precisamente de la misma manera que los santos del Nuevo Testamento están siendo salvos».[6]

Como sistema de salvación humana, la teología del pacto se centra mucho en la predestinación, el llamamiento, la expiación, la regeneración, la justificación, la santificación y otras cuestiones soteriológicas. Willem VanGemeren afirma que cuatro conceptos relacionados definen «la esencia de la teología del pacto».[7] Estos son «el pacto eterno de redención entre el Padre y el Hijo, la jefatura federal de Adán, la unidad del pacto de gracia y la justificación por la fe».[8]

En el corazón de la teología del pacto se encuentran tres pactos soteriológicos: el pacto de redención, el pacto de obras y el pacto de gracia. Éstos se refieren a los papeles de Dios y del hombre en relación con la salvación de los elegidos. En primer lugar, el pacto de redención es un pacto anterior al tiempo en el que el Padre y el Hijo pactaron juntos respecto a sus papeles para salvar a los elegidos. Louis Berkhof afirma: «el pacto de redención puede definirse como el acuerdo entre el Padre, dando al Hijo como Cabeza y Redentor de los elegidos, y el Hijo,

---

[4] Citado en Horton, 39. Geerhardus Vos, *Redemptive History and Biblical Interpretation: The Shorter Writings of Geerhardus Vos*, ed. Richard B. Gaffin Jr. (Phillipsburg, NJ: P&R, 2001), 274.

[5] Richard P. Belcher, Jr., *The Fulfillment of the Promises of God: An Explanation of Covenant Theology*
(Geanies House, Fearn, Ross-shire: Christian Focus Publications, 2020), 259.

[6] Robert L. Reymond, «The Traditional Covenantal View», en *Perspectives on Israel and the Church: 4 Views,* ed. Chad O. Brand (Nashville: B&H Academic, 2015), 17.

[7] Willem VanGemeren, «Systems of Continuity», en *Continuity and Discontinuity: Perspectives on the Relationship Between the Old and New Testaments* (Wheaton, IL: Crossway, 1988), 43. Se refiere a la obra de Paul Helm al hacer esta afirmación.

[8] Ibídem, 44.

tomando voluntariamente el lugar de aquellos que el Padre le había dado».[9] Horton dice que el pacto de redención es «un pacto eterno entre las personas de la Trinidad para la salvación de los elegidos de la masa de la humanidad condenada».[10] Este pacto de redención es fundacional para la teología del pacto ya que los otros dos pactos (obras y gracia) se derivarán de este pacto. Y muestra que el punto de partida de la teología del pacto es la salvación de los elegidos.

A continuación, está el pacto de obras. Según la Confesión de Fe de Westminster, «el primer pacto hecho con el hombre fue un pacto de obras, en el que se prometió la vida a Adán; y en él a su posteridad, a condición de obediencia perfecta y personal».[11] Este pacto de obras es un pacto entre Dios y el hombre en el que la vida eterna se basa en la obediencia perfecta a Dios. El hombre debe trabajar o merecer su camino hacia la vida eterna. Adán, como representante de la humanidad, fue creado en un estado de inocencia, pero no mereció la justicia. Necesitaba obedecer perfectamente para ganarse la vida eterna. Esto implicaba no comer del árbol del conocimiento del bien y del mal (véase Gén. 2:15-17) y hacer lo que Dios ordenó en Génesis 1:26-28. El no obedecer perfectamente a Dios por parte de Adán suponía la muerte, mientras que la obediencia perfecta ganaría la vida eterna.

Para la teología del pacto, la vida eterna, en principio, se basa en las obras. Adán fracasó en este pacto de obras. Pero el pacto de obras sigue siendo necesario para todos los descendientes de Adán. Todavía se aplica a cada persona. Pero después de Adán nadie puede obedecer perfectamente a Dios para la vida eterna. La única excepción es Jesús, el último Adán, que cumple con este pacto de obras con su perfecta observancia de la ley. Luego imputa la perfecta observancia de la ley a los elegidos para que el pacto de obras sea cumplido en su favor por Jesús. En resumen, el pacto de obras es un pacto soteriológico ya que trata de lo que el hombre debe hacer para ganarse la vida eterna. En última instancia, la vida eterna está orientada a los méritos; se basa en las obras perfectas.

El tercer pacto es el pacto de gracia. La Confesión de Westminster lo explica:

> Habiéndose hecho el hombre incapaz de la vida por su caída mediante ese pacto, el Señor se complació en hacer un segundo,

[9] Berkhof, *Berkhof's Systematic Theology, Revised.* (Ontario: Devoted Publishing, 2019), 206.
[10] Horton, 41.
[11] «The Westminster Confession of Faith», 7.2.

> comúnmente llamado el pacto de la gracia: en el cual ofreció gratuitamente a los pecadores la vida y la salvación por Jesucristo, requiriendo de ellos la fe en Él, para que se salven, y prometiendo dar a todos los que están ordenados para la vida, su Espíritu Santo, para hacerlos dispuestos y capaces de creer.[12]

Así que después de la caída de Adán, ninguna persona podía ganarse la vida eterna por sus propias obras. Así que se necesita la gracia para ser salvo. Dios inicia el pacto de gracia mediante el cual se da la vida eterna a los elegidos por gracia mediante la fe en Jesús. Supuestamente, el pacto de gracia se expresa a través de los pactos bíblicos explícitos: el Noético, el abrahámico, el mosaico, el davídico y el nuevo. Se cree que los pactos explícitamente mencionados en las Escrituras son realizaciones de este pacto de gracia. Al igual que los dos primeros pactos de la teología del pacto, el pacto de gracia también es un pacto soteriológico, ya que aborda la redención de los elegidos por la gracia en Cristo.[13]

Pero lo que debemos señalar aquí en primera instancia es que *los pactos fundacionales de la teología del pacto son principalmente pactos soteriológicos. Se refieren a la salvación/redención de los elegidos.* No abordan la creación más amplia y los propósitos del reino de Dios. Esto no significa que los teólogos del pacto nunca hagan declaraciones sobre otros asuntos. Lo hacen. Pero en su esencia, la teología del pacto es un sistema de salvación/redención de los elegidos.

Relación con los modelos

Ahora enfocaremos nuestra atención en la relación de la teología del pacto con los modelos de la nueva creación y de la visión espiritual. Como se mostrará, la relación de la teología del pacto con los modelos es compleja, evidenciando elementos de ambos modelos.

---

[12] Ibídem, 7.3.

[13] La mayoría de los pactualistas afirman los tres supuestos pactos, pero algunos no creen en el pacto de redención ni en el pacto de obras. Todos parecen afirmar el pacto de gracia. También hay un debate significativo dentro de este sistema respecto al pacto mosaico, en particular si forma parte del pacto de obras, del pacto de gracia o de una mezcla de ambos. Así pues, dentro de la teología del pacto existe un pensamiento diverso sobre los pactos.

Principalmente, un sistema de salvación de los elegidos

Como se ha mostrado, la teología del pacto es un sistema de soteriología/redención que se centra principalmente en la salvación de los individuos elegidos en Cristo.[14] Esto se muestra con los tres pactos de la teología del pacto. El pacto de redención anterior al tiempo se refiere al pacto de la Trinidad para salvar a las personas elegidas. No se centra en las cuestiones más amplias de la creación de Génesis 1-2, sino que se centra en Génesis 3 y en la necesidad de redención del hombre. Así pues, la redención de los individuos elegidos es el énfasis. A continuación, el pacto de obras concierne a la soteriología, ya que afirma que la vida eterna debe merecerse por obras/obediencia. Luego, el pacto de gracia concierne a la salvación de los elegidos después del pecado de Adán mediante la fe en Cristo.

La teología del pacto, por lo tanto, hace hincapié en la salvación individual de los elegidos, no en cuestiones más amplias de la creación o la escatología cósmica que se encontrarán con otros sistemas teológicos. Incluso los pactos bíblicos explícitos —noético, abrahámico, mosaico, davídico y nuevo— se considerarán extensiones de los pactos soteriológicos de redención, obras y gracia. Los elementos materiales y nacionales de los pactos bíblicos explícitos no se enfatizan en la teología del pacto.

En el libro *Covenant Theology: Biblical, Theological, and Historical Perspectives*, Kevin DeYoung escribió un epílogo titulado «Why Covenant Theology?»[15] En él resumía brevemente en qué consiste la teología del pacto. Para ayudar a la gente a entender «¿cómo es la teología del pacto?», dijo, «necesitamos comprender tres pactos diferentes, un pacto de gracia y dos maneras de existir en este único pacto».[16] A continuación explicó la visión de la teología del pacto del «pacto de obras», el «pacto de gracia» y el «pacto de redención». Posteriormente, procedió a mostrar cómo el pacto de gracia «se extiende a través de la Biblia de principio a fin».[17] Luego explicó que hay «dos maneras de existir en este único pacto».[18] Esto significa que «pertenecemos a la comunidad del pacto externamente por la familia,

---

[14] El papel de Jesús en estas doctrinas y la gloria de Dios también son centrales.
[15] Kevin DeYoung, «Afterword: Why Covenant Theology?» en *Covenant Theology: Biblical, Theological, and Historical Perspectives,* eds. Guy Prentiss Waters, J. Nicholas Reid, y John R. Muether (Wheaton, IL: Crossway, 2020), 589–98.
[16] Ibídem, 590.
[17] Ibídem, 593.
[18] Ibídem, 596.

pero pertenecemos internamente por la fe».[19] Al concluir el capítulo, DeYoung afirma: «... la teología del pacto nos ayuda a ver el gran alcance de la historia de la salvación».[20] Además de ser una visión útil y clarificadora de la teología del pacto por parte de un excelente defensor de este sistema, este capítulo revela cómo la teología del pacto se centra en la redención individual y cómo los pactos de la teología del pacto se relacionan con la salvación del pecado.

El gran énfasis en la soteriología dentro de la teología del pacto ha sido señalado por otros. Paul Helm observa que «el desarrollo de la teología del pacto... fue la plasmación, en detalle teológico, del principio básico reformado: la gloria de Dios en la salvación de los pecadores».[21] Comentando al teólogo del pacto, Francis Turretin (1623-87), VanGemeren explica que Turretin «hizo más que cualquier otro teólogo del siglo XVII en definir "el sistema" de la teología del pacto, enfatizando los elementos soteriológicos del calvinismo: los decretos de Dios, el destino previo, la reprobación y la salvación».[22] Howard Snyder señala que «teólogos clave del pacto como Johannes Cocceius ignoraron en gran medida el pacto de Dios con la tierra misma (Gén. 9:8-17; Jer. 33:20, 25)... la atención se centraba únicamente en el pacto entre Dios y los seres humanos».[23] Este énfasis en la salvación espiritual individual en la teología del pacto también ha sido detectado por Moore:

> La tradición reformada tendía a enfatizar el reino de Cristo en términos casi enteramente presentes y espirituales, para disgusto de sus interlocutores premilenialistas. El teólogo del pacto Louis Berkhof argumentó que esta realidad espiritual presente del reino de Cristo era precisamente lo que hacía tan insostenible el Reino orientado al futuro del premilenialismo.[24]

Moore también señala que Berkhof, «hizo hincapié en el gobierno presente de Cristo, y articuló este reinado en términos decididamente

---

[19] Ibídem, 598.
[20] Ibíd.
[21] Paul Helm, «Calvin and the Covenant: Unity and Continuity», *Evangelical Quarterly* 55 (1983), 81.
[22] VanGemeren, «Systems of Continuity», 46.
[23] Snyder, *Salvation Means Creation Healed*, 31. Snyder también dice: «Johannes Cocceius (1603-69), a pesar de su preocupación por ser bíblico, se centró casi exclusivamente en la relación entre Dios y la humanidad, con poca o ninguna referencia a la tierra y a la relación de Dios con la tierra, algo comprensible dada la naturaleza de los debates de la época».
[24] Moore, *The Kingdom of Christ*, 45.

espirituales y soteriológicos».[25] Los pactualistas ciertamente abordan otras cuestiones más allá de la salvación. Un estudio de las teologías sistemáticas escritas por pactualistas revela secciones sobre la creación, la escatología y otras cuestiones. Y los pactualistas, en ocasiones, hacen afirmaciones coherentes con el modelo de la nueva creación. En su libro de teología sistemática, Michael Horton señala que la cosmovisión cristiana difiere del platonismo al afirmar «la resurrección del cuerpo y la renovación completa de la creación».[26] Sin embargo, el énfasis principal de la teología del pacto es la salvación de los elegidos. Las obras que resumen este sistema se centran casi exclusivamente en la redención humana en Cristo.

Amilenialismo y espiritualización del reino

La teología del pacto se vincula a menudo con la espiritualización del reino de Dios. Por ejemplo, Mark Karlberg, teólogo del pacto, dice: «en la era escatológica del Espíritu, el reino de Dios es una realidad espiritual libre de las formas terrenales sombrías (tipos) características de la antigua teocracia».[27] Kim Riddlebarger afirma: «si los escritores del Nuevo Testamento *espiritualizan* las profecías del Antiguo Testamento *aplicándolas en un sentido no literal*, entonces el pasaje del Antiguo Testamento debe verse a la luz de esa interpretación del Nuevo Testamento, y no al revés».[28] Beale afirma: «Quizá una de las características más sorprendentes del reino de Jesús es que no parece ser el tipo de reino profetizado en el Antiguo Testamento y esperado por el judaísmo».[29] Estas afirmaciones son coherentes con el modelo de la visión espiritual, ya que implica espiritualizar el reino de Dios para que no sea un reino terrenal. Moore también afirma que los pactualistas reformados a menudo pasaron por alto los aspectos materiales del reino

---

[25] Ibíd. Nuestro estudio de Berkhof afirma esto. Berkhof dedica una página al estado final de los justos e incluso esta página es vaga. (*Systematic Theology*, 736-37). En un libro con 710 páginas de contenido corporal se dedica una página al estado eterno y la discusión aquí es vaga.

[26] Michael Horton, *The Christian Faith: A Systematic Theology for Pilgrims on the Way*, 940. Sin embargo, por otro lado, Horton parece espiritualizar la transformación de la naturaleza predicha en algunos pasajes del Antiguo Testamento como Isaías 11:6-9 e Isaías 65:25. Estos hablan de varios animales en un estado de armonía con las personas y otros animales. Sin embargo, Horton afirma: «Lobos y corderos, serpientes y palomas, describen rutinariamente las condiciones violentas y pacíficas de las naciones» (942).

[27] Mark Karlberg, «The Significance of Israel in Biblical Typology», *Journal of the Evangelical Theological Society* 31/3 (septiembre de 1988): 268.

[28] Kim Riddlebarger, *A Case for Amillennialism*, 37. Énfasis no en el original.

[29] G. K. Beale. *A New Testament Biblical Theology: The Unfolding of the Old Testament in the New* (Grand Rapids: Baker Academic, 2011), 431.

de Jesús: «Los aspectos aparentemente materiales del Reino venidero de los que se habló incluso en la cena de pascua de Jesús con sus discípulos (Lc. 22:15-16), fueron a menudo descuidados por las generaciones anteriores de teólogos reformados».[30]

Espiritualizar el reino de Dios podría vincularse con la estrecha relación de la teología del pacto con el amilenialismo. En lo que respecta a los puntos de vista milenaristas, la mayoría de los teólogos del pacto son amilenialistas. Algunos son postmilenialistas. Unos pocos son premilenialistas. Por lo tanto, la teología del pacto no está atada a un solo punto de vista milenarista. Pero el amilenialismo es el punto de vista milenarista dominante con implicaciones para el sistema.

Moore observa que «el amilenialismo se articuló la mayoría de las veces dentro de los parámetros de la teología confesional reformada del pacto».[31] Mark Karlberg cree que el amilenialismo sólo es coherente con la teología del pacto: «Entre las diversas escuelas de interpretación profética dentro de la tradición reformada, sólo el amilenialismo es plenamente compatible con la teología del pacto —específicamente con la tipología del pacto».[32]

El amilenialismo espiritualiza el reino mesiánico y milenario de Jesús, convirtiéndolo en un reino espiritual en esta época. Pero el amilenialismo no da cuenta de los aspectos holísticos y multidimensionales del reino mesiánico de Jesús, que transforma la tierra, el territorio, las naciones, el reino animal, la sociedad, la cultura, etc. El reino de Jesús implica la salvación, pero también incluye mucho más. Así pues, la adopción del amilenialismo por parte de la teología del pacto la vincula más estrechamente al modelo de la visión espiritual. Los teólogos del pacto que son postmilenialistas o premilenialistas estarían relativamente más cerca del modelo de la nueva creación.

El uso de la interpretación tipológica

El recurso de la teología del pacto a la interpretación tipológica también la vincula con el modelo de la visión espiritual. En la interpretación tipológica, las promesas nacionales y físicas del Antiguo Testamento se consideran «tipológicas» de supuestas realidades espirituales mayores. Los teólogos del pacto suelen enfatizar que el Israel nacional y la tierra

---

[30] Moore, 62.

[31] Ibídem, 45. Moore señala que esto es especialmente cierto en los debates evangélicos estadounidenses.

[32] Karlberg, «The Significance of Israel in Biblical Typology», 269, n. 33.

de Israel son tipos inferiores que se trascienden a la luz de Jesús y de las realidades del Nuevo Testamento.[33] Como Mark Karlberg escribe:

> Si aceptamos que el Israel nacional en la revelación del AT era realmente un tipo del reino eterno de Cristo, entonces parece que, según los cánones de la tipología bíblica, el Israel nacional ya no puede conservar ningún estatus independiente.[34]
>
> Pero la interpretación tipológica genuina descarta cualquier cumplimiento literal adicional de la promesa de la tierra en una futura restauración del Israel nacional posterior o paralela al cumplimiento mesiánico.[35]

O. Palmer Robertson utiliza la interpretación tipológica para sustituir el significado literal de las profecías del Antiguo Testamento sobre Israel:

> Algunos podrían insistir en que el cumplimiento «literal» de la profecía del nuevo pacto requiere el regreso del Israel étnico a una Palestina geográficamente localizada. Sin embargo, la sustitución de lo tipológico por lo real como principio de interpretación bíblica apunta a otro tipo de cumplimiento «literal».[36]

El gran énfasis en la tipología y la interpretación tipológica por parte de muchos pactualistas, conduce a conclusiones del modelo de la visión espiritual, ya que se quita a Israel y a la tierra de Israel su significado teológico.

Supersesionismo

La negación de la importancia continua del Israel nacional en los propósitos de Dios forma parte del modelo de la visión espiritual. Y lo vemos a menudo con la teología del pacto del siglo pasado. El neocreacionismo abraza la importancia de las naciones, incluido Israel,

---

[33] «Typology plays a prominent part in the hermeneutical approach of covenant theology». Benjamin L. Merkle, *Discontinuity to Continuity*, 143.
[34] Karlberg, 259.
[35] Mark W. Karlberg, *Covenant Theology in the Reformed Perspective: Collected Essays and Book Reviews in Historical, Biblical, and Systematic Theology* (Eugene, OR: Wipf & Stock, 2000), 195.
[36] O. Palmer Robertson, *The Christ of the Covenants* (Phillipsburg, NJ: Presbyterian and Reformed, 1980), 300.

en los propósitos de Dios. No todos los teólogos del pacto son supersesionistas, pero los teólogos del pacto niegan a menudo la importancia teológica continua del Israel nacional. Por ejemplo, Horton afirma que «Israel ya no se identifica con una nación o pueblo étnico, sino con Cristo como cabeza de su cuerpo...»[37] También afirma que «la nación temporal, la tierra... han quedado obsoletas por la obra redentora de Cristo».[38] Y que «sí, la elección nacional de Israel ha llegado a su fin con el exilio».[39] Estas afirmaciones son coherentes con el supersesionismo y con el enfoque del modelo de la visión espiritual. En su presentación y defensa de la teología del pacto, Robert L. Reymond promovió explícitamente la «teología del reemplazo» y la idea de que la posición del Israel nacional sería transferida a la iglesia:[40]

> He aquí una «teología del reemplazo» bíblica, y es Jesús mismo quien la enunció: El Israel nacional, excepto su remanente elegido, sería juzgado, y la posición especial de que había disfrutado durante la antigua dispensación sería transferida a la ya existente y creciente iglesia internacional de Jesucristo (cuyas raíces se remontan a Abraham, de hecho, a la promesa divina de Gén. 3:15) formada tanto por el remanente judío elegido como por los gentiles elegidos.[41]

Herman Bavinck también enseñó una sólida visión de la teología de la sustitución con respecto a Israel:

---

[37] Horton, «Covenant Theology», en *Covenantal and Dispensational Theologies,* 71.

[38] Ibíd.

[39] Ibídem, 69.

[40] Los teólogos del pacto de hoy en día suelen rebatir la afirmación de que enseñan «teología de la sustitución» y algunos se resisten al título de «supersesionismo». Afirmamos que a nadie se le debe llamar algo que no acepte o no le guste. Sin embargo, los conceptos detrás de estos títulos se enseñan a menudo con la teología del pacto. Los conceptos, no los títulos, son la verdadera cuestión. En el corazón de la teología del reemplazo o supersesionismo está la idea de que el Israel corporativo y nacional ya no es teológicamente significativo como entidad corporativa porque la iglesia en Jesús es el nuevo y/o verdadero Israel. Supuestamente, se ha producido una redefinición del pueblo de Dios y Jesús cumple con Israel de tal manera que la entidad corporativa, nacional, deja de ser significativa en el argumento bíblico. La entidad corporativa que recibió maldiciones y dispersión no verá las bendiciones y la restauración que también se le prometieron. Así, los principales conceptos detrás de lo que puede llamarse teología del reemplazo o supersesionismo son enseñados por muchos hoy en día. Y a veces los teólogos del pacto han utilizado el lenguaje del «reemplazo». Sin embargo, también reconocemos que algunos teólogos del pacto de generaciones anteriores no enseñaban la teología del reemplazo/supersesionismo. La afirmación de que existe la «teología del cumplimiento» pero no la «teología del reemplazo», comete la falacia de la «distinción sin diferencia» en la que se afirma una distinción, pero en realidad no existe ninguna.

[41] Robert L. Reymond, «The Traditional Covenantal View», en *Perspectives on Israel and the Church: 4 Views*, ed. Chad O. Brand (Nashville, TN: B&H Academic, 2015), 49.

> La salvación rechazada por Israel es compartida por los gentiles, y la comunidad de creyentes en Cristo ha sustituido en todos los aspectos al Israel nacional.[42]

> La comunidad de creyentes ha sustituido en todos los aspectos al Israel carnal y nacional.[43]

Asimismo, Bruce Waltke afirma la sustitución del Israel nacional por la iglesia: «Jesús enseñó en algunos lugares que el verdadero pueblo de Dios no se encuentra en el Israel nacional, sino en la comunidad cristiana que lo sustituyó».[44] Karlberg habla de la disolución del reino de Israel en la iglesia: «en aquel día el fenómeno tipológico de la antigua teocracia israelita se disolvería en la realidad antitípica de la Iglesia como el Nuevo Israel».[45]

Énfasis en el cumplimiento de la primera venida

La teología del pacto a menudo hace hincapié en el cumplimiento de la primera venida de Jesús por encima del cumplimiento de la segunda venida cuando se trata de profecías del Antiguo Testamento. Esto ha llevado a menudo a espiritualizar profecías que no se cumplieron literalmente con el primer advenimiento de Jesús. Asuntos como la tierra, el territorio, las naciones, Israel y las bendiciones físicas a menudo se espiritualizan y se vinculan con la primera venida de Jesús. Al percibir la debilidad de este enfoque de la «primera venida», Vern Poythress recomienda a sus colegas amilenialistas que presten más atención a los cumplimientos de la segunda venida:

> Los amilenialistas deben intentar ser cada vez más fieles al acento bíblico, y hablar no sólo de una primera etapa de cumplimiento en la vida de Cristo, la era del Nuevo Testamento y la iglesia, sino también de una segunda etapa consumada en los nuevos cielos y la tierra nueva.[46]

De forma similar, Anthony Hoekema pidió a los amilenialistas que dejaran de espiritualizar pasajes como Isaías 2 hasta nuestros días:

---

[42] Bavinck, *Reformed Dogmatics*, vol. 4:664. Énfasis añadido.
[43] Ibídem, 667. Énfasis añadido.
[44] Bruce K. Waltke, «Kingdom Promises as Spiritual», en *Continuity and Discontinuity*, 279.
[45] Karlberg, «The Significance of Israel in Biblical Typology», 267.
[46] Poythress, «Currents within Amillennialism», 21–22.

Con bastante frecuencia, por desgracia, los exégetas amilenialistas no tienen presente la enseñanza bíblica sobre la tierra nueva al interpretar la profecía del Antiguo Testamento. El hacer que se apliquen sólo a la iglesia o al cielo es un empobrecimiento de estos pasajes.[47]

Algunos teólogos del pacto han empezado a hacer hincapié en el cumplimiento de la segunda venida. Como señala Moore: «la tradición amilenial del pacto... ha experimentado una reconsideración de su escatología del "ya/todavía no"».[48] Esperemos que más teólogos del pacto sigan a Poythress y Hoekema en esta cuestión.

Variaciones dentro de la teología del pacto

El pactualismo tradicional

Existen tres variaciones dentro de la teología del pacto que son relevantes en esta discusión. La primera y más dominante es la teología del pacto tradicional. Esta forma es agustiniana en lo que respecta a la escatología y se remonta a finales del siglo IV. Su enfoque principal se refiere a la salvación individual de los elegidos. También espiritualiza muchas profecías del Antiguo Testamento y es supersesionista en lo que respecta a Israel y la Iglesia. El pactualismo tradicional no hace hincapié en la escatología cósmica ni en cuestiones como el Israel nacional, las naciones geopolíticas, el día del Señor y el reino terrenal venidero del Mesías. La mayor parte de la atención se centra en el contraste Ley-Evangelio y en los pactos de redención, obras y gracia, cuestiones que son principalmente soteriológicas. El pactualismo tradicional suele ser amilenial, pues considera el reino mesiánico/milenial de Jesús como un reino espiritual relacionado con la salvación en esta era.

Pactualismo modificado

Una segunda forma de pactualismo, es el pactualismo modificado. El pactualismo modificado comparte la mayoría de las creencias con el pactualismo tradicional, pero también aborda cuestiones que van más allá de la redención humana individual. Es más cósmico y orientado a la tierra, pues cree que algunas profecías del Antiguo Testamento relativas

[47] Hoekema, *The Bible and the Future*, 205–06.
[48] Moore, *The Kingdom of Christ*, 44.

a la tierra, el reino animal, las naciones y otras áreas se cumplirán literalmente en el estado eterno venidero. Entre los pactualistas modificados se encuentran Herman Bavinck, Abraham Kuyper y, más recientemente, Anthony Hoekema y Vern Poythress. Moore utiliza a Poythress para demostrar que los pactualistas modificados rompen con la «visión espiritual de la eternidad» que se encuentra en el pactualismo tradicional:

> Poythress sostiene que los pactualistas modificados están dispuestos a conceder muchas de las objeciones premilenialistas más polémicas a las formulaciones escatológicas típicas de los evangélicos reformados. La visión espiritual de la eternidad estaba menos informada por la visión bíblica del Reino de Cristo que por una esperanza etérea, si no casi platónica, de una existencia temporal y celestial.[49]

Moore señala que algunos evangélicos reformados (i.e., los pactualistas) a menudo estaban más cerca del platonismo que de la Biblia en cuanto al reino y la eternidad. Pero los pactualistas modificados adoptan una comprensión más tangible de los propósitos del reino de Dios. Esto se documentó en nuestra sección anterior sobre el amilenialismo, donde vimos a Poythress y Hoekema apartarse del amilenialismo agustiniano tradicional por una visión más literal de las promesas terrenales en la Biblia. Moore señala el contraste del innovador «pactualismo modificado» de Hoekema con el pactualismo anterior, «distanciándose de los énfasis desmesuradamente espirituales de algunos de sus antepasados pactualistas estadounidenses».[50] Moore también observa que el pactualismo modificado corrige las tendencias platónicas de la visión amilenialista tradicional: «para los pactualistas modificados, el modelo de la "tierra nueva" de consumación futura de Hoekema corrige los aspectos cripto-platónicos del modelo más antiguo de esperanza escatológica amilenial...»[51]

Moore también observa que algunos en la tradición reformada están rompiendo con el modelo de la visión espiritual en general: «... Hoekema y aquellos dentro de la tradición reformada que siguen su ejemplo, rompen decisivamente con el modelo de "visión espiritual" de

[49] Moore, 49–50.
[50] Ibídem, 46.
[51] Ibídem, 51.

la escatología».[52] Por ejemplo, Anthony Hoekema afirmó: «La Biblia nos asegura que Dios creará una tierra nueva en la que viviremos para alabanza de Dios en cuerpos glorificados y resucitados».[53] Esta tierra nueva incluye «las contribuciones de cada nación a la vida de la tierra actual» y «los mejores productos de la cultura y el arte».[54]

El punto de vista más orientado a la tierra del pactualismo modificado sitúa a este grupo más cerca del premilenialismo: «Poythress argumenta además que la "tierra nueva" expuesta por Hoekema y otros pactualistas modificados "cambia totalmente el escenario" porque es "muy parecida a la tierra milenial tal como la envían los premilenialistas"».[55] Esto también conduce a una afinidad más estrecha con el dispensacionalismo contra el agustinismo excesivamente espiritualizado:

> Los pactualistas modificados están en lo cierto al coincidir con los dispensacionalistas más antiguos al acusar a la teología del pacto tradicional de aferrarse a una escatología agustiniana de «visión espiritual», con la que es imposible conciliar el sentido «terrenal» de las promesas proféticas, no sólo del Antiguo Testamento sino también del Nuevo.[56]

Sin embargo, existen algunas incoherencias con los pactualistas modificados. A veces vuelven a una hermenéutica espiritualizadora coherente con el pactualismo tradicional y el modelo de la visión espiritual. Hoekema, por ejemplo, afirma que si bien «muchas profecías del Antiguo Testamento deben interpretarse, en efecto, literalmente, muchas otras deben interpretarse de forma no literal».[57] Asimismo, los pactualistas modificados sostienen puntos de vista supersesionistas respecto a Israel y la Iglesia. Bavinck declaró: «La salvación rechazada por Israel es compartida por los gentiles, y la comunidad de creyentes en Cristo ha *sustituido* en todos los aspectos al Israel nacional».[58] En estos puntos, el pactualismo modificado es coherente con el pactualismo tradicional y el modelo de la visión espiritual.

---

[52] Ibídem, 50-51.
[53] Hoekema, *The Bible and the Future*, 274.
[54] Ibíd., 286.
[55] Moore, 52. Vern S. Poythress, «Response to Paul S. Karleen's Paper "Understanding Covenant Theologians"», *Grace Theological Journal* 10 (1989): 148.
[56] Moore, 62.
[57] Hoekema, «Amillennialism», en *The Meaning of the Millennium: Four Views*, 172.
[58] Bavinck, *Reformed Dogmatics*, 4:664. Énfasis añadido.

Pactualistas premileniales no-supersecesionistas

Algunos pactualistas, aunque muy reducidos en número, han sido premilenialistas que afirman la importancia del Israel corporativo y nacional en los propósitos de Dios. También afirman que las profecías del Antiguo Testamento relativas al Israel nacional se cumplirán literalmente con el Israel nacional en un reino milenario terrenal venidero. Llamamos a estos teólogos «pactualistas premilenialistas no-supersecesionistas». Ligon Duncan señala: «Ahora bien, ha habido algunos que entran en la categoría de ser teólogos del pacto que son premilenialistas. Horacio Bonar, Robert Murry McCheyne y algunos de los otros grandes calvinistas escoceses del siglo pasado».[59]

Esta forma de teologismo del pacto se extendió incluso a algunos teólogos de la Confesión de Westminster. Sung Wook Chung señala: «Algunos teólogos puritanos que participaron en la elaboración de la Confesión de fe de Westminster también abrazaron el premilenialismo histórico. Una de las figuras representativas es Thomas Goodwin (1600-1680), un renombrado teólogo puritano inglés».[60] En su libro *The Puritan Hope*, Iain Murray señala la presencia del premilenialismo entre «algunos de los eruditos de Westminster»:

> La atención prestada por escritores como Mede y Alsted al milenio de Apocalipsis 20, y a las profecías del Antiguo Testamento que parecen hablar de una conversión general de las naciones, condujo a una expectativa revisada de una aparición premilenial de Cristo, cuando Israel se convertiría y el reino de Cristo se establecería en la tierra durante al menos mil años... Planteada en su forma más moderada, esta creencia contó con el apoyo de algunos de los eruditos de Westminster (en particular, William Twisse, Thomas Goodwin, William Bridge y Jeremiah Burroughs).[61]

En su estudio de los teólogos pro-Israel del siglo XVII, William Watson observó la importancia de los eruditos de la Asamblea de Westminster que eran premilenaristas y filosemitas: «la Asamblea de Westminster elegida por el Parlamento británico para reestructurar la

---

[59] J. Ligon Duncan, III, «Covenant Theology: Dispensationalism A Reformed Evaluation», Thirdmill. org Covenant Theology Dispensationalism
A Reformed Evaluation (HTML) (thirdmill.org)

[60] Sung Wook Chung y David Mathewson, *Models of Premillennialism* (Eugene, OR: Cascade Books, 2018), 17.

[61] Murray, *The Puritan Hope*, 52–53.

Iglesia de Inglaterra en 1643 puede haber sido abrumadoramente calvinista, pero incluía a muchos filosemitas premilenaristas».[62] Watson dice que entre ellos se encontraban William Bridge, Jeremiah Burroughs, Joseph Caryl, John Dury, Thomas Goodwin, William Gouge, Herbert Palmer, Peter Sterry, William Twisse, James Usher y George Walker.[63] Thomas Goodwin (1600-80), miembro de la Asamblea de Westminster, creía que los santos gobernarían en la tierra: «Reinaremos en la tierra... Tendremos una mano en la dirección de los asuntos de la tierra».[64]

Horacio Bonar (1808-1889), en su obra *Political Landmarks*, hablaba de una salvación venidera y de la restauración de Israel en la tierra basándose en una comprensión literal de las profecías del Antiguo Testamento.[65] Respecto a los teólogos como él afirma: «Creen que Israel se convertirá, y se regocijan en ello como el glorioso asunto hacia el que apuntan los profetas. Pero creen más; creen no sólo que se convertirán, sino que serán restaurados en su propia tierra».[66] *Political Landmarks*, por tanto, presenta una clara presentación y defensa del premilenialismo y del papel del Israel nacional en los propósitos de Dios. Bonar enseñaba que pasajes como Isaías 11:6-10 enseñan una restauración literal del reino animal y de toda la naturaleza, un retorno a condiciones similares a las del Edén.

Al igual que Bonar, J. C. Ryle (1816-1900), predicador inglés reformado, expresó su creencia en la restauración de Israel como nación a la tierra: «Creo que los judíos serán finalmente reunidos de nuevo como una nación separada, restaurados a su propia tierra y convertidos a la fe de Cristo, después de pasar por una gran tribulación (Jer. 30:10-11; 31:10; Rom. 11:25-26; Dan. 12:1; Zac. 13:8-9)».[67] Ryle creía que la salvación y restauración del Israel nacional a su tierra estaba «tan clara y llanamente revelada como cualquier profecía de la Palabra de Dios»:

> El tiempo me faltaría si intentara citar todos los pasajes de las Escrituras en los que se revela la historia futura de Israel. Isaías,

[62] Watson, *Dispensationalism Before Darby*, 23.

[63] Ibídem, 24.

[64] Thomas Goodwin, *A Sermon of the Fifth Monarchy. Proving by Invincible Arguments That the Saints shall have a Kingdom here on Earth* (London, 1654), portada. Véase Watson, *Dispensationalism before Darby*, 89.

[65] Véase «Israel», capítulo 13 en Horacio Bonar, *Prophetical Landmarks: Containing data for helping to determine the question of Christ's premillennial advent* (1847).

[66] Ibídem, 109.

[67] J. C. Ryle, *Are You Ready For The End Of Time?* (Fearn, Scotland: Christian Focus, 2001), 9; reimpresión de Coming Events and Present Duties.

> Jeremías, Ezequiel, Oseas, Joel, Amós, Abdías, Miqueas, Sofonías, Zacarías, todos declaran lo mismo. Todos predicen, con mayor o menor particularidad, que al final de esta dispensación los judíos serán restaurados a su propia tierra y al favor de Dios. No pretendo ser infalible en la interpretación de las Escrituras en este asunto. Soy muy consciente de que muchos cristianos excelentes no pueden ver el tema como yo. Sólo puedo decir que, a mis ojos, la futura *salvación* de Israel como pueblo, su regreso a Palestina y su conversión nacional a Dios, aparecen tan clara y llanamente revelados como cualquier profecía de la Palabra de Dios.[68]

En resumen, los pactualistas premilenialistas no supersesionistas fueron incluso más lejos que los pactualistas modificados como Poythress y Hoekema en lo que respecta a un nuevo enfoque creacionista. Al igual que los pactualistas modificados, estos pactualistas premilenialistas no-supersesionistas afirmaban un cumplimiento literal de las promesas físicas del Antiguo Testamento. Y afirmaban el significado del Israel nacional en los propósitos de Dios y un reino terrenal de Jesús tras su segunda venida. También evitaron el punto de vista incoherente de tomar algunas profecías del Antiguo Testamento literalmente mientras veían otras espiritualmente. Aunque muy pocos en número, estos pactualistas premilenialistas no supersesionistas demostraron que es posible sostener la teología del pacto y seguir afirmando ideas coherentes del modelo de la nueva creación. Desgraciadamente, esta forma de pactualismo es infrecuente hoy en día y parece más relacionada con el pasado que con el presente o el futuro de la teología del pacto.

Evaluación de la teología del pacto

La relación de la teología del pacto con los modelos es compleja. Hay dos razones principales para ello. En primer lugar, la teología del pacto es principalmente un sistema de redención humana en Cristo. No está estructurada para abordar muchas cuestiones asociadas con el modelo de la nueva creación, como la escatología cósmica, las dimensiones holísticas de los pactos bíblicos, la naturaleza terrenal del reino de Dios, Israel, las naciones geopolíticas, las bendiciones físicas y otras áreas. Esto no significa que los teólogos del pacto nunca comenten estas otras áreas o incluso digan cosas buenas sobre ellas. Teólogos del pacto como

[68] Ibídem, 152-54. Énfasis en el original.

Bavinck, Hoekema y Poythress han abordado algunas de estas áreas más amplias y han hecho aportaciones útiles. Pero como sistema, la teología del pacto se centra sobre todo en la salvación humana individual y en el papel de Cristo en ella. Los tres pactos de la teología del pacto —redención, obras y gracia— se centran en los planes de salvación de Dios para las personas elegidas, pero no abordan realidades más amplias de la creación.

En segundo lugar, la teología del pacto es compleja de evaluar, ya que los teólogos del pacto han expresado diferentes puntos de vista sobre cuestiones como las profecías del Antiguo Testamento e Israel. Como se ha visto anteriormente, los pactualistas premilenialistas no supersesionistas expresaron ideas coherentes con el modelo de la nueva creación. Pero estos pactualistas son escasos. La mayoría de los pactualistas actuales son pactualistas tradicionales y defienden ideas más acordes con el modelo de la visión espiritual. Y la mayoría de los pactualistas son amilenialistas. El amilenialismo está ligado al modelo de la visión espiritual. El supersesionismo también sigue siendo un problema con la teología del pacto en la actualidad. En su defensa de la teología del pacto en 1988, Willem VanGemeren suplicó: «He pedido y sigo pidiendo que se reabra el caso exegético de Israel en el plan de Dios».[69] Sin embargo, en las décadas transcurridas desde la declaración de VanGemeren sigue habiendo resistencia a la importancia del Israel corporativo y nacional dentro de la teología del pacto. Parece que los teólogos del pacto de los años 1600-1800 eran más firmes en la cuestión del Israel corporativo en los planes de Dios que la mayoría de los teólogos del pacto actuales.

Gerald McDermott ofrece un desafío a la teología del pacto sobre esta cuestión de Israel que merece la pena considerar. Afirma: «los pastores que predican la teología del pacto deben reflexionar sobre el significado de Israel... Si Dios cumple su promesa de redimir nuestros cuerpos y toda la tierra, ¿qué pasa con su promesa de mantener especial la tierra de Israel? ¿Y qué hay de las representaciones del mundo renovado en Isaías 2 y en otros lugares que sitúan a Israel en el centro de la tierra renovada?».[70]

En las cuestiones de la resurrección del cuerpo y de una tierra tangible en la eternidad, la teología del pacto propugna elementos neocreacionistas. Pero, en conjunto, la teología del pacto es una mezcla entre los modelos de la visión espiritual y de la nueva creación, con

---

[69] VanGemeren, «Systems of Continuity», 61.
[70] McDermott, *Israel Matters*, 115–16.

múltiples elementos del modelo de la visión espiritual. Aunque realiza aportaciones en el ámbito de la redención individual en Cristo, otros sistemas son más completos y útiles cuando se trata de los propósitos más amplios de la creación, el reino y el pacto de Dios.

26

EL PACTUALISMO PROGRESIVO Y LOS MODELOS

El pactualismo progresivo es un sistema teológico nuevo, pero parece estar creciendo en influencia. Este sistema se introdujo en 2012 con el libro *Kingdom Through Covenant: A Biblical-Theological Understanding of the Covenants,* escrito por Peter J. Gentry y Stephen J. Wellum. En 2018 salió una segunda edición de este libro. *Progressive Covenantalism: Charting a Course between Dispensational and Covenantal Theologies*, se publicó en 2016. También se hace una presentación y defensa del pactualismo progresivo en el capítulo de Stephen Wellum, «Progressive Covenantalism», en el libro de debate de 2022, *Covenantal and Dispensational Theologies: Four Views on the Continuity of Scripture*. El capítulo de Wellum aquí es útil, ya que ofrece un resumen de 37 páginas sobre el pactualismo progresivo en un libro que también aborda la teología del pacto y el dispensacionalismo.

El pactualismo progresivo se centra en los pactos bíblicos y en el papel de Jesús en su cumplimiento para comprender el argumento de la Biblia. En *Kingdom Through Covenant,* Wellum y Gentry se esfuerzan por reunir con precisión los pactos bíblicos.[1] Creen que los teólogos del pacto y los dispensacionalistas ofrecen comprensiones de los pactos que «no son del todo correctas»[2] y «se equivocan en diversos puntos».[3] Los teólogos del pacto se equivocan al creer que el pacto abrahámico está

[1] Peter J. Gentry y Stephen J. Wellum, *Kingdom through Covenant: A Biblical-Theological Understanding of the Covenants* (Wheaton, IL: Crossway, 2012), 23.
[2] Ibíd.
[3] Ibídem, 37.

vinculado al bautismo de niños. Y los dispensacionalistas se equivocan al afirmar que el pacto abrahámico sigue significando un cumplimiento literal venidero de las promesas de tierras para el Israel nacional.

Para los pactualistas progresivos, los pactos bíblicos son «la columna vertebral de todo el argumento de las Escrituras...».[4] La narrativa canónica de las Escrituras está estructurada por los siguientes pactos: el de la creación, el noético, el abrahámico, el mosaico, el davídico y el nuevo. Mientras que el pacto davídico es la culminación de los pactos del Antiguo Testamento, el Nuevo Pacto con Jesús es el «cumplimiento» y la «culminación» del único plan redentor de Dios para su pueblo.[5] Así que los cristianos no están bajo los pactos anteriores, como afirma Wellum:

> Los pactos anteriores forman parte para siempre de las Escrituras, que son para nuestra instrucción y crecimiento (2 Tim. 3:16-17). Sin embargo, ahora que Cristo ha venido, los cristianos ya no están bajo los pactos anteriores (aparte del de la creación y el noético hasta la consumación).[6]

En el pactualismo progresivo, los pactos del Antiguo Testamento predijeron mucho sobre Israel y la tierra de Israel, pero no debe esperarse un cumplimiento literal de los mismos. Los pactos se cumplen en Jesús, por lo que no se producirá un cumplimiento literal de las promesas del Antiguo Testamento.

Los tipos y la tipología son importantes para el pactualismo progresivo. Al hacer una búsqueda de palabras en el libro *Progressive Covenantalism*, encontramos términos relacionados con «tipología» o «tipológico» que aparecen 155 veces. Esto pone de relieve el fuerte énfasis de la tipología en este sistema. La tipología, para el pactualismo progresivo, es la clave de cómo se desarrolla la narrativa canónica desde la promesa hasta el cumplimiento.[7] Jesús y el nuevo pacto traen el cumplimiento antitípico de los pactos anteriores.[8] Las promesas nacionales y sobre la tierra se cumplen antitípicamente. Por lo tanto, no se debe esperar un cumplimiento literal de las promesas del pacto

---

[4] Stephen Wellum, «Progressive Covenantalism», en *Covenantal and Dispensational Theologies*, 75.
[5] Ibíd.
[6] Ibíd., 87.
[7] Craig A. Blaising, «A Critique of Gentry and Wellum's, Kingdom Through Covenant: A Hermeneutical-Theological Response», *Master's Seminary Journal* 26.1 (primavera de 2015): 115.
[8] Véase Wellum, «Progressive Covenantalism», 84.

relativas al Israel nacional y a la tierra de Israel. Gentry y Wellum afirman:

> Cristo, entonces, como el antitipo de Israel, recibe la promesa de la tierra y la cumple mediante su inauguración de un nuevo pacto que está orgánicamente vinculado a la nueva creación.[9]
>
> ... sostenemos que la «tierra» funciona como un tipo/patrón en el contexto del Antiguo Testamento.[10]
>
> En otras palabras, la «tierra», cuando se sitúa dentro de los pactos bíblicos y se considera diacrónicamente, tenía la intención de Dios de funcionar como un «tipo» o «patrón» de algo mayor, es decir, la creación, que es precisamente como se concibe a la luz de la venida de Cristo y la inauguración del nuevo pacto.[11]
>
> En el Nuevo Testamento, sostenemos que la promesa de la tierra no encuentra su cumplimiento en el futuro en términos de un terreno concreto concedido a la nación étnica de Israel, sino que se cumple en Jesús, que es el verdadero Israel y el último Adán, que con su obra triunfante gana para nosotros la nueva creación. Esa nueva creación «ya» ha llegado en el amanecer del nuevo pacto en los cristianos individuales (2 Cor. 5:17; Ef. 2:8-10) y en la iglesia (Ef. 2:11-21) y se consumará cuando Cristo regrese e inaugure la nueva creación en su plenitud (Ap. 21-22).[12]

En el libro, *Progressive Covenantalism*, Oren Martin resume la idea de que la tierra alcanza su culminación en Cristo: «en primer lugar, la tierra se considera un tipo que alcanza su cumplimiento antitípico primero en Cristo, que inaugura una nueva era, segundo en los creyentes como pueblo del nuevo pacto de Dios (2 Cor. 5:17), y finalmente en la nueva creación consumada (Ap. 21-22)».[13]

---

[9] Gentry y Wellum, *Kingdom Through Covenant*, 122.
[10] Ibídem, 707.
[11] Ibídem, 706.
[12] Ibídem, 607.
[13] Oren R. Martin, «The Land Promise Biblically and Theologically Understood», en *Progressive Covenantalism*, eds. Stephen J. Wellum y Brent E. Parker (Nashville, TN: B&H Academic, 2016), 273. Además, «Dentro del propio AT, la tierra funciona como un tipo de algo mayor que recapitularía el diseño original de Dios para la creación» (268). Además, «Mateo interpreta las promesas escatológicas de la tierra a través de la lente de los numerosos textos tipológicos y universalizados del AT (Mt 5:5)» (269).

Así pues, el pactualismo progresivo se basa en gran medida en supuestas conexiones tipológicas. Israel y la tierra de Israel son tipos que se cumplen con Jesús y el nuevo pacto de un modo que hace innecesario el cumplimiento literal de estas áreas. Las predicciones sobre Israel y la tierra de Israel no deben tomarse al pie de la letra una vez que llegue Jesús. El pactualismo progresivo critica la creencia del dispensacionalismo en un cumplimiento literal de las promesas sobre la tierra a Israel:

> En el caso de la teología dispensacional, si consideraran tipológicos tanto la tierra de Israel como la propia nación, entonces su punto de vista, en el fondo, ya no sería válido. ¿Por qué? Por la razón de que la promesa de la tierra no requeriría un cumplimiento futuro, «literal», en la era milenaria; la tierra misma es un tipo y patrón del Edén y, por tanto, de toda la creación, que alcanza su cumplimiento en el amanecer de una nueva creación. Cristo, entonces, como el antitipo de Israel, recibe la promesa de la tierra y la cumple mediante su inauguración de un nuevo pacto que está vinculado orgánicamente a la nueva creación.[14]

Así pues, para el pactualismo progresivo, comprender con exactitud el argumento de la Biblia no incluye creer en el cumplimiento literal de los pasajes del Antiguo Testamento sobre Israel y la tierra; la respuesta se encuentra en los cumplimientos antitípicos vinculados con Jesús y el nuevo pacto.

Al igual que la teología del pacto, el pactualismo progresivo apela al cumplimiento en Jesús para argumentar que el cumplimiento literal de las promesas al Israel nacional no se producirá. Brent Parker afirma: «Jesús es el "verdadero Israel" en el sentido de que cumple tipológicamente todo lo que la nación de Israel anticipó y esperó».[15] Wellum afirma: «Jesús es el cumplimiento antitípico de Israel y Adán, y en él se cumplen todas las promesas de Dios para su pueblo, incluida la promesa de la tierra realizada en la nueva creación (Rom. 4:13; Ef. 6:3)».[16]

Con la creencia en la interpretación tipológica y los cumplimientos antitípicos en Cristo, el pactualismo progresivo presenta una fuerte discontinuidad entre las expectativas del Antiguo Testamento y los cumplimientos del Nuevo Testamento. Esto implica un «cambio

---

[14] Gentry y Wellum, 122.

[15] Brent E. Parker, «The Israel-Christ-Church Relationship», en *Progressive Covenantalism,* 44-45.

[16] Wellum, «Progressive Covenantalism», 76.

masivo» en el argumento bíblico del Antiguo al Nuevo. Wellum y Gentry afirman que «precisamente porque Jesús ha cumplido el Antiguo Testamento, también hay un cambio masivo o discontinuidad respecto a lo que ha precedido, lo que implica que en Cristo se ha producido un increíble cambio de época en la historia redentora».[17] Además, debido a Cristo y al nuevo pacto, «muchos de los elementos que eran parte central en el Antiguo Testamento, ahora han sido transpuestos y transformados».[18] Nótese el llamativo lenguaje de discontinuidad respecto a los dos testamentos que ofrecen:

- «cambio masivo»
- «discontinuidad»
- «transpuesto»
- «transformado»
- «increíble cambio de época»

También citan favorablemente a otro autor que dice: «la escatología queda así transformada».[19] Así pues, el pactualismo progresivo presenta un fuerte enfoque de discontinuidad del argumento bíblico. La historia del Antiguo no es la misma que se encuentra en el Nuevo, al menos no en un sentido literal.

En conjunto, el pactualismo progresivo afirma lo siguiente: los pactos bíblicos son la columna vertebral de las Escrituras. Los pactos del Antiguo Testamento ofrecen promesas relativas a Israel y a la tierra de Israel, pero éstas deben entenderse tipológicamente, no literalmente. Con la lente interpretativa del Nuevo Testamento y la llegada de Cristo y del nuevo pacto, las profecías relativas a Israel y a la tierra se cumplen antitípicamente, no literalmente. No habrá un cumplimiento literal de las promesas relativas al Israel nacional y a la tierra de Israel. El cumplimiento se produce en el verdadero Israel, Cristo, y por extensión todos los que están en Cristo, ya sean judíos o gentiles. Jesús es el verdadero Israel, por lo que Israel se refiere ahora a todos los que están en Jesús, independientemente de su origen étnico. Esto tiene implicaciones para esta era y la nueva tierra venidera. Al final, las promesas de la tierra no encuentran su cumplimiento con Israel en la tierra de Israel, sino en Jesús ahora y finalmente en la nueva tierra.

[17] Gentry y Wellum, *Kingdom Through Covenant*, 598. Énfasis añadido.
[18] Ibíd.
[19] Ibíd.

Mateo 5:5 y Romanos 4:13 se ofrecen como apoyo a la universalización de las promesas sobre la tierra a Israel en el Antiguo Testamento.

Análisis del pactualismo progresivo

Nuestro análisis del pactualismo progresivo no se refiere a todo el sistema, sino a cómo se entrecruza con los modelos de la nueva creación y de la visión espiritual.

El pactualismo progresivo tiene elementos del modelo de la nueva creación. Afirma la resurrección del cuerpo tanto para Jesús ahora como para los creyentes en el futuro. Los partidarios de este punto de vista creen que la resurrección corporal de Jesús es una de las formas en que las realidades físicas de los propósitos de Dios se aplican a esta época. Además, los pactualistas progresivos afirman que Dios es el «Creador y Señor trino» que «es el rey del universo».[20] Afirman con razón que el pacto noético muestra el compromiso de Dios con su creación.[21] Asimismo, aunque su tratamiento del estado eterno es escaso, los pactualistas progresivos parecen afirmar una tierra nueva tangible venidera.

Sin embargo, el pactualismo progresivo contiene algunos elementos del modelo de la visión espiritual. En primer lugar, el pactualismo progresivo es principalmente un sistema soteriológico (i.e., de salvación). Cuando Wellum comienza su presentación en el capítulo «El pactualismo progresivo», empieza con la redención humana: «El pactualismo progresivo sostiene que la Biblia presenta una pluralidad de pactos que revelan progresivamente el único plan redentor de nuestro Dios trino para su único pueblo, que alcanzan su cumplimiento, *telos* y *terminus* en Cristo y el nuevo pacto».[22] A continuación, esto se vincula con «cómo debemos vivir como pueblo del nuevo pacto de Dios».[23] Así pues, este punto de vista se refiere principalmente a cómo los pactos revelan el único plan redentor de Dios para su único pueblo y lo que esto significa para la vida cristiana actual. El resto de su capítulo no aborda la restauración de otros aspectos de la creación ni la naturaleza del reino mesiánico/milenial de Jesús. El énfasis está en la redención humana y su relación con Cristo y la Nueva Alianza en esta era. Así pues, al igual que

[20] Wellum, «Progressive Covenantalism», 88.
[21] Ibíd., 91.
[22] Ibídem, 75.
[23] Ibíd.

la teología del pacto, el pactualismo progresivo se centra sobre todo en la redención humana.

En segundo lugar, el pactualismo progresivo afirma que hay un «cambio masivo» entre las expectativas del Antiguo Testamento y los cumplimientos del Nuevo Testamento. Pero un enfoque de discontinuidad masiva es coherente con el modelo de la visión espiritual, ya que elimina la importancia de realidades tangibles clave de la Biblia como el Israel nacional, las promesas de tierras y las naciones geopolíticas. Sin embargo, si tal cambio argumental estuviera ocurriendo realmente, probablemente veríamos declaraciones explícitas en la Biblia al respecto. Sin embargo, no las vemos. Como afirma Blaising: «es razonable suponer que, si hubiera algún cambio en el plan de Dios, se revelaría verbalmente mediante una declaración divina explícita, de la misma manera que el plan fue revelado originalmente».[24]

En tercer lugar, el pactualismo progresivo se aparta del modelo de la nueva creación al hacer hincapié en las bendiciones universales en detrimento de las bendiciones particulares. Este sistema opta por un enfoque «o lo uno o lo otro» cuando lo mejor es un «y lo uno o lo otro». Tanto las particulares como las universales funcionan juntas, y las primeras contribuyen a las segundas. No tenemos que elegir entre la importancia de lo particular de Israel y lo universal de todas las naciones. Abarcamos ambos. Las promesas particulares a Israel incluyen a Israel, pero esto conduce a la bendición de los gentiles y las naciones gentiles (véase Gén. 12:2-3). Asimismo, las promesas particulares de Israel y la tierra son parte de los medios para bendecir a todas las naciones en sus tierras. Blaising señala la falacia lógica del pactualismo progresivo cuando no incluye lo particular en su argumento:

> Este argumento adolece de una falacia lógica que aparece a menudo en las lecturas pactuales de la historia de la Biblia. El todo, lo universal (en este caso, la nueva creación) sustituye a la parte, lo particular (la tierra prometida a Israel). En consecuencia, nuestros autores dicen que la narración bíblica pasa de una tierra particular a la totalidad de la tierra nueva. Aunque es cierto que la narración pasa de un plan expreso para toda la creación a los tratos específicos de Dios con Israel en la narración del AT y luego a la proclamación del evangelio a todas las naciones con una visión culminante de una nueva creación (también predicha por los profetas de Israel),

[24] Blaising, «A Critique of Gentry and Wellum's, Kingdom Through Covenant: A Hermeneutical-Theological Response», 116.

nuestros autores sacan la conclusión de que la tierra de Israel desaparece de algún modo y es sustituida por la realidad escatológica de la tierra nueva.[25]

Tampoco creemos que los textos de las Escrituras utilizados por los pactualistas progresivos para enfatizar lo universal sobre lo particular apoyen su afirmación. La afirmación de Jesús en Mateo 5:5, de que los gentiles heredarán la «tierra» o el «territorio», no implica que las promesas particulares de tierras a Israel no vayan a suceder o se hayan universalizado a toda la tierra con exclusión de Israel.[26] Israel puede experimentar el cumplimiento de las promesas de tierras en un reino venidero, mientras que otras naciones son bendecidas en sus tierras (véase Isa. 19:16-25). La afirmación de que heredar la tierra o la tierra debe significar que las promesas sobre la tierra a Israel ya no se aplican es difícil de aceptar.

Romanos 4:13 enseña que Abraham es heredero del mundo en el sentido de ser el padre de grupos de personas creyentes —tanto judíos creyentes como gentiles creyentes (véase Rom. 4:10-12). Este texto no se refiere a la tierra. La afirmación de que Abraham es el padre de todas las etnias que creen en Cristo no implica que las promesas de tierra a Israel ya no se cumplirán. Hay que tener un fuerte sesgo para ver esta implicación porque no parece clara ni obvia por el contexto de Romanos 4. Como afirma David Rudolph: «los defensores de la teología de la transferencia suelen considerar que Romanos 4:13 es la declaración más clara en los escritos de Pablo de que la particularidad de la promesa de la tierra quedó anulada tras la venida de Cristo. Sin embargo, los argumentos a favor de esta afirmación son sorprendentemente débiles».[27]

Hebreos 11:10 enseña que Abraham buscaba una ciudad permanente que aún no experimentaba, pero que algún día lo hará. Esto tampoco universaliza la promesa de la tierra de Israel. Mateo 2:15 revela que

---

[25] Ibíd., 123. Blaising también dice: «Sin embargo, en este movimiento de la parte al todo, a menos que el llamado "todo" sea una realidad completamente diferente (lo que nuestros autores quieren negar) la afirmación carece de sentido. Un todo incluye lógicamente todas sus partes. Si se elimina una parte de un todo, entonces es un "todo" diferente de lo que era antes. Ese nuevo todo no sustituye a una parte en el antiguo todo, sino que sustituye al todo. Sin embargo, si el nuevo todo es el viejo todo renovado, entonces todas las partes del viejo todo también se renovarían. La parte particular debe estar en el todo, renovada junto con todas las demás partes, para que el todo sea el todo que es». Ibíd. Énfasis en el original.

[26] Para un excelente tratamiento sobre cómo Mateo 5:5 no niega la promesa particular de la tierra al Israel nacional, véase Nelson Hsieh, «Matthew 5:5 and the Old Testament Land Promises: An Inheritance of the Earth or the Land of Israel?». *Master's Seminary Journal* 28.1 (2017): 41-75.

[27] David Rudolph, «Zionism in Pauline Literature», en *The New Christian Zionism,* 171.

Jesús está vinculado a Israel, pero esto no significa que la significación del Israel nacional haya sido absorbida por Jesús de modo que la nación ya no tenga significación teológica. La identidad de Jesús como el verdadero y último israelita significa que se producirá la restauración del Israel nacional. También lo harán las bendiciones gentiles, como revela Isaías 49:1-6.

En su intento de eliminar el significado de los detalles relativos a Israel y a la tierra de Israel, los progresivos del pacto infieren significados de ciertos textos bíblicos que no son exactos. Dado que no cuentan con el apoyo explícito o implícito de la Biblia, su punto de vista no es sostenible.

En cuarto lugar, el intento de establecer el hilo argumental de la Biblia a partir de conexiones tipológicas no funciona. Sí, existen tipos y conexiones tipológicas. Pero éstas apoyan la línea argumental de la Biblia tal como se revela en declaraciones explícitas de las Escrituras. Los tipos no cambian la narrativa de la Biblia, como Blaising señala:

> El crítico tiene razón al sospechar de una afirmación como ésta (que los tipos son el medio para establecer el plan divino) cuando la afirmación se emplea para contravenir, suprimir o subvertir el significado de la promesa explícita del pacto, y más aún cuando el NT repite y reafirma explícitamente la misma promesa declarada en los pactos del AT.[28]

En quinto lugar, el pactualismo progresivo se aparta del modelo de la nueva creación al utilizar el concepto de cumplimiento en Jesús para proponer cumplimientos no literales de las promesas del Antiguo Testamento. Pero este no es el significado real de lo que significa el cumplimiento en Jesús. En Mateo 5:17-18 Jesús vincula el cumplimiento de todo lo que hay en el Antiguo Testamento («ley» y «profetas») con que todo se haya «cumplido». La visión correcta del «cumplimiento en Jesús» es que Jesús cumple literalmente las profecías mesiánicas sobre sí mismo en detalle, y Él es el medio para el cumplimiento literal de todo lo demás que promete la Biblia. Esto incluye las predicciones y promesas sobre Israel, las naciones, el día del Señor, la tierra y los acontecimientos del reino de Dios.

Pero en el pactualismo progresivo, el «cumplimiento» en Jesús se refiere a que los detalles de Israel y las promesas sobre la tierra de Israel se subsumen o se transforman en Jesús de una manera mística. Blaising

[28] Blaising, 117.

compara este enfoque con «un misticismo vago» y «una variante del personalismo metafísico»:

> KTC [*Kingdom Through Covenant*], en ocasiones, interpreta a la Persona de Cristo como la consumación mística de toda la narrativa. Él personalmente es el cumplimiento de Israel, la tierra, la nación, la iglesia, la creación. El resultado es un misticismo vago que se parece algo a una variante del personalismo metafísico.[29]

Jesús es central en los planes de Dios, pero Jesús no evapora predicciones específicas relativas a lugares geográficos o entidades que no son Él. Él es el medio para el cumplimiento de las promesas de Dios, no la fuente para la disolución de las promesas, aunque a esto se le llame «cumplimiento». Saucy dice que la idea de que las promesas de la tierra de Israel se cumplen en Jesús confunde a Jesús como persona con la tierra como lugar donde viven seres humanos:

> La idea de que la promesa de la tierra se cumple en la persona de Cristo parece negar la naturaleza física y material del ser humano. Para estar seguros, toda la verdadera adoración está en Cristo, en quien vivimos, y podemos adorarle en cualquier lugar. Pero como entidades corporales, le adoramos en un lugar. Si, como se reconoce... la nueva creación es un espacio real donde adoramos a Dios, entonces seguramente es posible ver a Israel restaurado en la tierra, y una Jerusalén real con un templo donde los pueblos vienen a adorar, como las profecías afirman.[30]

Blaising señala que «en Él» en el Nuevo Testamento podría significar «a través de Él» en el sentido de que Jesús es el medio a través del cual se produce el cumplimiento literal:

> El KTC [*Kingdom Through Covenant*] sí dice que la narrativa de las Escrituras converge en Jesucristo. Él es el foco central del plan divino. Todas las promesas del pacto encuentran su cumplimiento en Él y a través de Él. Nuestros autores hacen especial hincapié en el cumplimiento de la promesa «en Él». En realidad, «en Él» es un concepto espeso en las Escrituras que incluye «a través de Él».

[29] Ibídem, 124.

[30] Robert L. Saucy, «Respuesta de Robert L. Saucy», en *Perspectives on Israel and the Church,* ed., Chad O. Brad (Nashville, TN: B&H Academic, 2015), 295.

> Incluye múltiples aspectos de la relación de Cristo con la creación redimida. Sin embargo, el KTC tiende a traducir «en Él» de una manera reductiva y mística en lugar de en la espesa interconectividad holística, política, material y espiritual que la Escritura atribuye al reino de Dios, la herencia de Cristo.[31]

A Blaising también le preocupa que el pactualismo progresivo disminuya a Cristo al disolver las realidades de la creación en la persona de Jesús:

> Aunque esto pueda parecer que exalta la Persona de Cristo, en realidad la disminuye, porque amenaza la integridad de la comunión de atributos que le da una identidad distinguible dentro y entre sus criaturas, al tiempo que afirma su transcendencia e inmanencia divinas. Disminuye Su Persona porque le priva de la rica y espesa herencia que las Escrituras predicen para Él, una herencia que conserva la integridad de su realidad creada como la tierra y los cielos, la tierra y las tierras, los pueblos y las gentes como individuos y como naciones, incluyendo a Israel y a todos los gentiles, todos adoradores de Él y a su servicio, no disueltos místicamente en la realidad de Su persona.[32]

En sexto lugar, el pactualismo progresivo es vago en lo que respecta a los elementos clave del argumento bíblico. La mayor parte de la atención de este sistema se centra en cómo se relacionan los pactos bíblicos con la redención humana, en particular el nuevo pacto. Pero se dice poco sobre la restauración venidera de la tierra y sus criaturas. No se dice mucho sobre las naciones y las etnias. Poco se dice sobre el día del Señor y los detalles del reino del Mesías. Significativamente, no podemos detectar una comprensión específica del milenio con este punto de vista, lo que significa que no hay un punto de vista específico sobre la naturaleza y el momento del reino mesiánico de Jesús. En el momento de escribir esto, el pactualismo progresivo parece contener una mezcla de amilenialistas y premilenialistas históricos laddianos. Pero el pactualismo progresivo no aborda el reino de Dios ni el milenio con mucha profundidad. Se menciona a Dios como soberano sobre el universo y se dice que Jesús reina actualmente de alguna manera. Se produce alguna discusión sobre el «ya/todavía no», pero no se ofrecen

[31] Blaising, 124.
[32] Ibíd.

muchos detalles sobre el reinado mesiánico/milenial de Jesús. Es difícil que un sistema sea un sistema teológico convincente y completo cuando hay poca discusión sobre el reino de Jesús y lo que este reino significa más allá del ámbito de la redención humana.

En séptimo lugar, el pactualismo progresivo promueve el supersesionismo. Con este sistema se produce una redefinición de Israel. El Israel corporativo pierde su significado teológico porque supuestamente se cumple en Jesús de alguna manera mística. Algunos adeptos parecen creer en una salvación venidera de muchos judíos debido a Romanos 11:26, pero no se da ningún significado al Israel corporativo, nacional, ni ahora ni en el futuro. En cuanto al punto de vista supersesionista de Wellum, Bock señala acertadamente: «El enfoque de Wellum da lugar a una pérdida de elementos similar y problemática a través de una interpretación supersesionista y pactual que pierde a Israel como nación, cuestiona lo que Dios dice y sufre por subestimar la fidelidad de Dios».[33] Comentando el libro de Wellum y Gentry, *Kingdom through Covenant* (KTC), Blaising señala cómo el pactualismo progresivo se queda corto en la escatología de la nueva creación debido a sus deficientes puntos de vista sobre Israel y la tierra:

> En las dos últimas décadas, muchos teólogos han llegado a abrazar lo que yo llamo escatología de la nueva creación... KTC dice que afirma esta idea de la nueva creación. Sin embargo, no extrae las consecuencias lógicas de este punto de vista para su comprensión de la tierra prometida a Israel. Y ese fracaso plantea interrogantes sobre la claridad conceptual de la nueva creación en el pactualismo progresivo.[34]

En nuestra opinión, las observaciones de Mark Snoeberger relativas tanto a la teología del pacto como al pactualismo progresivo son acertadas. Snoeberger afirma que centrarse sólo o principalmente en la redención humana hace que un sistema sea insuficiente: «en lo esencial, tanto la teología del pacto como el pactualismo progresivo ven la Escritura como una historia de la redención». A continuación, ofrece cuatro razones sobre por qué empezar con un «centro redentor» es problemático:

---

[33] Bock, «A Progressive Dispensational Response», en *Covenantal and Dispensational Theologies*, 226.

[34] Blaising, «A Critique of Gentry and Wellum's, Kingdom Through Covenant: A Hermeneutical-Theological Response», 122.

Primero, es «insuficientemente exhaustivo».

Segundo, es «funcionalmente estrecho (i.e., da un tratamiento escaso a las estructuras civiles humanas, las estructuras políticas y jurídicas, los avances en el arte, la ciencia, la agricultura, etc.)».

Tercero, es «incómodamente antropocéntrico (centrándose en los beneficios que corresponden abrumadoramente a la humanidad)».

Y en cuarto lugar, dicho enfoque es «relativamente ambivalente hacia las preocupaciones escatológicas que constituyen una parte sustancial del canon bíblico».[35]

En resumen, aunque afirma elementos importantes de un modelo de nueva creación, el pactualismo progresivo se queda corto con respecto a este modelo en aspectos significativos. El pactualismo progresivo, por tanto, no es un sistema coherente con el modelo de la nueva creación.

---

[35] Mark Snoeberger, «Traditional Dispensationalism», en *Covenantal and Dispensational Theologies: Four Views on the Continuity of Scripture*, 164.

27

EL NUEVO SIONISMO CRISTIANO Y LOS MODELOS

El nuevo sionismo cristiano es una incorporación relativamente reciente a la comunidad teológica. A la vanguardia de esta perspectiva se encuentra Gerald R. McDermott y el libro que editó, *The New Christian Zionism: Fresh Perspectives on Israel and the Land.*[1] McDermott también ha escrito, *Israel Matters: Why Christians Must Think Differently about the People and the Land.*[2] Como antiguo supersesionista según su propia confesión, McDermott admite que una vez creyó que la iglesia era el nuevo Israel que sustituía al Israel del Antiguo Testamento. También pensaba que la unidad judeo-gentil en Cristo significaba que el Israel corporativo ya no era teológicamente significativo.[3] Pero a medida que investigaba más a fondo estas cuestiones se encontró con «algunos descubrimientos sorprendentes».[4] «Uno de los primeros fue que el Nuevo Testamento nunca llama a la Iglesia el nuevo Israel», afirma.[5] Otro fue que Israel es actualmente amado por Dios y que pasajes como Mateo 19:28 y Hechos 3:21 enseñan un futuro para la nación particular.[6]

---

[1] Gerald R. McDermott, *The New Christian Zionism: Fresh Perspectives on Israel and the Land* (Downers Grove, IL: InterVarsity Press, 2016).

[2] Gerald R. McDermott, *Israel Matters: Why Christians Must Think Differently about the People and the Land* (Grand Rapids: Brazos Press, 2017).

[3] Véase, *Israel Matters*, ix–xvii.

[4] Ibíd., xii.

[5] Ibíd.

[6] Véase Ibídem, xiii-xiv.

En *The New Christian Zionism*, McDermott y otros colaboradores se sienten molestos por el paradigma cristiano tradicional que omite a Israel y la tierra de Israel del argumento bíblico. Argumentan que Israel y la tierra de Israel son estratégicos para la narración bíblica. Esto incluye a Israel tanto en el presente como en el futuro. En cuanto al propósito de su libro, McDermott dice:

> La carga de estos capítulos es mostrar *teológicamente* que el pueblo de Israel *sigue siendo* significativo para la historia de la redención y que la tierra de Israel, que está en el corazón de las promesas del pacto, *sigue siendo* importante para los propósitos providenciales de Dios.[7]

Para el nuevo sionismo cristiano, el evangelio implica algo más que la salvación humana individual. También incluye lo que Dios está haciendo en la historia, incluida la historia de Israel. McDermott afirma que «el evangelio significa conectarse con la historia de Israel, no alejarse de ella».[8] Esto contrasta con el supersesionismo que «sugiere que Israel ha quedado atrás».[9]

Sin embargo, este enfoque no se centra únicamente en la importancia de Israel. Israel es importante pero la historia no se detiene ahí. Israel es un particular que conduce a la bendición de lo universal. McDermott afirma: «Dios tiene la misión de redimir al mundo (lo universal) a través de Israel (lo particular). No se trata ni de lo particular *ni* de lo universal, sino de lo universal *a través* de lo particular».[10]

McDermott señala que el nuevo sionismo cristiano no es dispensacionalismo y no se identifica con los matices teológicos del dispensacionalismo. Tampoco le gusta el énfasis del dispensacionalismo en discernir los acontecimientos del final de los tiempos. Sin embargo, la creencia del nuevo sionismo cristiano en la importancia teológica del Israel corporativo tanto ahora como en el futuro es similar a la del dispensacionalismo. El libro de McDermott incluye los escritos de dos dispensacionalistas progresivos, Craig Blaising y Darrell Bock. Así pues, las ideas del nuevo sionismo cristiano concuerdan en gran medida con el dispensacionalismo progresivo.

---

[7] McDermott, «Introduction», *The New Christian Zionism*, 13. Énfasis en el original.
[8] McDermott, «A History of Supersessionism», en *The New Christian Zionism*, 35.
[9] Ibíd.
[10] McDermott, *Israel Matters*, 47.

Dado que el nuevo sionismo cristiano es reciente, es difícil dar una evaluación completa de él. Además, el nuevo sionismo cristiano no abarca tantas cuestiones como el dispensacionalismo, la teología del pacto y el pactualismo progresivo. Se centra sobre todo en la importancia del Israel corporativo en los planes de Dios, un futuro reino terrenal de Jesús el Mesías, y una hermenéutica adecuada para comprender el argumento bíblico. En cuanto a la hermenéutica, esta perspectiva ofrece una sólida defensa para entender literalmente las profecías del Antiguo Testamento y el libro del Apocalipsis.

Además, el nuevo sionismo cristiano afirma la importancia de las naciones y de la nación Israel. Esto puede observarse en la siguiente afirmación de McDermott:

> Ellos [los teólogos] deberían recordar que la visión de Ezequiel de los huesos secos que cobran vida es una visión no de individuos, sino de toda una nación que vuelve a la vida. Tanto los profetas como el libro de Apocalipsis hablan de las naciones del mundo venidero, no simplemente de un enjambre de individuos indiferenciados. Y en el centro de las naciones del mundo está la nación Israel. Los teólogos tienen que aceptarlo.[11]

Los autores también afirman que el reino de Jesús involucra a la tierra. En cuanto al reino que Jesús predicó, McDermott señala: «Pero ¿y si ese reino no estaba simplemente oculto en los corazones de hombres y mujeres, sino que también fue visualizado por Jesús para ser una realidad terrenal en el futuro, con el Israel territorial en su centro?»[12] Esta mención de «realidad terrenal» e «Israel territorial» revela fuertes elementos del modelo de la nueva creación.

En resumen, el nuevo sionismo cristiano ofrece una sólida hermenéutica contextual y literal que no es supersesionista y afirma el cumplimiento literal de las profecías del Antiguo Testamento. Aunque no menciona explícitamente los modelos de la nueva creación y de la visión espiritual, la siguiente declaración revela una comprensión de la nueva creación:

> En resumen, el nuevo sionismo cristiano espera alertar a los eruditos y a otros cristianos para que tengan cuidado con la tentación geográfico-docética que ofrece el antisionismo. El antisionismo

---

[11] McDermott, «Implications and Propositions», en *The New Christian Zionism*, 325–36.

[12] Ibídem, 320.

> supersesionista propone una teología divorciada de la corporeidad y la fisicalidad: un pueblo sin tierra, un Jesús sin su pueblo ni su tierra ni su tradición, y la Iglesia primitiva viviendo, por así decirlo, suspendida en el aire sobre la tierra palestina.[13]

En su capítulo sobre «Hermenéutica bíblica», en *The New Christian Zionism*, Craig Blaising presenta una nueva hermenéutica creacionista y refuta las creencias hermenéuticas a menudo asociadas con un enfoque de visión espiritual. Aborda «cuatro líneas clave» de material textual que suelen utilizar los supersesionistas para apoyar su idea de un cambio de realidad en el argumento de la Biblia: (1) las declaraciones de «cumplimiento» en Mateo; (2) el «lenguaje espiritual» de Juan; (3) la tipología en Hebreos; y (4) el universalismo de Pablo (en contraposición a la particularidad que involucra a Israel).[14] A continuación, muestra que estas áreas son mal entendidas por los supersesionistas.

Abordando el supersesionismo estructural común que a menudo lleva a pasar por alto la importancia de Israel en el argumento bíblico, McDermott sostiene que una comprensión adecuada de Israel debería conducir a un reanálisis de los textos que a menudo se pasan por alto o se ignoran:

> Una vez que los traductores y los lectores de la Biblia estén convencidos de que Israel no es meramente pasado, sino también presente y futuro, podrían ver cosas en el texto bíblico que siempre estuvieron ahí pero que de algún modo pasaron por alto. Por ejemplo, podría sorprenderles de nuevo la íntima conexión entre la historia judía y su tierra.[15]

Evaluación del nuevo sionismo cristiano

El nuevo sionismo cristiano afirma un nuevo enfoque creacionista del argumento bíblico. Busca seriamente en el Antiguo Testamento y en Apocalipsis información sobre el argumento bíblico sin espiritualizarlos. Y afirma un futuro reino terrenal del Mesías, la importancia del Israel nacional y la presencia de las naciones en un reino terrenal. También afirma con exactitud que Dios utiliza lo particular para bendecir lo universal de un modo que no hace que lo particular desaparezca en

[13] McDermott, «Introduction», en *The New Christian Zionism*, 29.
[14] Craig Blaising, «Biblical Hermeneutics», en *The New Christian Zionism*, 83.
[15] McDermott, «Implications and Propositions», en *The New Christian Zionism*, 321.

importancia. Dios utiliza a Israel y la tierra de Israel para bendecir a todas las naciones en sus tierras. El nuevo sionismo cristiano también rechaza el platonismo y el agustinismo; y al hacerlo, refuta una hermenéutica del modelo de la visión espiritual.

El nuevo sionismo cristiano también muestra que la creencia en la importancia del Israel nacional no es sólo para el dispensacionalismo. Este enfoque es reciente, pero esperamos más contribuciones de sus eruditos.

28

REFLEXIONES RESUMIDAS SOBRE LAS VISIONES MILENARIAS Y LOS SISTEMAS TEOLÓGICOS

Hemos examinado cómo se relacionan diversos sistemas teológicos y visiones milenarias con los modelos de la nueva creación y la visión espiritual. Aquí queremos categorizar sucintamente nuestros hallazgos. Esto se refiere a qué puntos de vista son coherentes con el modelo de la nueva creación, cuáles son una mezcla de los dos modelos y cuáles están mayoritariamente en línea con el modelo de la visión espiritual.

Sistemas del modelo de la nueva creación

Las perspectivas más coherentes con el modelo de la nueva creación son el dispensacionalismo progresivo, el dispensacionalismo revisado, el premilenialismo histórico no-laddiano y el nuevo sionismo cristiano. Estos sistemas abordan algo más que la salvación humana individual y afirman una restauración holística de todas las cosas. Afirman la importancia de la tierra, las criaturas de la tierra, el territorio, las bendiciones físicas, el Israel nacional, las naciones, las etnias, etc. Estas perspectivas consideran seriamente las Escrituras hebreas por derecho propio, incluidas las secciones proféticas del Antiguo Testamento y el libro de Apocalipsis. También rechazan enérgicamente el supersesionismo y afirman la importancia del Israel nacional en los propósitos de Dios. También evitan el error de espiritualizar o tipologizar entidades tangibles y nacionales que no estaban destinadas a ser espiritualizadas.

De los tres principales sistemas teológicos evangélicos —la teología del pacto, el dispensacionalismo y el pactualismo progresivo— el dispensacionalismo es el más coherente con el neocreacionismo, especialmente el dispensacionalismo revisado y el progresivo. Curiosamente, el dispensacionalismo clásico no puede calificarse como un sistema coherente del modelo de la nueva creación, ya que contiene demasiados elementos del modelo de la visión espiritual. Su creencia en que los santos del Antiguo Testamento y la iglesia son un pueblo celestial con un destino celestial para siempre aparte de la tierra coincide con un enfoque de visión espiritual. Además, su uso de una hermenéutica tipológica además de una hermenéutica gramatical-histórica está más en consonancia con el modelo de la visión espiritual.

El premilenialismo histórico no laddiano, como el que encontramos con J. C. Ryle, Charles Spurgeon y, más recientemente, Barry Horner, está muy en línea con el modelo de la nueva creación. Este punto de vista afirma un futuro reino terrenal de Jesús, un futuro para el Israel nacional y un papel para las naciones geopolíticas en el futuro. El nuevo sionismo cristiano también afirma estas creencias.

Una mezcla de los modelos

Teología del pacto

La teología del pacto es difícil de categorizar en una escala de modelo de visión espiritual —modelo de la nueva creación, ya que es sobre todo un sistema de salvación de los elegidos. Se centra en la soteriología humana y no en la escatología cósmica o en las dimensiones holísticas del reino y los pactos bíblicos. Los tres pactos principales de la teología del pacto —la redención, las obras y la gracia— conducen la discusión a cuestiones de salvación individual. Estos pactos también son utilizados por los teólogos del pacto para hacer que los pactos bíblicos traten sólo o principalmente de la redención espiritual. A menudo se pasan por alto las múltiples dimensiones de los pactos bíblicos.

Los teólogos del pacto también tienen puntos de vista diferentes sobre cuestiones como el Milenio, Israel y cómo entender los pasajes proféticos de la Biblia. Los pactualistas pueden ser amilenialistas, postmilenialistas o premilenialistas, aunque la mayoría son amilenialistas. Los teólogos del pacto amilenialistas tradicionales serían los menos acordes con el modelo de la nueva creación.

Los postmilenialistas del pacto lo estarían más que los amilenialistas del pacto. Pero ambos son menos creacionistas de la nueva creación que los premilenialistas pactualistas. Los premilenialistas pactualistas como Bonar y Ryle eran considerablemente más neocreacionistas en su pensamiento que otros pactualistas, ya que sostenían un futuro reinado venidero de Jesús sobre la tierra y el futuro significado del Israel corporativo y nacional en los planes de Dios. Además, entendían las profecías del Antiguo Testamento literalmente.

Además, los pactualistas han mantenido diferentes puntos de vista sobre el Israel nacional a lo largo de los últimos siglos. La mayoría de los pactualistas del último siglo han promovido el supersesionismo en relación con Israel y la iglesia. Pero un número significativo de pactualistas de los siglos XVII al XIX expresaron su creencia en la importancia del Israel nacional en los planes de Dios. Aunque la mayoría de los pactualistas recientes son supersesionistas, algunos pactualistas anteriores no lo eran. Por lo tanto, no se puede decir que la teología del pacto sea inherentemente supersesionista. Sin embargo, muchos de sus adherentes han expresado un punto de vista supersesionista, y un punto de vista supersesionista es común hoy en día.

Muchos teólogos del pacto consideran las cuestiones escatológicas del Antiguo Testamento relacionadas con Israel y la tierra como tipos y sombras. Y muchos creen que el Antiguo Testamento ha sido trascendido o redefinido por el Nuevo Testamento. Así pues, la teología del pacto actual tiene creencias coherentes con el modelo de la visión espiritual. Sin embargo, los teólogos del pacto creen en la resurrección del cuerpo y a menudo afirman creer en una futura tierra nueva tangible. Estas son ideas del modelo de la nueva creación. Pero, en general, la teología del pacto es una mezcla entre los dos modelos y contiene demasiados elementos del modelo de la visión espiritual como para ser un sistema útil y completo para comprender los grandes propósitos de Dios. Su carril teológico es la redención individual en Jesús, un área muy importante. Pero la teología del pacto no contribuye mucho a una comprensión a gran escala de los propósitos de Dios en la historia.

Pactualismo progresivo

El pactualismo progresivo contiene elementos tanto de la nueva creación como del modelo de la visión espiritual. Afirma una nueva tierra tangible en el futuro. También enseña la resurrección del cuerpo. Estos elementos son coherentes con el modelo de la nueva creación. Pero al igual que la teología del pacto, el pactualismo progresivo es sobre todo una soteriología o sistema de salvación de los elegidos. Se centra en la redención de los elegidos mediante el nuevo pacto. A veces menciona que los pactos están relacionados con «toda la creación», pero se dice poco sobre la restauración de toda la creación o sobre las dimensiones físicas de los pactos. El enfoque de los pactos con el pactualismo progresivo se dirige casi exclusivamente a la salvación del pecado y a las bendiciones espirituales.

Además, el uso que hace el pactualismo progresivo de la tipología para redefinir las expectativas del Antiguo Testamento sobre Israel y la tierra de Israel también está en consistencia con el modelo de la visión espiritual. Este sistema no deja que las afirmaciones explícitas de la Biblia determinen el argumento bíblico, sino que se fija en supuestas conexiones tipológicas cuestionables o erróneas. Su énfasis en la transformación de entidades estratégicas del Antiguo Testamento conduce a un cambio en la línea argumental. El pactualismo progresivo, por tanto, mantiene elementos de los modelos de la nueva creación y de la visión espiritual.

Amilenialismo de la tierra nueva

¿Qué pasa con el amilenialismo y los modelos? La respuesta a esta pregunta es compleja y depende de qué forma de amilenialismo se esté discutiendo. La versión más nueva del amilenialismo —el amilenialismo de la tierra nueva— contiene elementos reales del modelo de la nueva creación. Adopta un enfoque más literal de las profecías del Antiguo Testamento y espera algún cumplimiento literal de éstas en una nueva tierra tangible en el estado eterno. Por ejemplo, la afirmación de Hoekema de que habrá cultura y trabajo reales en el estado eterno es encomiable y coherente con el modelo de la nueva creación.

Sin embargo, por desgracia, el amilenialismo de la tierra nueva, al igual que el amilenialismo tradicional, sigue pasando por alto la naturaleza tangible y holística del reino mesiánico/milenial de Jesús. Insiste en que el reino milenario/mesiánico de Jesús es sólo un reino espiritual que no implica entidades tangibles ni un gobierno sobre la tierra y las naciones geopolíticas. Así, el amilenialismo de la tierra nueva pasa por alto una parte importante del argumento bíblico: la verdad de que el reino de Jesús incluye pero es más que la salvación espiritual del pecado. El reino de Jesús implica una restauración holística y tangible de todos los aspectos de la creación, incluida la sociedad y la cultura, y un gobierno sobre la tierra y las naciones. En resumen, el amilenialismo de la tierra nueva falta a la verdad de que el reino mesiánico/milenial de Jesús antes del estado eterno es el cumplimiento de la tarea del reino mediador dado al hombre en Génesis 1. A su favor, el amilenialismo de la tierra nueva cree que muchas promesas físicas se cumplirán en el estado eterno, pero excluye estos asuntos del reino milenario de Jesús.

Y aunque sostiene que algunas profecías del Antiguo Testamento deben interpretarse literalmente, el amilenialismo de la tierra nueva también espiritualiza muchas profecías del Antiguo Testamento, especialmente las relativas a Israel y a la tierra de Israel. Y afirma el supersesionismo al insistir en que la iglesia en Cristo es el nuevo/verdadero Israel y que el Israel nacional ya no es significativo en los propósitos de Dios. Un sistema no puede ser coherentemente neocreacionista si espiritualiza a Israel. Así pues, el amilenialismo de la tierra nueva no es coherente con el modelo de la nueva creación. En general, es mejor que el amilenialismo tradicional, pero sigue sin estar a la altura del modelo de la nueva creación en áreas clave. Pero la mejora del amilenialismo de la tierra nueva sobre el amilenialismo agustiniano tradicional es notable y encomiable.

Premilenialismo histórico laddiano

También el premilenialismo histórico laddiano es una mezcla entre los modelos de la nueva creación y de la visión espiritual. El premilenialismo, por naturaleza, es neocreacionista ya que afirma un reino terrenal venidero de Jesús tras su segunda venida que transforma la creación. El premilenialismo histórico laddiano también reconoce una tierra nueva tangible en la eternidad. Estas dos creencias son significativas y colocan a esta forma de premilenialismo por encima de algunos otros sistemas.

Pero hay dos áreas clave en las que el premilenialismo histórico laddiano es inconsistente con el neocreacionismo. En primer lugar, Ladd sostiene que el Nuevo Testamento espiritualiza y reinterpreta las profecías y bendiciones espirituales del Antiguo Testamento. Y, en segundo lugar, Ladd espiritualiza a Israel para hacer de la iglesia un nuevo Israel espiritual. Ve poco lugar para el Israel nacional en el reino venidero de Jesús. Estas ideas están más en consonancia con el modelo de la visión espiritual.

Postmilenialismo

El postmilenialismo también contiene elementos de los modelos de la nueva creación y de la visión espiritual. Consistente con el modelo de la visión espiritual espiritualiza el trono de David para que sea un trono celestial a la diestra de Dios en esta era. Sin embargo, la Biblia presenta consistentemente el trono de David como centrado en Jerusalén e involucrando un reinado tangible sobre Israel y las naciones de la tierra (Jer. 17:25). Jesús afirma esto en Mateo 19:28-30 al afirmar que su entronización ocurre en el momento de la renovación de la tierra (*paliggenesia*) cuando los doce apóstoles juzgarán a las doce tribus restauradas de Israel. Cuando el postmilenialismo traslada el trono davídico al cielo hace un movimiento del modelo dela visión espiritual. Jesús se sienta a la diestra de Dios en el cielo donde comparte el trono del Padre. Pero esto es diferente del trono davídico en el que Jesús se sentará después de su regreso (véase Mt. 25:31). El trono del Padre y el trono de Jesús son distinguidos por el propio Jesús en Apocalipsis 3:21: «Al que venciere, le concederé que se siente conmigo en mi trono, como yo también vencí y me senté con mi Padre en su trono».

Y aunque a menudo afirma una salvación futura del pueblo judío, el postmilenialismo es supersesionista, ya que niega la importancia continua del Israel nacional en los planes de Dios.

Sin embargo, el postmilenialismo tiene creencias del modelo de la nueva creación. Además de creer en la resurrección del cuerpo, el postmilenialismo cree que el reino milenario/mesiánico de Jesús transforma todos los aspectos de la sociedad y la cultura, lo que constituye un concepto neocreacionista. Junto con el premilenialismo, cree acertadamente que el reino de Jesús implica algo más que la salvación espiritual. Su reino mesiánico/milenial transforma toda la creación. En este punto el postmilenialismo es más neocreacionista que el amilenialismo.

Pero hay problemas para el postmilenialismo en relación con el estado eterno. La claridad entre los postmilenialistas sobre este tema es esquiva y sus puntos de vista sobre el estado eterno son variados. Como dijimos antes, algunos postmilenialistas como Jonathan Edwards promovieron un punto de vista del modelo de la visión espiritual del estado eterno después del milenio. Para Edwards, el estado eterno no tiene lugar en una tierra renovada. No todos los postmilenialistas espiritualizan el estado eterno como lo hizo Edwards, pero poco han ofrecido los postmilenialistas sobre el estado eterno. Parece que algunos creen en un estado eterno literal. Pero otros espiritualizan el estado eterno de Apocalipsis 21-22, pensando que este pasaje se refiere figurativamente a nuestra salvación presente. Esto espiritualiza los dos últimos capítulos de la Escritura. Así que el postmilenialismo tiene más elementos del modelo de la nueva creación que el amilenialismo, pero tiene menos que el premilenialismo. Así, el postmilenialismo tiene elementos de los modelos de la nueva creación y de la visión espiritual.

El modelo de la visión mayoritariamente espiritual

El amilenialismo tradicional, asociado con Agustín, el catolicismo romano y muchos protestantes, puede ser categorizado como «modelo de la visión mayoritariamente espiritual». Afirma la resurrección del cuerpo y a menudo afirma una tierra nueva tangible después del milenio, lo que es coherente con el modelo de la nueva creación. Pero afirma que el reino milenario/mesiánico de Jesús es sólo espiritual y a veces ridiculiza la idea de que el reino de Jesús pudiera ser un reino terrenal. También es supersesionista en lo que respecta a Israel. Además, el amilenialismo tradicional utiliza a menudo una hermenéutica espiritualizadora y tipológica para redefinir y reinterpretar las realidades tangibles en espirituales. Esto conduce a un cambio argumental del Antiguo Testamento al Nuevo Testamento. Éstas son fuertes características del modelo de la visión espiritual. De hecho, de todas las visiones teológicas tratadas en este libro, el amilenialismo tradicional es la menos coherente con el modelo de la nueva creación y la que menos tiene que ofrecer respecto a los propósitos cósmicos y escatológicos de Dios. Simplemente hay demasiados elementos del modelo de la visión espiritual asociados con el amilenialismo tradicional para que sea un punto de vista útil.

La tendencia

Parece haber buenas noticias. Como hemos documentado, los puntos de vista y sistemas milenaristas varían en la escala modelo de la nueva creación-modelo de la visión espiritual. Pero los sistemas, en general, parecen tender en la dirección del modelo de la nueva creación y en contra del modelo de la visión espiritual. Steven James observa: «el creciente descontento respecto a la tendencia hacia una escatología de visión espiritual a lo largo de la historia se extiende por diversas denominaciones y tradiciones eclesiales».[1]

Por ejemplo, el reciente amilenialismo de la tierra nueva es una mejora del amilenialismo tradicional. Y los actuales amilenialistas tradicionales parecen ser más claros sobre una nueva tierra tangible en el estado eterno que los amilenialistas anteriores. Aunque los postmilenialistas dicen poco sobre el reino eterno, parece que algunos postmilenialistas afirman un reino eterno tangible con una tierra nueva, una mejora sobre el postmilenialismo de Jonathan Edwards y algunos puritanos. Las formas más recientes de dispensacionalismo —revisado y progresivo— tienen más elementos de la nueva creación que el dispensacionalismo clásico. Como hemos mencionado antes, la teología del pacto es difícil de evaluar. Algunos teólogos del pacto parecen estar adoptando más ideas neocreacionistas relativas a la nueva tierra en la eternidad. Sin embargo, el supersesionismo parece prevalecer más en la teología del pacto del siglo pasado que en la de los siglos XVII al XIX.

Aunque no es un sistema evangélico, incluso el catolicismo romano parece tender en la dirección del modelo de la nueva creación. En el libro *Four Views on Heaven,* el católico romano Peter Kreeft expresa su creencia en una próxima tierra nueva tangible. Esto está muy alejado de la versión de la eternidad de Tomás de Aquino en la que existe un cielo empíreo más allá del universo físico donde el pueblo de Dios reside para siempre.

---

[1] James, «Recent New Creation Conceptions and the Christian Mission» 26, n.7.

CONCLUSIÓN:

EL MODELO DE LA NUEVA CREACIÓN Y EL CAMINO A SEGUIR

En este libro hemos defendido el modelo de la nueva creación frente al modelo de la visión espiritual como el paradigma bíblico para comprender con precisión los propósitos de Dios. Este modelo no se impone a las Escrituras, sino que surge de un estudio inductivo de todas ellas. Tampoco es un nuevo sistema teológico, sino una perspectiva que permite detectar todo lo que Dios está haciendo en la historia tal y como se revela en la Biblia.

El argumento de la Biblia se centra en la creación y en una creación restaurada con un reino mediador del hombre en nombre de Dios. Jesús, tanto en su persona como en su obra, es fundamental para los propósitos del reino y del pacto de Dios. Él es quien lleva a término todos los propósitos de Dios. Esto ocurre a través de sus dos venidas a la tierra.

El modelo de la nueva creación detecta la intención original de Dios de que la humanidad «gobierne» y «someta» la tierra y todas sus criaturas. Establece un vínculo intrínseco entre la creación de Génesis 1-2 y la nueva creación de Apocalipsis 20-22. La redención de los humanos es un tema importante, pero esto encaja con los propósitos del reino de Dios a gran escala. Los humanos son salvos para estar en relación con Dios y reinar sobre la tierra en presencia de Dios para su gloria. Esto es cierto tanto para el reino mesiánico/milenial de Jesús como para el reino eterno cuando el hombre reine sobre la tierra en la plena presencia de Dios. Apocalipsis 5:10 predice que el pueblo de Dios reinará sobre la tierra. En la escena final que describe la tierra nueva en las Escrituras, se representa a los santos en la presencia de Dios y reinando para siempre en la tierra (véase Ap. 22:1-5). La relación con Dios en su presencia va unida a un reinado funcional. Tal comprensión es más amplia y holística que la idea común de que los propósitos de Dios sólo conciernen a la redención humana, por importante que ésta sea. La salvación humana es muy estratégica en los planes de Dios, pero es un medio para la creación mayor y los propósitos del reino. Jesús salva a las personas para que puedan relacionarse y obrar de la forma en que Dios pretendía para ellas. Estas ideas están en el corazón del modelo de la nueva creación. Pero, ¿qué debería significar en la práctica un enfoque basado en el modelo de la nueva creación para los cristianos y la iglesia en el futuro? Ofrecemos ocho sugerencias.

En primer lugar, significa pensar amplia y profundamente en todo lo que Dios está haciendo. Necesitamos una cosmovisión grande y exhaustiva. Necesitamos detectar todas las dimensiones del evangelio y sus implicaciones para toda la creación. Sí, todavía enseñamos apasionadamente y con frecuencia sobre la importancia de la salvación individual del pecado y de vivir una vida piadosa. El evangelio debe llevarse a los perdidos con gran intensidad y urgencia. Pero también debemos estudiar los grandes propósitos de Dios. Tratamos de comprender todo lo que sucede en la Biblia. Debemos conectar los puntos teológicos desde Génesis 1-2 (creación) hasta Apocalipsis 20-22 (nueva creación). Esto implica captar las múltiples dimensiones del reino de Dios y los propósitos del pacto. Debemos contemplar el significado de las naciones, las etnias, los asuntos sociales y culturales. Debemos perseguir los propósitos de Dios para la tierra, los animales, las aves, los peces, los reptiles, los árboles, el agua y la creación inanimada. Además, el día del Señor, el reino milenario/mesiánico de Jesús y el reino eterno también deben ser considerados profundamente. Éstos forman parte de nuestra esperanza. Comprender los grandes propósitos de Dios nos posiciona mejor para entender el papel de la iglesia en esta era, y nuestro papel en la gran historia.

Y además de comprender el papel de Jesús como Salvador, también anticipamos el papel de Jesús como rey gobernante sobre el mundo y las naciones. El argumento cristiano consta de cinco partes principales: creación, caída, promesa, realidades de la primera venida (salvación) y realidades de la segunda venida (restauración/reino). Aprenda y enseñe sobre las cinco. Así comprenderá mejor el argumento bíblico.

En segundo lugar, los modelos de la nueva creación y la visión espiritual deberían obligarnos a examinar nuestras ideas preconcebidas para asegurarnos de que son bíblicas. A veces, ideas no bíblicas se infiltran en el pensamiento cristiano. Randy Alcorn señaló acertadamente que los cristianos operan a menudo a partir de una mezcla de platonismo y cristianismo, lo que él llama «cristoplatonismo». Pero debemos despojarnos de cualquier resto de platonismo o de religiones orientales de nuestra visión del mundo. ¿Hay demasiado modelo de la visión espiritual en su pensamiento? Esfuércese por asegurarse de que su perspectiva sobre la realidad y el futuro son completamente bíblicas.

Tercero, estudie más la escatología. Este punto va en contra del pensamiento actual. Algunos cristianos e iglesias simplemente descartan la escatología y las discusiones sobre el futuro. Se dan palmaditas en la espalda por no hablar nunca del rapto, ni del día del Señor, ni del milenio, ni del futuro de Israel o de las naciones. Pero un nuevo enfoque creacionista adopta el estudio serio de los acontecimientos futuros. Los acontecimientos venideros importan. Son una parte central de nuestra esperanza. Y nos obligan a pensar más allá del aquí y el ahora. No todo el mundo estará de acuerdo en todos los detalles de la escatología, pero eso no debe impedirnos estudiar lo que dice la Biblia sobre el futuro. Una cosmovisión bíblica completa implica una comprensión coherente de hacia dónde se dirige la historia. Los pasajes bíblicos sobre la restauración de todas las cosas deberían ser un estímulo y una esperanza para todos los cristianos.

En cuarto lugar, el neocreacionismo debería llevar a estudiar todos los pasajes de las Escrituras. Toda la Biblia contribuye a los propósitos de Dios, incluidas las profecías del Antiguo Testamento y el libro del Apocalipsis. Éstas revelan información importante por derecho propio. Deben enseñarse, no evitarse. Si está en una iglesia que nunca enseña el Antiguo Testamento, los libros proféticos o el Apocalipsis, pregunte por qué no. Pida respetuosamente que se enseñe todo el consejo de Dios.

En quinto lugar, un neocreacionismo coherente significa rechazar el supersesionismo. Israel es una parte importante del argumento bíblico. Pero la iglesia tiene una larga historia de enseñanza de que el Israel corporativo ya no es significativo en los propósitos de Dios. Como muestra Romanos 9-11, una iglesia mayoritariamente gentil puede pensar que Dios ha rechazado a Israel (véase Rom. 11:1). Tal opinión Pablo la considera «arrogante» (véase Rom. 11:18). El supersesionismo impide una comprensión adecuada de lo que Dios está haciendo al eliminar el papel de Israel en ser utilizado por Dios para bendecir a las naciones. Israel no es la única parte de la historia. Tampoco es la parte más importante. Pero sí es una parte importante del argumento bíblico y debemos esforzarnos por comprender a este actor en los propósitos de

Dios. Haga hincapié en Israel tanto como lo hace la Biblia. Ni más ni menos. El neocreacionismo, por tanto, no es supersesionista. Afirma la importancia teológica del Israel étnico/nacional en los propósitos de Dios. Esto no significa que todos deban estar de acuerdo en todo lo relativo a Israel. Pero sí significa abrazar la importancia de Israel en los planes de Dios.

En sexto lugar, un enfoque neocreacionista debería dar lugar a más escritos e investigaciones sobre los propósitos creacionales/del reino de Dios. El libro de Steven James, *New Creation Eschatology and the Land* es útil.[1] También lo es la obra de Andrew Kim, *The Multinational Kingdom in Isaiah*.[2] Se trata de las promesas de los propósitos de Dios desde una perspectiva neocreacionista. James argumenta que quienes sostienen un modelo de nueva creación también deberían reconocer la importancia de Israel y de la tierra de Israel. Kim analiza la importancia de las naciones geopolíticas en Isaías. Deberían publicarse más obras como éstas que den cuerpo a un modelo de la nueva creación coherente. Intento ofrecer una teología bíblica del reino de Dios desde la perspectiva del modelo de la nueva creación con mi libro, *He Will Reign Forever: A Biblical Theology of the Kingdom of God*.[3] El libro de Randy Alcorn, *El Cielo,* ofrece información muy necesaria desde una perspectiva neocreacionista sobre la naturaleza de la vida eterna.[4] Aunque difieren de nuestro punto de vista sobre Israel, las obras de Snyder, Middleton y Moo mencionadas en este trabajo son útiles para comprender los propósitos multidimensionales de Dios.

En séptimo lugar, un enfoque neocreacionista significa aplicar la cosmovisión cristiana a todos los ámbitos. Tiene seriamente en cuenta todos los aspectos de nuestro entorno, incluidos los ámbitos social, cultural y político. Puesto que todos los aspectos de la realidad le importan a Dios, debemos aplicar una cosmovisión cristiana en conjunto. Esto significa tener una visión cristiana de las cuestiones vitales relacionadas con el aborto y el final de la vida. Implica poseer una visión cristiana de las etnias y las naciones. Significa promover la perspectiva cristiana del matrimonio y el género. Estos ámbitos no tienen por qué rendirse a la cultura secular y a la izquierda política.

---

[1] James, *New Creation Eschatology and the Land*.

[2] Andrew H. Kim, *The Multinational Kingdom in Isaiah: A Study of the Eschatological Kingdom and the Nature of its Consummation* (Wipf & Stock, 2020).

[3] Publicado por Lampion. Eugene, OR, 2017.

[4] No estamos diciendo que Alcorn utilice explícitamente el título «modelo de la nueva creación». Tampoco estamos diciendo que está de acuerdo con todo lo que aparece en nuestro libro.

Aunque las estructuras sociales y políticas actuales de este mundo son profundamente malvadas y no serán desarraigadas y arregladas de forma permanente hasta que Jesús regrese, aún estamos llamados a ser sal y luz para un mundo decadente y oscuro. Podemos defender la justicia y la verdad en todas las áreas. Podemos resistir al mal allí donde se encuentre. Las iglesias deberían enseñar a los cristianos a adoptar y aplicar una visión cristiana del mundo en todo y en todos. Se debería animar a los cristianos a influir en la sociedad y la cultura. Necesitamos más influencia cristiana en los ámbitos de la educación, la ciencia, el arte, la música, el teatro, la tecnología, la medicina, la agricultura, la arquitectura, etc.

En octavo lugar, deje que una nueva comprensión creacionista anime su corazón. A medida que nuestro mundo se deteriora, cada vez más gente está desesperada. Muchos tienen miedo. Las adicciones y los suicidios alcanzan niveles nunca antes vistos. Fuera de Jesús no hay esperanza. Pero este no es el caso del seguidor de Jesús. ¡Anímese! Jesús dijo: «En este mundo afrontarán aflicciones, pero ¡anímense! Yo he vencido al mundo». Sí, al igual que otros en la era actual, experimentamos sufrimientos y penas. Nuestros cuerpos se deterioran. Perdemos a personas que amamos. Parece que cuanto más vivimos más seguimos diciendo «adiós». Las lágrimas forman parte de este valle por el que ahora caminamos. Pero hay otro lado. Nos afligimos, pero no nos afligimos como los que no tienen esperanza (véase 1 Tes. 4:13). Sufrimos pérdidas en esta época de muchas maneras. Pero al final, ¡nada está perdido! Jesús vendrá de nuevo para traer la restauración de todas las cosas (véase He. 3:20-21). Dios está haciendo nuevas todas las cosas (véase Ap. 21:5). Secará toda lágrima y no habrá más llanto ni dolor (Ap. 21:3). Jesús prometió que, en la renovación de la tierra, todo lo que perdamos se nos multiplicará de nuevo, incluidas las relaciones y los hogares (véase Mt. 19:28-30). En verdad, ¡nada está perdido!

Todo lo afectado por el pecado y la muerte será restaurado. Los muchos acontecimientos y experiencias negativos, malvados y trágicos a los que nos enfrentamos y nos abruman en este mundo caído quedarán un día en el pasado. Y no sólo estarán en el pasado, sino que también serán reemplazados por lo que es bueno y hermoso. El cáncer no existirá. Cesarán las enfermedades cardíacas. No habrá más asesinatos. No más accidentes de auto. No más sillas de ruedas. No más niños muriendo. No más guerras.

Los funerales y los cementerios desaparecerán para siempre. Los seres queridos perdidos por la muerte se reunirán. Estará en presencia de su Dios y de Jesús que murió por usted. Disfrutará de las relaciones con otras personas que aman a Dios. Y todo esto tendrá lugar en una hermosa y espectacular tierra nueva: el amor en el contexto de la belleza. ¡Ese es nuestro destino! ¡Viva a la luz de esa esperanza! El modelo de la nueva creación es práctico tanto ahora como para el futuro.

Con él comprendemos mejor los propósitos de Dios y nuestra relación con ellos. Comprendemos mejor nuestro papel en la gran historia. Extrae la esperanza que ofrece la Biblia. El reino de Dios y la restauración de todas las cosas son partes apasionantes de la cosmovisión cristiana. Atravesemos la niebla del modelo de la visión espiritual y abracemos la gloriosa esperanza que revelan las Escrituras. Y compartamos esta esperanza con los demás.

APÉNDICE:

RESPUESTA A LOS CRÍTICOS DEL MODELO DE LA NUEVA CREACIÓN

El modelo de la nueva creación cree que el centro de la vida eterna es Dios y estar en su presencia. Esta experiencia tiene lugar en una tierra nueva con interacciones sociales y culturales entre los redimidos. Con sus bienaventuranzas, Jesús declaró que los puros de corazón «verán a Dios» (Mt. 5:8). Y también declaró que los mansos «heredarán la tierra» (Mt. 5:5). Así pues, tanto ver a Dios como heredar la tierra son verdaderos.

Este modelo también defiende y afirma la majestuosidad, la trascendencia y la gloria de Dios, que es el único digno de todo culto y honor. Y también da a las personas «lo que les corresponde como criaturas con dignidad independiente».[1] Pero no todos apoyan el modelo de la nueva creación. En su libro, *Seeing God: The Beatific Vision in Christian Tradition,* Hans Boersma afirma que un concepto más terrenal de la eternidad daña el enfoque espiritual tradicional de la comunión con Dios. Mientras Randy Alcorn pedía a los cristianos que rechazaran el «cristoplatonismo», la fusión entre cristianismo y platonismo, Allen señala que Boersma defiende «la necesidad de volver a una síntesis cristiano-platonista más extraterrenal».[2]

Un argumento sostenido contra el neocreacionismo aparece en el libro de Michael Allen, *Grounded in Heaven: Recentering Christian*

[1] McDannell y Lang, *Heaven*, 142. Los autores señalan que esto es lo que intentaron hacer los teólogos y artistas del Renacimiento.
[2] Michael Allen, *Grounded in Heaven*, 45.

Hope and Life on God. Allen critica el modelo de la nueva creación, al que llama peyorativamente «naturalismo escatológico».[3] Según Allen, el «naturalismo escatológico» sitúa a Dios en un papel secundario, más como un medio para un fin o un instrumento para otras cosas:

> Por naturalismo escatológico, me refiero muy específicamente a un enfoque teológico que habla de Dios instrumentalmente como medio o instigador de un fin, pero que no confiesa sustantivamente la identidad de Dios como nuestro único y verdadero fin (en el que sólo se puede disfrutar de otras cosas).[4]

Allen cree que este punto de vista también es una amenaza para la comunión con Dios:

> Por lo tanto, debemos tener cuidado de no caer involuntariamente en un naturalismo escatológico que habla de Dios instrumentalmente (como medio o instigador de un fin) pero no confiesa la comunión con Dios como nuestro único y verdadero fin (en quien sólo debe disfrutarse de cualquier otra cosa).[5]

Allen también cree que el naturalismo escatológico implica «una inclinación hacia la elevación de lo terrenal, lo encarnado y lo material como lo de significado último».[6] También piensa que un nuevo enfoque creacionista convierte lo secundario en primario y lleva a eliminar por completo lo primario (Dios):

> En manos del naturalismo escatológico, lo secundario se eleva a la posición de primario en términos de esperanza cristiana, y lo que de hecho es primario queda relegado (en el mejor de los casos) a los márgenes, cuando no directamente descartado.[7]

Para Allen, esto conduce a una marginación de la presencia de Dios: «el naturalismo escatológico margina la presencia de Dios y difama regularmente la esperanza espiritual de los primeros cristianos».[8] Esto

---

[3] Entre los teólogos que Allen critica se encuentran Herman Bavinck, Richard Middleton y N.T. Wright.

[4] Allen, 39.

[5] Ibídem, 23.

[6] Ibídem, 129.

[7] Ibídem, 39-40.

[8] Ibídem, 41.

hace que Dios abandone el escenario que creó: «el naturalismo escatológico presenta una visión particular del reino de Dios, en la que el Dios trino realiza soberanamente ese reino pero luego parece deslizarse fuera del escenario justo en el momento de su culminación».[9] Para Allen, el naturalismo escatológico está vinculado a la idolatría: «el peligro de la idolatría acecha especialmente en el ámbito de la escatología».[10] También tiene como consecuencia el eclipse de «la mentalidad celestial, la mentalidad espiritual, la negación de uno mismo o cualquiera de las terminologías que han marcado la tradición ascética (en su patrística o, más tarde, en sus iteraciones reformadas)».[11] Es importante destacar que Allen cree que un nuevo enfoque creacionista afecta negativamente a la vida cristiana en el presente. Descuida las cosas celestiales y espirituales y compromete la necesidad de la abnegación.

Allen también afirma que el naturalismo escatológico perjudica la comunión con Dios y la tradicional visión beatífica (visión de Dios). Afirma que «el énfasis neocalvinista en la nueva creación y la terrenalidad de nuestra esperanza puede y ha pasado en ocasiones de ser una productiva corrección reformada de la fe católica a ser parasitaria de los lineamientos básicos del evangelio cristiano».[12] La última parte de esta afirmación es sorprendente, ya que Allen cree que un enfoque neocreacionista es «parasitario» del «evangelio cristiano». Esto lleva las apuestas a un nivel serio. Allen también afirma: «el naturalismo escatológico margina la presencia de Dios y difama regularmente la esperanza espiritual de los primeros cristianos».[13]

La solución para Allen es un retorno a la mentalidad celestial y al ideal ascético que se encuentra en Agustín, Tomás de Aquino, los puritanos y algunos reformadores. Allen afirma que «el camino a seguir en la teología dogmática debería ser agustiniano...».[14] Allen cree que Jesús nos llama a «un ascetismo claramente evangélico en la tradición de Calvino y los puritanos y su recepción de la tradición ascética patrística».[15] Para él, necesitamos un retorno «la importancia sistémica de la teología ascética y la mentalidad celestial para la teología cristiana clásica».[16] Esto incluye incluso la comprensión católica tradicional de la

---

[9] Ibídem, 47.
[10] Ibídem, 36.
[11] Ibídem, 9.
[12] Ibídem, 8-9.
[13] Ibídem, 41.
[14] Ibídem, 47.
[15] Ibídem, 9.
[16] Ibídem, 18-19.

visión beatífica: «Defenderemos un refinamiento de la doctrina católica de la visión beatífica y de la práctica cristiana de la abnegación ascética» que se ajuste a los principios reformadores.[17] Allen elogia la teología católica romana de la era moderna por seguir «atendiendo a este locus clásico». Pero critica a la «divinidad protestante moderna» por no hacerlo.[18]

El argumento de Allen parece ser: *Si creemos que la eternidad implica una nueva tierra en la que el pueblo de Dios tiene interacciones sociales y culturales, perdemos nuestro enfoque en Dios. Hacemos de Dios algo secundario y un medio para un fin. Perdemos la importancia de la vida ascética y de las disciplinas espirituales. Y también abandonamos y ridiculizamos la visión beatífica tradicional de finales de la era patrística y de la edad media.*

Reflexiones sobre las críticas al modelo de la nueva creación

Para los partidarios del modelo de la nueva creación es útil escuchar a los críticos. Aunque Allen es un crítico, apreciamos algunas cosas en sus escritos. Allen señala acertadamente que Dios es lo más importante, y que las cosas creadas nunca deben ser buscadas o enfatizadas más que el Creador. Toda la gloria y la adoración corresponden sólo a Dios. También afirma la necesidad de las disciplinas cristianas, la abnegación y la voluntad de perseverar y abandonarlo todo por Jesús en esta época. Allen también dice muchas cosas buenas sobre la naturaleza de Dios y la vida cristiana.

Sin embargo, la crítica de Allen al modelo de la nueva creación o lo que él llama «naturalismo escatológico» falla. En primer lugar, los creacionistas de la nueva creación también afirman las cosas mencionadas anteriormente sobre el culto a Dios y la necesidad de la autonegación y las disciplinas cristianas en esta época. En segundo lugar, Allen infiere cosas sobre el modelo de la nueva creación que no son ciertas ni necesarias. Asume lo peor sobre este punto de vista sin mostrar cómo el neocreacionismo conduce a las cosas que le preocupan. En tercer lugar, Allen no refuta adecuadamente los argumentos a favor del modelo de la nueva creación a partir de la Biblia. Su respuesta es más emocional que bíblica.

La percepción que Allen tiene de la perspectiva neocreacionista o lo que él llama «naturalismo escatológico» es errónea. Piensa que sostener

[17] Ibídem, 19.
[18] Véase Ibid., 61.

un enfoque neocreacionista, tal y como lo expresan teólogos como Kuyper, Bavinck y Middleton, desvía la atención de Dios. Supuestamente, este modelo se centra más en las cosas creadas que en el Creador. Hace de Dios un medio y un fin. Renuncia a un estilo de vida ascético y a las disciplinas espirituales cristianas. Este modelo es incluso «parasitario» del evangelio. Pero los neocreacionistas no defienden lo que Allen sugiere. Allen tampoco aporta ninguna prueba de que el punto de vista neocreacionista conduzca a tales extremos. Él supone lo peor y presenta una conexión de pendiente resbaladiza. Supuestamente, si usted cree que la vida eterna implica interacciones sociales y culturales específicas, entonces no está lo suficientemente centrado en Dios. Incluso si usted afirma que el culto a Dios es realmente central, Allen no lo acepta. Pero éste es un caso clásico de argumentación de hombre de paja y de no presentar con precisión a su oponente teológico.

A continuación, Allen no refuta suficientemente el «naturalismo escatológico» a partir de las Escrituras. Cita versículos bíblicos que muestran que Dios es luz, que veremos el rostro de Dios y la necesidad de disciplinas espirituales. Pero eso no es una prueba contra la perspectiva neocreacionista. Los neocreacionistas también creen estas cosas. Allen no ofrece ninguna refutación a los textos utilizados por los neocreacionistas para apoyar el modelo de la nueva creación. Uno se pregunta si Allen es siquiera consciente de los argumentos que esgrimen los neocreacionistas. No refuta las interpretaciones de los neocreacionistas de los pasajes bíblicos que hablan de las interacciones sociales y culturales en el reino venidero de Dios. Puesto que se enfrenta al «naturalismo escatológico», Allen necesitaba demostrar que las interacciones sociales y culturales en la tierra nueva venidera no son bíblicas o que los neocreacionistas exageran sus argumentos. Textos como Mateo 19:28-30 enseñan que habrá moradas y relaciones en el reino. Apocalipsis 21:24, 26 enseña que existirán naciones y reyes en la tierra nueva, y que harán contribuciones culturales. Mateo 5:5-8 revela que ver a Dios ocurrirá para los santos que también «heredarán la tierra». La tierra heredada es el contexto para ver a Dios y estar en su presencia. ¿No enseñan estos pasajes una nueva comprensión creacionista del futuro?

Dios no ve las interacciones sociales y culturales entre su pueblo como una amenaza para Él o para su gloria. Él determina que éstas ocurran y le complacen. Como afirma J. Richard Middleton en respuesta a Allen:

> simplemente no veo por qué necesitamos disminuir los logros culturales humanos para enfatizar que demos gloria a Dios. Por supuesto, Dios es glorificado en nuestra alabanza verbal. Pero en un sentido más fundamental, Dios es glorificado por nuestra vivencia de los propósitos normativos de Dios en la plenitud de nuestras vidas encarnadas. Afirmar esto último no contradice ni disminuye lo primero, a menos que partamos de una suposición a priori con ese fin.[19]

Probablemente, el argumento más significativo que ofrece Allen se refiere a la falta de matrimonio en la eternidad. Allen sostiene que, puesto que el matrimonio y la procreación no existen en la eternidad, deberíamos dudar a la hora de ser dogmáticos sobre otras cuestiones sociales y culturales en el futuro. Merece la pena considerar su punto de vista, pero no niega los numerosos pasajes bíblicos que hablan específicamente de la naturaleza tangible y social de la vida eterna. No es buena lógica afirmar que, si Dios no quiere que el matrimonio y la procreación existan en la eternidad futura, entonces no podemos saber nada de las interacciones sociales y culturales entre su pueblo. Si Dios ha considerado que el matrimonio y la procreación no continuarán en el estado eterno, esa realidad puede existir junto a las interacciones sociales y culturales entre los redimidos.

Allen apela a menudo a la historia eclesiástica en favor de su visión tradicional de la Visión Beatífica. Pero, aunque relevante, la historia eclesiástica no es la autoridad principal: lo son las Escrituras. Allen quiere volver a los puntos de vista tradicionales de la Visión Beatífica de Agustín, de Aquino y de ciertos reformadores y puritanos. Pero no ofrece por qué estos hombres tenían una comprensión superior. Debe haber algo más que sentimiento para las antiguas comprensiones. Los neocreacionistas han ofrecido razones específicas por las que teólogos como Agustín y de Aquino no eran exactos en sus comprensiones. Además, McDannell y Lang han documentado que la iglesia ha fluctuado a menudo entre el modelo de visión espiritual y el modelo de nueva creación. El punto de vista del modelo de la nueva creación también tiene profundas raíces en la historia de la iglesia. ¿Qué decir de Ireneo en el siglo II, que creía que el reino milenario de Jesús implicaría una tierra real con interacciones sociales y asuntos culturales? Ireneo creía que Jesús recompensaría con creces todo lo que una persona

---

[19] J. Richard Middleton, «Response to Michael Allen», en *Four Views on Heaven*, Michael E. Wittmer, ed. (Grand Rapids: Zondervan, 2022), 147-48.

perdiera por Jesús en esta era, incluidas moradas. Él también forma parte de la historia de la Iglesia. ¿Por qué no criticar a Agustín y de Aquino por abandonar lo que creía Ireneo? ¿Por qué aceptar acríticamente lo que creían los seguidores del modelo de de la visión espiritual? ¿Por qué no buscar también a los que en el pasado estaban más de acuerdo con el modelo de la nueva creación?

En 2022, los puntos de vista de Allen se expresaron con más detalle en su capítulo «una perspectiva del cielo en la tierra», en el libro *Four Views on Heaven*.[20] Aquí Allen interactuó con otros tres teólogos sobre el tema del cielo. Incluía aportaciones de J. Richard Middleton (neocreacionista). Así que fue una oportunidad de ver un intercambio directo entre un neocreacionista (Middleton) y alguien crítico con el neocreacionismo (Allen).

Las declaraciones de Allen en este libro fueron más amables y menos emocionales que las de su libro anterior, lo que resultó alentador. Y Allen declaró creer en una tierra renovada venidera, aunque advirtió que no estaba seguro de los detalles de la misma. Estamos mayormente de acuerdo con Allen en este libro. Quizá como Allen comprendía mejor lo que Middleton decía en realidad, sus preocupaciones no eran tan grandes. Además, la comprensión de la visión beatífica de Allen, tal como se expresa en este libro, es mucho mejor que la de Aquino. A diferencia de Aquino, Allen no sostiene que el universo quedará vacío y congelado en luz mientras los santos existen inmóviles en otra dimensión mirando fijamente la luz de Dios sin movimiento alguno. El planteamiento de Allen contiene ciertamente más cautela sobre cómo será el futuro, y lo respetamos. Pero parece que Allen está más cerca de la visión neocreacionista de la eternidad que de Aquino y de otros a los que tiene en alta estima. En resumen, Allen está menos seguro que los neocreacionistas sobre la naturaleza específica de la vida eterna, pero afirma una tierra nueva venidera con actividades que van más allá de la mera contemplación mental. Allen se contenta con una escatología genérica, sin detalles, mientras que los neocreacionistas se preocupan más por los detalles de la tierra nueva venidera.

La creencia de que la vida eterna implica una tierra restaurada con actividades culturales y sociales no es una amenaza para estar centrado en Dios, la necesidad de disciplinas espirituales y la importancia de vivir humildemente en esta presente era malvada. Apocalipsis 21-22 afirma que Dios morará con su(s) pueblo(s) y que verán su rostro. Esto tiene lugar en el contexto de una tierra nueva, una Nueva Jerusalén, naciones

---

[20] Michael Allen, «A Heaven on Earth Perspective», en *Four Views on Heaven*.

y actividades culturales (véase Ap. 21:1-2, 24). Tal comprensión no fue inventada por los neocreacionistas. Se encuentra en la Biblia.

El neocreacionismo también afirma la centralidad y la gloria de Dios. El Dios trino de la Biblia es el centro de todo. Dios es el héroe de la historia. Sólo Dios es digno de adoración. Jesús está en el centro de los propósitos del reino de Dios. Jesús es el Último Adán (véase 1 Cor. 15:45). Él es la semilla definitiva de Abraham (véase Gál. 3:16). Él es el Israelita definitivo (véase Isa. 49:3-7). Él es el Hijo de David por excelencia. Él es quien establece el nuevo pacto. Jesús compró con Su sangre a personas de todas las tribus, lenguas, pueblos y naciones (véase Ap. 5:9). No sólo su pueblo se salva gracias a Él, sino que toda la creación se restaura gracias a Jesús (véase Col. 1:20). Cuando toda muerte sea destruida, toda enfermedad sea aniquilada, todas las criaturas sean restauradas y toda lágrima sea enjugada, será gracias a Jesús. Lo mejor del reino venidero será ver a Dios y disfrutar de su presencia. Esto incluirá la adoración directa a nuestro gran Dios. El Creador será siempre el objeto principal de nuestro amor y enfoque. Mientras anticipamos esta gloriosa culminación, debemos ser serios y tener una mentalidad celestial. Debemos orar y emplear las disciplinas espirituales. Debemos estar dispuestos a dejarlo todo por Jesús en esta época.

Pero además de estas grandes verdades, Dios ha diseñado nuestro hogar eterno como un lugar real para personas con cuerpos físicos resucitados. Residiremos en un planeta Tierra restaurado donde tendremos comunión con otros santos salvos y disfrutaremos de las bondades de la nueva creación, incluyendo toda su belleza y sus delicias culturales. Al disfrutar de los dones que Dios nos ha dado, Dios es glorificado. Él se deleita en esto. Dios, y no los teólogos, es quien determina qué es lo que le da la máxima gloria.

Más títulos de **Publicaciones Kerigma**

Venga tu Reino

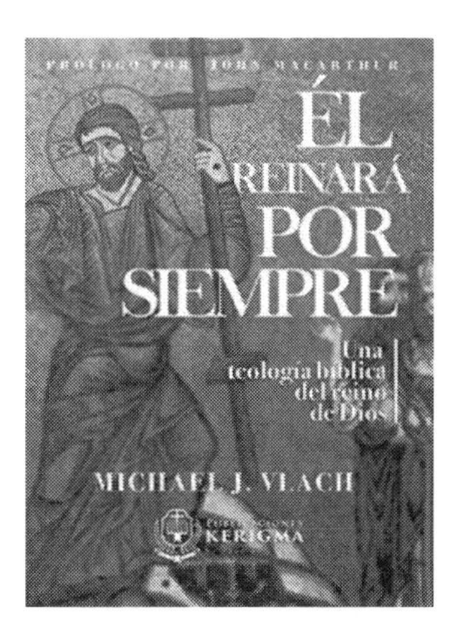

Él reinará por siempre

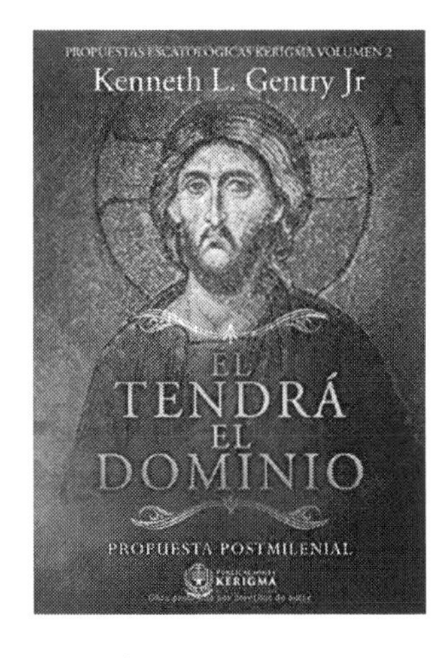

Él tendrá dominio

Amilenialismo y siglo venidero

Más títulos de **Publicaciones Kerigma**

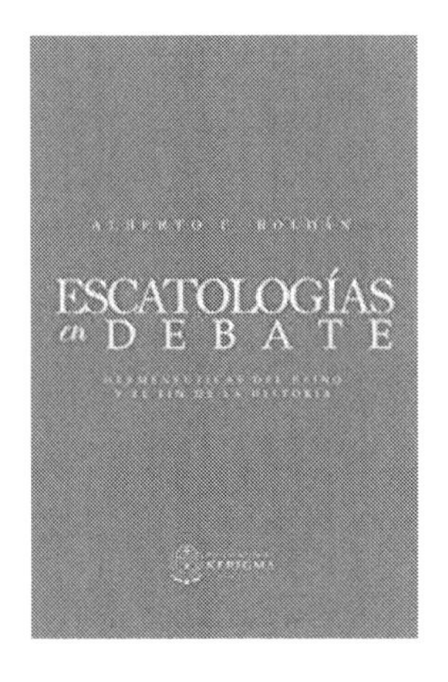

Escatológicas en debate

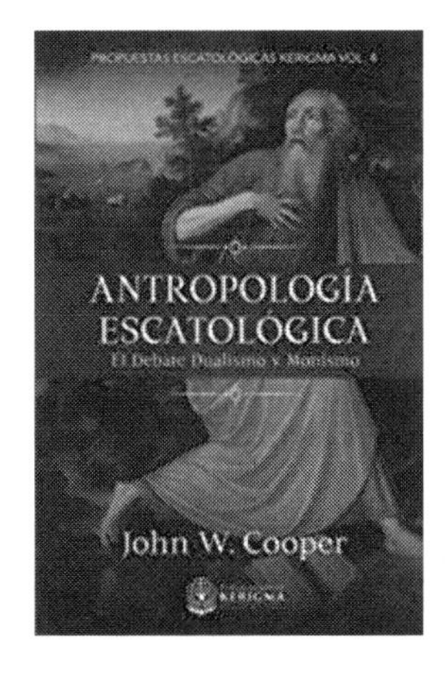

Antropología escatológica

El fuego que consume el infierno desde una perspectiva aniquilacionista

La caída de Jerusalén fechando el libro de apocalipsis

Para una lista completa del catálogo de Publicaciones Kerigma, y además obtener más información sobre nuestras próximas publicaciones, por favor visita:

www.publicacioneskerigma.org

www.facebook.com/publicacioneskerigma

Made in United States
Orlando, FL
15 August 2023

36127335R00217